D1105716

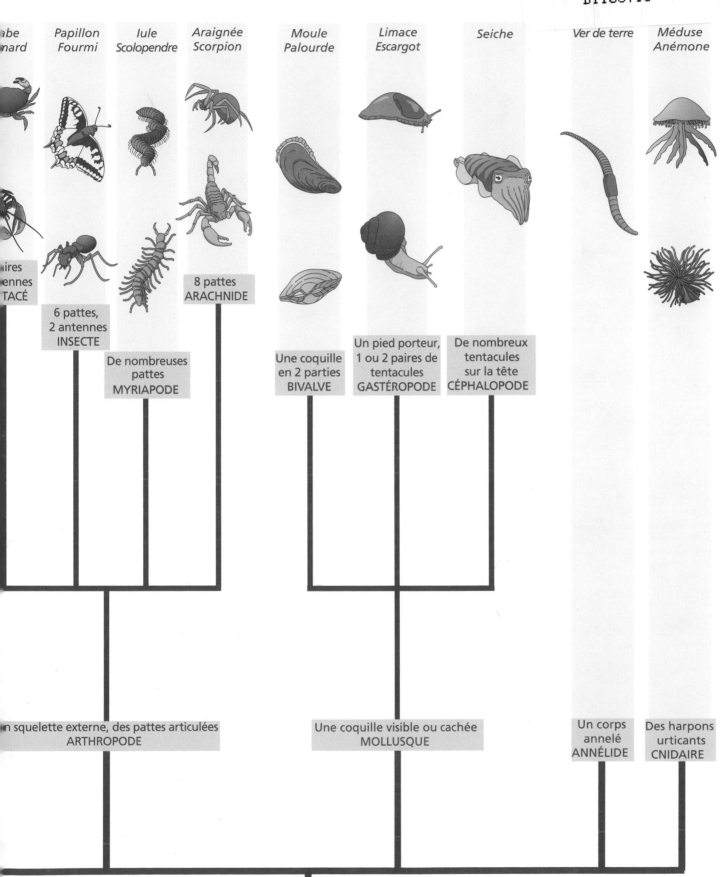

Crabe
Bernard

Papillon
Fourmi

Iule
Scolopendre

Araignée
Scorpion

Moule
Palourde

Limace
Escargot

Seiche

Ver de terre

Méduse
Anémone

... paires
... ennes
...TACÉ

6 pattes,
2 antennes
INSECTE

8 pattes
ARACHNIDE

De nombreuses
pattes
MYRIAPODE

Une coquille
en 2 parties
BIVALVE

Un pied porteur,
1 ou 2 paires de
tentacules
GASTÉROPODE

De nombreux
tentacules
sur la tête
CÉPHALOPODE

...n squelette externe, des pattes articulées
ARTHROPODE

Une coquille visible ou cachée
MOLLUSQUE

Un corps
annelé
ANNÉLIDE

Des harpons
urticants
CNIDAIRE

Une bouche, des yeux
ANIMAL

Sciences

Cycle 3

64 enquêtes pour comprendre le monde

Jean-Michel Rolando
Professeur de physique en IUFM

Guy Simonin
Professeur de SVT en IUFM

Patrick Pommier
Professeur de SVT en IUFM

Jocelyne Nomblot
Maître-formateur en IUFM

Jean-François Laslaz
Conseiller pédagogique

Sylvain Combaluzier
Maître-formateur en IUFM

MAGNARD

5, allée de la 2e D.B.
75015 Paris
ISBN : 978-2-210-54233-4
© Éditions Magnard, 2003.
www.magnard.fr

Pour bien utiliser ton manuel

Le titre sous la forme d'une question simple, parfois surprenante.

Une étape pour t'aider à démarrer l'enquête.

Des activités : expériences, observations, recherches.

Le thème de l'enquête.

Les mots expliqués dans l'encyclopédie.

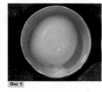

Je serai là pour t'aider à réussir tes enquêtes...

Des consignes :
- activité facile ;
- activité plutôt difficile.

Tu devras souvent écrire : il te faut donc un cahier de sciences.

Comment les oiseaux se reproduisent-ils ? 20

👁 Pour bien comprendre la question...

Pour nous nourrir, nous mangeons parfois des œufs, car le jaune et le blanc sont des aliments (document 1).

- Observe le document 2 : y a-t-il encore du jaune et du blanc dans l'œuf ?
- À ton avis, à quoi ont servi le jaune et le blanc de l'œuf ? Écris tes hypothèses dans ton cahier de sciences.

Le poussin s'est développé dans l'œuf, mais tous les œufs peuvent-ils donner des poussins ? Que doit-il se passer avant pour que cela soit possible ? Les recherches que tu vas faire vont t'aider à trouver les réponses.

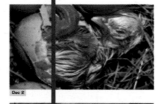

Doc 1

🔍 Des recherches pour répondre...

1. Que faut-il pour qu'un œuf donne un poussin ?
- Les événements représentés dans les documents 2, 3, 4 et 5 sont dans le désordre. Classe-les dans un ordre chronologique et donne-leur un titre.

Doc 2

Doc 3

Doc 4

Doc 5

58   Les divers modes de procréation animale

(Encyclopédie — pages 182-183)

Absorption intestinale

A

Absorption intestinale
Au cours de l'absorption intestinale, les plus petites parties des aliments résultant de la digestion traversent la paroi de l'intestin grêle. Ils passent dans le sang circulant dans les vaisseaux sanguins.

Accident corporel
Les accidents corporels touchent les organes du mouvement. On distingue :
– les **claquages** : à la suite d'un effort violent, on peut ressentir une vive douleur au niveau d'un muscle. C'est un claquage, c'est-à-dire la rupture de quelques fibres musculaires. La guérison nécessite la mise au repos de la région touchée ;
– les **entorses** : à la suite d'un accident, on peut ressentir une vive douleur au niveau d'une articulation. C'est une entorse, c'est-à-dire que les ligaments se sont distendus, voire arrachés de l'os. Dans les cas les plus graves, on pose un plâtre pour immobiliser l'articulation ou on opère pour réparer, voire remplacer les ligaments ;
– les **fractures** : à la suite d'un choc, un os peut se casser. C'est une fracture.

Aimant
Un aimant attire le **fer** (une matière qui entre dans la composition des clous, des trombones, etc.). Il attire aussi d'autres matières moins courantes (par exemple le nickel qu'on trouve notamment dans certaines pièces de monnaie).
Un aimant attire **à distance** (un aimant de placard attire par exemple des petits objets en fer à environ 10 cm). Il attire même **à travers un objet** (pas trop épais) faisant écran : planchette de bois, carton...

Un aimant attire des trombones à travers un écran.

Deux aimants s'attirent ou se repoussent selon la manière dont on les approche l'un de l'autre.

Air
L'air **est de la matière**. Donc, comme toute matière, il occupe de l'espace, il se déplace et il est pesant.

Il y a de l'air dans le verre : l'eau ne peut pas y entrer.

On peut transvaser de l'air entre deux récipients.

L'air enveloppe la terre jusqu'à une altitude de plusieurs dizaines de kilomètres : c'est l'**atmosphère**.

L'air contient :
– une grande quantité d'**eau**, parfois visible (les nuages) et parfois invisible (la vapeur d'eau) ;
– de l'**oxygène**, indispensable à la vie, qui permet la respiration des végétaux et des animaux ;
– une très petite quantité de **gaz carbonique**, qui joue pourtant un rôle très important. Il est en effet indispensable à la croissance des végétaux et il retient la chaleur de la Terre (sans lui, notre planète serait invivable, car beaucoup trop froide). Cette quantité a augmenté depuis la révolution industrielle du xixe siècle à cause de l'augmentation considérable des combustions produites dans les usines. La plupart des scientifiques pensent qu'elle devient trop importante et qu'elle est la principale cause du réchauffement de notre planète.

Alimentation
L'alimentation doit être suffisante en quantité et en qualité. Il y a trois sortes d'aliments :
– les **aliments bâtisseurs**, qui permettent à notre corps de fabriquer sa propre matière (peau, muscles...). Ils sont très importants pour les enfants quand ils grandissent ;
– les **aliments énergétiques**, qui maintiennent la température de notre corps à environ 37 °C et qui assurent nos déplacements, nos mouvements et nos efforts ;
– les **aliments fonctionnels**, qui permettent à nos organes de bien fonctionner.
Les produits sucrés ne sont pas nécessaires. En revanche, l'eau est la seule boisson indispensable.

ALIMENTS	APPORTS
Viandes, poissons, œufs	Protides indispensables à la construction du corps
Produits laitiers	Protides et calcium assurant la croissance et la solidité des os
Féculents et matières grasses	Énergie essentielle au fonctionnement de l'organisme
Fruits et légumes	Vitamines, sels minéraux et fibres nécessaires pour rester en bonne santé

Alvéole pulmonaire
Situées dans les poumons, les alvéoles pulmonaires sont de minuscules « sacs » où débouchent les bronches les plus petites (bronchioles). Leur paroi est riche en vaisseaux sanguins. C'est au niveau des alvéoles pulmonaires qu'ont lieu les échanges entre l'air et le sang.
→ Respiration

Antiseptique
C'est un produit utilisé **pour désinfecter une plaie**, car il tue les microbes sans abîmer la peau.

Appareil cardiovasculaire
Il est composé du cœur et de l'ensemble des vaisseaux sanguins (artères, veines et capillaires sanguins) dans lesquels circule le sang.
→ Circulation sanguine

Appareil digestif
Il est constitué du tube digestif, ainsi que des glandes salivaires, du pancréas et du foie.
→ Digestion

Appareil génital
L'appareil génital **mâle** est composé de deux testicules

Arbre généalogique

et d'un pénis (→ schéma p. 120). Les testicules produisent les **spermatozoïdes**.
L'appareil génital **femelle** est composé de deux ovaires, des trompes, de l'utérus et du vagin (→ schéma p. 120).
Les ovaires produisent des **ovules**, les trompes sont le lieu où se passe la fécondation, l'utérus est l'organe où se développe l'embryon.
Lors de l'accouplement, le pénis pénètre dans le vagin et y déverse les spermatozoïdes. Un spermatozoïde peut aller féconder un ovule dans la trompe.
→ Procréation et fécondation

Appareil respiratoire
Il est composé de deux poumons reliés au nez et à la bouche par la trachée artère. La trachée artère se divise en deux bronches qui se ramifient en des tuyaux de plus en plus nombreux et de plus en plus petits. Les plus fins sont les bronchioles qui débouchent dans les alvéoles pulmonaires.
→ Respiration

Arbre de classification
Dans un arbre de classification, chaque branche regroupe des éléments ayant des points communs (→ arbre au dos de la couverture).

Arbre généalogique
Un arbre généalogique montre les liens qui unissent tous les membres d'une famille sur plusieurs générations. On peut procéder de deux façons différentes :

182   Encyclopédie

183

Des textes documentaires pour t'apporter des informations.

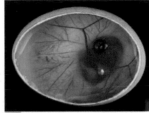

Et moi pour t'apporter quelques conseils sur l'environnement et la sécurité !

Des indices qui t'aideront à répondre aux questions.

Des fiches pour t'apprendre à travailler avec méthode, comme un vrai scientifique.

Un point sur ce que tu as appris.

Des idées pour prolonger ton enquête.

La page où se trouvent un résumé des connaissances et les réponses aux questions les plus difficiles.

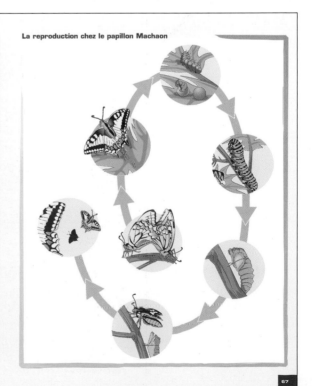

---

2. À quoi sert la couvaison ?

Doc 6

La couvaison chez le manchot empereur

Les côtes du continent antarctique abritent le manchot empereur qui s'y reproduit en colonies. Le regroupement commence au début de l'hiver austral. Après l'accouplement, la femelle pond un œuf qu'elle confie au mâle et part s'alimenter en mer. L'œuf est couvé 2 mois dans un repli de la peau et porté sur les pieds. Jamais il ne touche le sol. Ainsi réchauffé, l'embryon se développe dans l'œuf. Les femelles reviennent lorsque les œufs sont prêts à éclore et les mâles, qui ont jeûné pendant la couvaison, partent se nourrir.

- À partir du document 6, explique l'intérêt de la couvaison.
- Quelle est sa durée chez le manchot empereur ?
- Cette durée est-elle identique pour toutes les espèces ?

Pour t'aider...
Va voir dans l'encyclopédie à couvaison.

3. Que se passe-t-il dans l'œuf ?

Doc 7 L'embryon dans l'œuf 5 jours après le début de la couvaison.

Doc 8 L'embryon dans l'œuf 10 jours après le début de la couvaison.

- Décalque l'intérieur de l'œuf du document 8.
- Indique sur ton dessin les légendes suivantes : coquille, embryon, vaisseaux sanguins, jaune.
- D'où viennent les aliments nécessaires à la croissance de cet embryon ?
- À quoi servent les vaisseaux sanguins reliant l'embryon au jaune de l'œuf ?

Pour Faire un dessin
- Utilise un crayon à papier.
- N'appuie pas trop sur la mine.
- Écris un titre sous le dessin. Place des légendes autour du dessin et relie-les à celui-ci par des flèches tracées à la règle.

→ Fiche « méthode », p. 7.

Pour aller plus loin

Pour faire éclore des poussins dans ton école, il faut acheter une couveuse et se procurer des œufs. Sur Internet, consulte un moteur de recherche avec les mots-clés : couveuse, œuf, poule.

Pour être sûr d'avoir bien compris
- Résume les étapes de la procréation chez les oiseaux dans un texte en utilisant ces mots : femelle, œufs, jeune oiseau, réserves nutritives de l'œuf, mâle, pondre, couver, embryon, ovipares, s'accoupler, éclosion.

Des bilans, des réponses : page 66

59

Des bilans, des réponses...

20 Comment les oiseaux se reproduisent-ils ? ....

- Les oiseaux sont **ovipares**, c'est-à-dire que le petit sort d'un œuf.
- Pour se reproduire, le mâle et la femelle doivent s'accoupler.
- Puis la femelle pond des œufs qui sont couvés par les parents, la mère le plus souvent.

- Durant la couvaison, l'embryon se développe à partir des réserves nutritives (le jaune et le blanc) contenues dans l'œuf.
- Après l'éclosion, chez de nombreuses espèces, les parents s'occupent des jeunes : ils les protègent et les nourrissent. Les oisillons grandissent et deviennent des jeunes oiseaux, mâles ou femelles, capables à leur tour de procréer.

21 Comment les mammifères se reproduisent-ils ? ....

- Les mammifères sont **vivipares**, c'est-à-dire que le petit sort du ventre de la mère.
- Pour se reproduire, le mâle et la femelle doivent s'accoupler.
- Alors débute la **gestation : un embryon** (ou plusieurs) se développe dans l'utérus de la mère.

Il est nourri grâce au **placenta**, un organe où se font des échanges nutritifs et respiratoires entre la mère et l'embryon.
- Après la mise bas, le jeune est allaité par sa mère. Il grandit, devient un adulte mâle ou femelle capable de procréer à son tour.

22 À quoi ressemble le jeune chez le papillon ? ....

- Les papillons, comme les autres insectes, sont **ovipares**, mais le petit qui sort de l'œuf est très différent de l'adulte : c'est une **larve**.

- Cette larve grandit au cours d'une série de **mues**. Lors de la dernière mue, elle se transforme en chrysalide. Celle-ci se **métamorphose** ensuite en papillon.

23 Quel est le rôle du mâle ? ....

- De nombreuses espèces sont **ovipares** : les oiseaux, les amphibiens, la plupart des poissons, les insectes. D'autres sont **vivipares** : il s'agit essentiellement des **mammifères**.
- Selon les espèces, il y a accouplement ou non. Cependant, dans tous les cas, le **mâle produit des spermatozoïdes** et la femelle des ovules.

- La fusion entre un ovule et un spermatozoïde donne un œuf qui évolue en un **embryon**. C'est la **fécondation**. Elle peut se faire dans l'eau ou dans l'appareil génital de la femelle.

RÉPONSE
Le document 1 présente des œufs et des alevins de truite. Le document 2 présente des œufs et de jeunes têtards.

La reproduction chez le papillon Machaon

66 Unité et diversité du vivant : des bilans, des réponses...   67

3

Sommaire

LE CORPS HUMAIN ET L'ÉDUCATION À LA SANTÉ

LE CIEL ET LA TERRE

LE MONDE CONSTRUIT PAR L'HOMME

Apprends à travailler

1. Lorsque tu as un **problème** scientifique ou technique à résoudre, tu dois travailler avec méthode.

Un exemple de problème

Comment faire germer une graine rapidement ?

Démarche expérimentale

- Elle sert à tester une hypothèse.

- Elle comporte au moins deux montages identiques, sauf en ce qui concerne la propriété que l'on veut tester (par exemple la température).

3. Pour tester ton hypothèse, tu peux **mener une démarche expérimentale**.

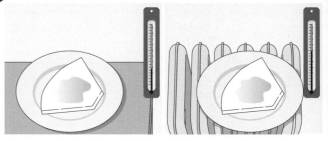

Hypothèse testée : la température influence la vitesse d'évaporation de l'eau.

Compte-rendu d'expérience

Il résume ton expérimentation.

1. Mets en titre la question à résoudre.

2. Écris l'hypothèse à vérifier.

3. Fais le dessin de l'expérience.

4. Indique son résultat.

5. Rédige ta réponse à la question de départ.

3 /02/2000   Camille

Comment peut-on prouver que l'eau est salée sans la boire ?

Notre expérience

Mettre de l'eau dans une assiette et la mettre au soleil.

Notre hypothèse :
L'eau salée devrait s'évaporer et le sel devrait rester dans l'assiette.

eau salée   sel

Notre conclusion :
Oui dans l'eau il y avait bien du sel.
L'eau s'est évaporée et le sel est resté dans l'assiette.

5. Tu peux aussi trouver des renseignements dans des **documents** scientifiques.

Recherche documentaire en bibliothèque

1. Repère le rayon.

2. S'il y a une recherche informatique, utilise des mots-clés.

3. Sélectionne les documents qui te paraissent les plus simples.

4. Consulte le sommaire et l'index (s'il y en a un) pour trouver les bonnes pages.

7. Toutes ces recherches te permettent de dire si l'hypothèse testée est valable ou non.

comme un scientifique

2. Imagine d'abord quelle solution pourrait convenir : fais une **hypothèse**.

Un exemple
d'hypothèse

Le séchage des champignons est plus rapide s'ils sont coupés en fines lamelles.

4. Tu peux aussi **réaliser une maquette** ou bien **mener des observations**.

Hypothèse testée :
des animaux mangent
les feuilles mortes.

6. Et n'oublie pas que de nombreuses informations sont disponibles sur **Internet**.

Recherche documentaire sur Internet

1. Utilise un moteur de recherche.

2. Choisis les mots-clés qui correspondent le mieux à ta recherche.

3. Consulte les sites que tu as trouvés.

4. Si la page est longue à lire, clique sur Édition/Rechercher dans cette page pour trouver les mots intéressants.

Dessin d'observation

Il illustre, le plus fidèlement possible, tes observations.

1. Note la question à résoudre.

2. Observe l'objet en repérant ce qui est important à dessiner.

3. Fais un grand dessin :
- utilise un crayon bien taillé sans trop appuyer ;
- respecte l'allure générale et les proportions de l'objet ;
- indique sa taille réelle.

4. Écris les légendes, puis relie-les au dessin par des traits tracés à la règle.

5. Écris le titre.

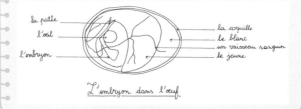

la patte
l'œil
l'embryon
la coquille
le blanc
un vaisseau sanguin
le jaune

L'embryon dans l'œuf

8. Pour finir, dis-toi bien que les scientifiques travaillent en équipe : fais comme eux !

64 enquêtes

Matière et énergie

Unité et diversité du vivant

Éducation à l'environnement

Le corps humain
et l'éducation à la santé

Le ciel et la Terre

Le monde construit
par l'homme

Comment savoir si une colline est plus haute qu'une autre ?

👁 Pour bien comprendre la question...

Imagine que tu es un géomètre (document 1)...

Ton travail consiste à savoir si le sommet d'une colline, visible au loin (document 2), est plus haut, moins haut, ou à la même altitude que l'endroit où tu te trouves.

Doc 2

Doc 1

🔍 Des recherches pour répondre...

1. Ces deux croix sont-elles à la même hauteur ?

Une première croix : le sommet du 1er immeuble

Une deuxième croix : le sommet du 2e immeuble

On imagine ici un précipice

Doc 3

Pour résoudre le problème posé, des élèves ont reproduit la situation dans la cour de leur école (document 3) :

– une première croix est dessinée sur un poteau (c'est le sommet de la première colline) ;

– une seconde croix est dessinée sur le mur (c'est le sommet de la seconde colline).

Comment savoir, sans se déplacer, si la seconde croix est plus ou moins haute que la première ?

• Réfléchis à la façon dont ils s'y prennent.

• As-tu d'autres idées ? Note-les sur ton cahier de sciences.

• Compare-les à celles de tes camarades.

2. Des outils pour viser

Doc 4

Doc 5

Doc 6

Doc 7

Ces élèves utilisent différents outils :

– un tube et une bouteille presque pleine d'eau (documents 4 et 7);

– une équerre et un <u>fil à plomb</u> (document 5) ;

– un <u>niveau à bulle</u> (document 6).

● À ton tour, mets au point une ou plusieurs méthodes pour viser.

● À l'aide de la fiche « méthode », fais un dessin en coupe des objets ou montages que tu penses utiliser (celui du document 7 par exemple).

● Expérimente dans la cour de ton école en faisant des croix comme dans le document 3.

Pour t'aider…

Va voir dans l'encyclopédie les mots <u>vertical</u>, <u>horizontal</u> et <u>viser</u>.

🔍 Pour être sûr d'avoir bien compris

Ces deux élèves visent chacun le sommet d'un arbre par la fenêtre de leur classe (documents 8 et 9).

● Indique si l'arbre visé est plus haut, plus bas ou bien à la même hauteur.

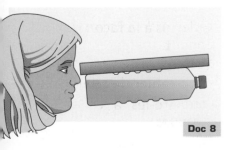

Doc 8

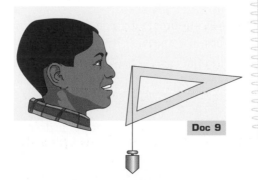

Doc 9

Pour faire un dessin en coupe

● Imagine que tu puisses couper le montage par le milieu (comme dans le document 6, p. 33).

● Imagine que tu puisses te servir de l'une des deux moitiés obtenues comme d'un tampon et faire ainsi une empreinte.

● Réalise le dessin comme si tu repassais sur les contours de cette empreinte imaginaire.

Pour bien comprendre la question...

1. Comment les hommes faisaient-ils lorsqu'ils n'avaient pas de thermomètres ?

Avant l'invention du <u>thermomètre</u>, les hommes n'avaient que leurs sens pour les renseigner sur la <u>température</u>.

- Réalise cette expérience (documents 1 et 2).

Doc 1 Première étape.

Doc 2 Seconde étape.

- Pourquoi n'est-il pas précis de mesurer une température avec ses doigts ?

2. Quelles difficultés les scientifiques ont-ils rencontrées ?

Doc 3

Il n'est pas possible de savoir qui a inventé les thermomètres. Mais au XVIIe siècle, ils ressemblaient déjà à ceux que l'on utilise encore aujourd'hui : un réservoir contenant un liquide coloré qui se déplace dans une tige creuse. Plus il fait chaud, plus le liquide monte vers le haut de la tige.

Toutefois, les physiciens ne réussissaient pas à s'entendre pour graduer la tige. De nombreuses discussions, parfois même des disputes, ont eu lieu avant qu'on ne trouve une solution acceptée par tous les scientifiques.

Au XVIIIe siècle, ils ont trouvé des repères en remarquant que l'eau se solidifiait et bouillait toujours aux mêmes températures. Le savant suédois Celsius (1701-1744) a participé à ces découvertes. Il a laissé son nom à l'unité de température : le degré Celsius ou °C.

- D'après le document 3, pour quelle raison les scientifiques se disputaient-ils ?
- Quelles connaissances leur manquait-il pour qu'ils puissent se mettre d'accord ?
- Connais-tu la température à laquelle l'eau se transforme en glace et celle à laquelle elle bout ? Note tes réponses sur ton cahier de sciences, puis vérifie-les en faisant les expériences qui suivent.

⊙ Des recherches pour répondre...

Réfléchis à la façon dont tu t'y prendras pour connaître la température.

1. À partir de quelle température l'eau se transforme-t-elle en glace ?

- Remplis des récipients d'eau du robinet.
- Trouve des lieux où tu peux laisser l'eau refroidir jusqu'à ce qu'elle se change en glace (à l'école ou chez toi).
- Prépare un tableau avec trois colonnes : lieu où l'expérience est réalisée ; température du lieu ; état de l'eau (liquide ou solide).
- Réalise tes expériences. Laisse l'eau refroidir aussi longtemps que tu le souhaites.
- Note les résultats que tu obtiens et rédige une conclusion.

2. Quelle est la température de la glace en train de fondre ?

- Fais l'expérience (document 4) dans la salle de classe.
- Compare ton résultat à ceux de tes camarades.
- Quelle est la température de <u>fusion</u> de la glace ?
- Est-ce que cette température serait différente si l'expérience était réalisée dehors en plein hiver ou sur un radiateur allumé ? Essaie de prévoir les résultats avant d'expérimenter.

Doc 4

Attention, cette expérience est dangereuse ! C'est à ton maître de la réaliser.

3. À quelle température l'eau se met-elle à bouillir ?

Voici les résultats obtenus au cours d'une expérience semblable à celle du document 5.

0 min	2 min	4 min	6 min	8 min	10 min	12 min
17 °C	37 °C	56 °C	73 °C	88 °C	98 °C	98 °C

- Fais un graphique pour représenter les résultats (→ fiche « méthode » p. 63).
- Cette température serait-elle différente si l'eau était chauffée pendant 30 minutes ou avec une plaque plus puissante ? Écris d'abord ce que tu penses, puis vérifie tes hypothèses en expérimentant avec ton maître.

Doc 5

⊙ Pour être sûr d'avoir bien compris

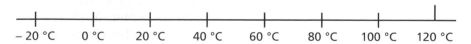

| − 20 °C | 0 °C | 20 °C | 40 °C | 60 °C | 80 °C | 100 °C | 120 °C |

- Reproduis cette droite. Colorie en rouge la partie où l'eau est à l'état liquide, puis en bleu celle où elle est à l'état de glace.

Pour t'aider...

Va voir dans l'encyclopédie les mots <u>fusion</u>, <u>solidification</u> et <u>ébullition</u>.

☀ **Des bilans, des réponses : page 20**

👁 Pour bien comprendre la question...

1. L'eau est indispensable à la vie

L'eau est très importante pour notre organisme (documents 1 et 2).

Doc 1

Si l'on peut se priver de nourriture durant plusieurs semaines, il est en revanche impossible de se passer d'eau pendant plus de trois jours… L'eau est la seule boisson des animaux, et la seule qui nous soit vraiment indispensable. D'ailleurs, tous les breuvages que nous avons inventés […] contiennent avant tout… de l'eau !

Dans notre organisme, l'eau est à la fois transporteur, éboueur et lubrifiant*. D'abord elle transporte vers les cellules des substances nutritives dissoutes, puis dans son rôle d'éboueur elle nettoie l'organisme en éliminant les déchets par l'urine. L'eau est aussi un lubrifiant, puisque sans elle on ne pourrait ni cligner des yeux ni plier les genoux !

Pierre Kohler, *Voyage d'une goutte d'eau*, Éditions Fleurus, 1997.

(*) Un lubrifiant est une substance qui permet à deux objets de glisser facilement l'un contre l'autre (l'huile, la graisse, l'eau savonneuse sont des lubrifiants).

Doc 2

Un enfant de ton âge a besoin d'au moins **1,5 L chaque jour**.

- Est-ce que tu bois cette quantité de boisson dans une journée ?
Il est facile de le vérifier.

2. Les boissons suffisent-elles à nos besoins ?

Un enfant de ton âge a noté ce qu'il a bu au cours d'une journée.

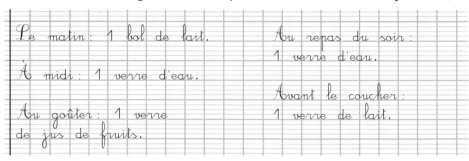

Le matin : 1 bol de lait.

À midi : 1 verre d'eau.

Au goûter : 1 verre de jus de fruits.

Au repas du soir : 1 verre d'eau.

Avant le coucher : 1 verre de lait.

Doc 3

- Fais comme lui : note ce que tu bois dans une journée.

- Le lendemain, mesure approximativement la quantité d'eau que cela représente. Aide-toi du matériel du document 3.

- D'après tes calculs, toutes ces boissons sont-elles suffisantes pour t'apporter les 1,5 L d'eau dont tu as besoin ?

- Si tu penses qu'elles sont insuffisantes, d'où viennent les autres apports en eau ?
C'est ce que tu vas découvrir en faisant des expériences.

Pour t'aider...

- Souviens-toi du document 1 : le lait, les jus de fruits et toutes les autres boissons que tu peux consommer contiennent surtout de l'eau.

- 1 dL est aussi égal à 1/10 de litre. Cela signifie qu'il faut 10 verres d'eau pour faire 1 L d'eau.

🔍 Des recherches pour répondre...

1. Une méthode pour savoir s'il y a de l'eau dans les aliments

Expérimente

- Enferme un fruit pelé ou coupé en deux dans un sac en plastique (document 4).
- Place le sac au soleil ou sous une lampe de bureau pendant environ 15 minutes.
- Qu'observes-tu à la fin de l'expérience ?

Doc 4

Cherche des explications

- Ouvre le sac et touche avec ton doigt. De quoi est constitué le voile qui apparaît sur le sac (document 5) ?
- Comment se forme-t-il ?

Rédige un compte-rendu d'expérience

➜ Fiche « méthode » p. 6.

Doc 5

> **Pour t'aider...**
>
> Va voir dans l'encyclopédie les mots <u>évaporation</u> et <u>condensation</u>.

2. Applique la méthode aux aliments que tu manges

- Applique la même méthode pour étudier des aliments que tu as l'habitude de manger.
- Fais des hypothèses : indique si, à ton avis, l'aliment que tu testes contient de l'eau.
- Regroupe tes hypothèses et tes résultats dans un tableau comme celui-ci.

> Le tableau te propose des exemples, tu peux en imaginer d'autres.

ALIMENT TESTÉ	HYPOTHÈSE	RÉSULTAT DE L'EXPÉRIENCE
Pomme de terre fraîche		
Pommes de terre « chips »		
Tomate		
Raisins secs		
Pain frais		
Biscotte		
Pain sec		
Pomme		
Champignon		

Pour aller plus loin

La quantité d'eau dont ton corps a besoin est-elle différente en été et en hiver ? Est-elle la même un jour où tu fais du sport (document 2) et un jour où tu restes chez toi ? Mesure la quantité d'eau que tu bois dans ces situations pour répondre aux questions.

Comment faire sécher des champignons ?

👁 Pour bien comprendre la question...

Si tu as réalisé l'enquête 3, tu sais maintenant qu'il y a de l'eau dans les champignons. Pour les conserver, une méthode consiste à les faire sécher : ils perdent alors leur eau par <u>évaporation</u>.

Pour faire sécher rapidement les champignons (document 1), il faut les découper en fines lamelles (document 2), puis les étaler à la chaleur dans un endroit aéré (document 3).

Méfie-toi : certains champignons sont très dangereux !

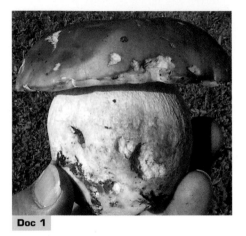

Doc 1

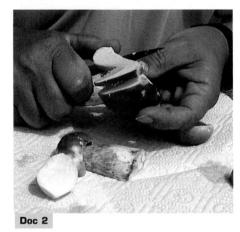

Doc 2

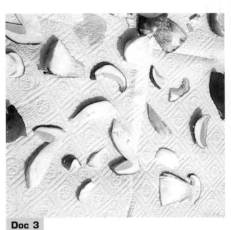

Doc 3

Tu vas vérifier l'importance de chaque étape en faisant des expériences.

🔍 Des recherches pour répondre...

1. Le découpage en lamelles a-t-il de l'influence sur l'évaporation de l'eau ?

a. Une expérience pour tester l'hypothèse

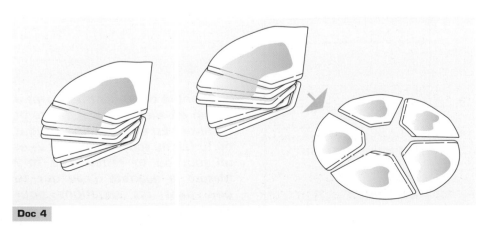

Doc 4

Vous n'allez pas me couper pour ça ! Utilisez des filtres à café.

● Réalise cette expérience (document 4) sur le goudron de la cour de l'école : verse quatre cuillères à café d'eau sur cinq filtres et laisse-les sécher en tas ; fais de même sur cinq autres filtres, étale-les et laisse-les sécher.

● Compare la surface des cinq filtres lorsqu'ils sont l'un sur l'autre et lorsqu'ils sont étalés.

● À ton avis, que va-t-il se passer ?

b. Un tableau pour résumer la méthode

Tu viens de réaliser une démarche expérimentale (➔ p. 6).

Elle peut être résumée dans un tableau comme celui-ci.

Tu auras à faire le même type de tableau pour les expériences des documents 5 et 6.

INFLUENCE DE LA SURFACE EN CONTACT AVEC L'AIR	
Dispositif 1	Dispositif 2
5 filtres	5 filtres
4 cuillères d'eau	4 cuillères d'eau
Sur le goudron	Sur le goudron
Filtres en tas sur le sol	Filtres étalés sur le sol

2. La température a-t-elle de l'influence sur l'évaporation de l'eau ?

Doc 5

- Réalise cette expérience (document 5) : verse deux cuillères à café d'eau sur chaque filtre ; place une soucoupe sur une table, l'autre sur un radiateur.
- À ton avis, que va-t-il se passer ?
- Fais le tableau pour résumer cette expérience.

3. L'aération a-t-elle de l'influence sur l'évaporation de l'eau ?

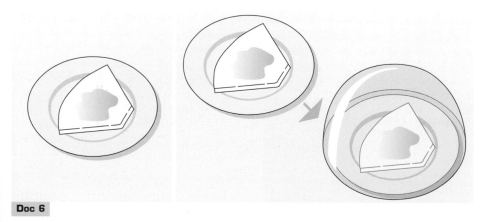

Doc 6

- Réalise cette expérience (document 6) : verse deux cuillères à café d'eau sur chaque filtre ; recouvre l'un des filtres d'un grand saladier transparent.
- À ton avis, que va-t-il se passer ?
- Fais le tableau pour résumer cette expérience.

🔍 Pour être sûr d'avoir bien compris

Va voir dans l'encyclopédie à <u>évaporation</u>. Plusieurs expériences sont dessinées.

- Quelle est l'expérience de l'encyclopédie qui prouve la même chose que les expériences des documents 4 et 5 ?
- Fais le dessin d'une expérience qui prouverait la même chose que celle du document 6 et qu'on pourrait ajouter à l'encyclopédie.

Pour aller plus loin

Trouve une méthode pour mesurer la masse d'eau contenue dans 1 kg de champignons de Paris.

 Des bilans, des réponses : page 20

17

D'où vient l'eau des nuages ?

Pour bien comprendre la question...

Observe ces nuages (document 1). Ils se sont formés à partir de l'<u>évaporation</u> de l'eau de mer. Or, si l'on voit souvent l'eau tomber sous forme de pluie, **on ne la voit jamais monter.**

Dans ta maison (document 2), de l'eau s'évapore en permanence. **Pourtant, on ne la voit pas.**

Doc 1

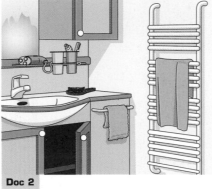

Doc 2

Il y a de l'eau ici ?
Ce n'est pas possible,
je devrais la voir !

Pourquoi ne voit-on pas l'eau lorsqu'elle s'évapore ? Peut-elle se trouver sous une forme invisible ?

Les recherches que tu vas faire vont t'aider à répondre à ces questions.

Des recherches pour répondre...

1. Une observation à expliquer

Doc 3

Cette photographie (document 3) a été prise tôt le matin.

❖ Quelle observation peux-tu faire ?

❖ As-tu une hypothèse pour l'expliquer ? Rédige-la dans ton cahier de sciences.

Je suis sûr que tu as déjà observé la même chose sur toi-même.

2. Une méthode pour savoir s'il y a de l'eau dans l'air

Doc 4 Le verre servant à l'expérience.

Doc 5 Le même verre sortant d'un réfrigérateur.

🔹 Place un verre (document 4) pendant une demi-heure dans un endroit très froid, puis rentre-le dans la classe.

🔹 De quoi est constitué le voile qui se forme sur le verre (document 5) ? D'où vient-il ? Comment se forme-t-il ?

🔹 Rédige une explication.

Pour t'aider...
Va voir dans l'encyclopédie les mots condensation et vapeur d'eau.

3. Comment se forment les nuages ?

🔹 Procure-toi un petit récipient et un saladier transparent. Mets le saladier au froid pendant une demi-heure.

🔹 Verse de l'eau chaude dans le récipient, puis recouvre-le du saladier (document 6). Qu'observes-tu ?

🔹 Quel rapport y a-t-il entre cette expérience et la formation des nuages ?

Doc 6

4. L'eau de pluie est-elle salée ?

Les nuages qui se forment au-dessus de la mer sont-ils composés d'eau salée ? Voici l'avis de deux élèves :

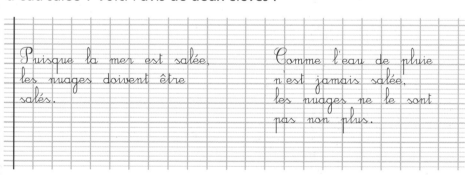

Puisque la mer est salée, les nuages doivent être salés.

Comme l'eau de pluie n'est jamais salée, les nuages ne le sont pas non plus.

🔹 Et toi, quel est ton avis ?

🔹 Que dois-tu modifier, dans l'expérience du document 6, pour répondre à la question ?

🔹 Refais l'expérience, observe le résultat ; rédige ensuite une conclusion.

🔍 Pour être sûr d'avoir bien compris

🔹 Dessine la mer et quelques nuages comme dans le document 1. Ajoute une légende qui précise à quel endroit l'eau est à l'état liquide et à quel endroit elle est à l'état de vapeur.

🔹 Rédige un texte qui explique comment se forment les nuages avec les mots vapeur d'eau, évaporation et condensation.

Pour aller plus loin

Il existe de nombreuses sortes de nuages. Documente-toi et apprends à les reconnaître.

Des bilans, des réponses...

① Comment savoir si une colline est plus haute qu'une autre ? . . . .

Il faut se placer au sommet d'une colline et viser **horizontalement** en direction du sommet de l'autre colline. Deux méthodes principales permettent de **repérer l'horizontale**.

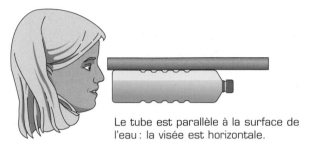

Le tube est parallèle à la surface de l'eau : la visée est horizontale.

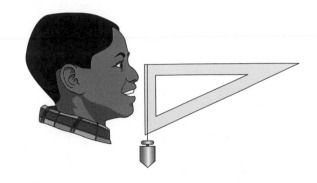

Un côté de l'équerre est parallèle au fil à plomb : la visée est horizontale.

② Comment a-t-on gradué les premiers thermomètres ? . . . .

• La **température de solidification ou de fusion de l'eau** est toujours la même, quelle que soit la température de la pièce. Les scientifiques ont décidé que cela correspondrait à **0 °C**.

• La **température d'ébullition de l'eau** est toujours la même ; elle n'augmente pas, même si on la laisse bouillir longtemps. Les scientifiques ont décidé que cela correspondrait à **100 °C** au niveau de la mer. C'est un peu moins en altitude.

• C'est ainsi qu'on a mis au point la **graduation des thermomètres** au XVIIIe siècle.

③ Comment savoir s'il y a de l'eau dans les aliments ? . . . .

• En enfermant des aliments qui contiennent de l'eau dans un sac en plastique exposé à la chaleur, on voit apparaître de la **buée** à l'intérieur du sac.

• L'eau des aliments **s'évapore** (elle se transforme en vapeur d'eau), puis se **condense** (elle se transforme en eau liquide) sur les parois du sac.

• L'eau dont notre corps a besoin lui est fournie par les boissons que nous buvons, mais aussi par ce que nous mangeons. En effet, **presque tous les aliments contiennent de l'eau.**

④ Comment faire sécher des champignons ? . . . .

• Les champignons, comme les autres aliments, contiennent de l'eau. Pour les conserver, il faut les faire sécher, c'est-à-dire faire **évaporer** leur eau rapidement.

• Les expériences réalisées montrent que la **vitesse** d'évaporation dépend de la **température**, de la **surface en contact avec l'air** et de l'**aération**.

• C'est ce qui explique la manière dont on s'y prend pour faire sécher les champignons.

⑤ D'où vient l'eau des nuages ? . . . .

• De l'eau s'évapore sans cesse dans l'air. Pourtant, le plus souvent, on ne la voit pas. C'est parce qu'**à l'état gazeux, l'eau est invisible** : on l'appelle **vapeur d'eau**.

• L'eau devient visible **lorsqu'elle se condense : elle forme de petites gouttes** (comme sur un verre froid).

• À la surface de la Terre et des océans, c'est la même chose : la vapeur d'eau est invisible dans l'air. **Lorsqu'elle rencontre de l'air plus froid, elle se condense.** C'est comme cela que se forment les nuages.

L'eau sous forme de solide, de liquide et de gaz

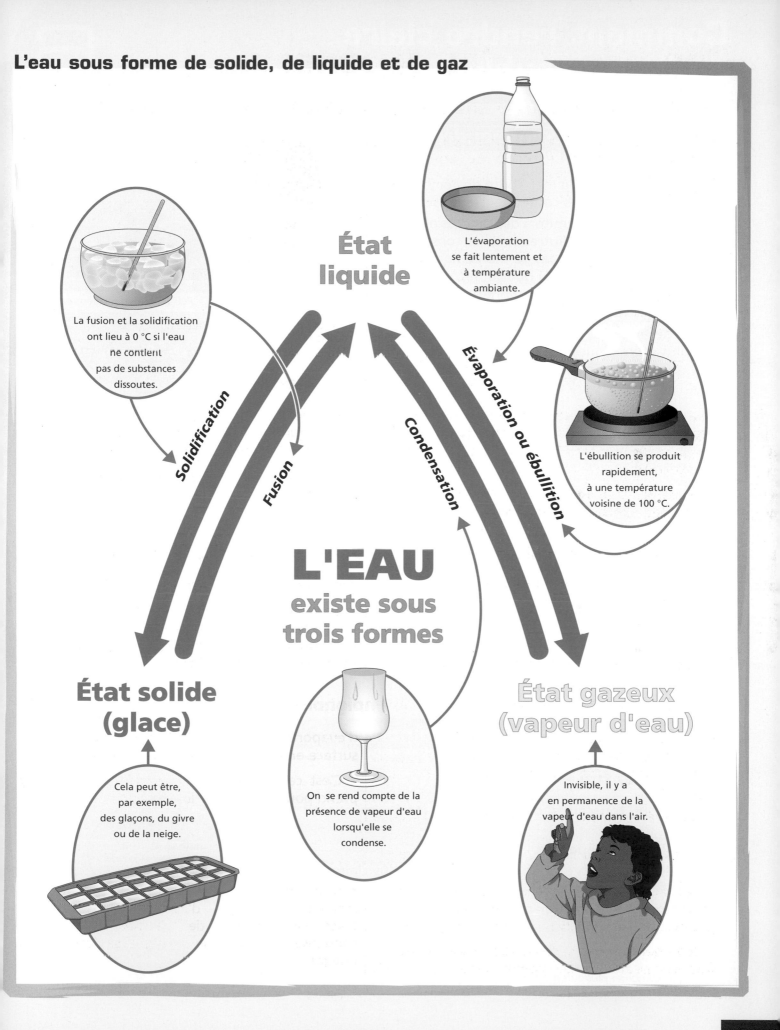

État liquide

L'évaporation se fait lentement et à température ambiante.

La fusion et la solidification ont lieu à 0 °C si l'eau ne contient pas de substances dissoutes.

L'ébullition se produit rapidement, à une température voisine de 100 °C.

Solidification

Fusion

Condensation

Évaporation ou ébullition

L'EAU
existe sous trois formes

État solide (glace)

Cela peut être, par exemple, des glaçons, du givre ou de la neige.

On se rend compte de la présence de vapeur d'eau lorsqu'elle se condense.

État gazeux (vapeur d'eau)

Invisible, il y a en permanence de la vapeur d'eau dans l'air.

Comment rendre claire de l'eau trouble ?

6

Pour bien comprendre la question...

L'eau des rivières et de la mer abrite de nombreuses formes de vie. Sa <u>pollution</u> peut avoir des conséquences graves.

Parfois, la pollution se limite à des détritus plus ou moins faciles à éliminer (document 1). D'autres fois, les conséquences sont beaucoup plus sérieuses comme en cas de marée noire (document 2). Tu verras dans l'enquête 31 que l'eau du robinet, elle aussi, peut être polluée. L'homme a donc besoin de savoir nettoyer l'eau, même s'il ne l'utilise pas directement.

Dans cette enquête, tu vas chercher une méthode pour rendre de l'eau plus claire. Pour cela, tu disposes d'un petit pot contenant un <u>mélange</u> d'eau et de débris de terre et de végétaux.

Doc 1 Pollution d'un affluent de la Seine.

Doc 2 Conséquences d'une marée noire.

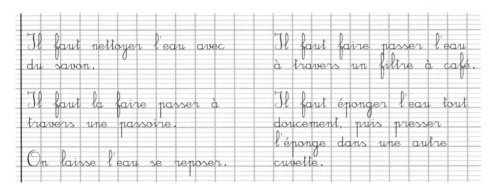

Il faut nettoyer l'eau avec du savon.

Il faut la faire passer à travers une passoire.

On laisse l'eau se reposer.

Il faut faire passer l'eau à travers un filtre à café.

Il faut éponger l'eau tout doucement, puis presser l'éponge dans une autre cuvette.

- Et toi, qu'en penses-tu ? As-tu d'autres idées ?

Tu vas tester quelques-unes de ces méthodes.

Le pétrole se répand très vite sur la mer, tandis que le nettoyage nécessite plusieurs mois. Et il n'est jamais parfait !

Des recherches pour répondre...

1. Organise ton expérience

- Note sur ton cahier de sciences les méthodes que tu veux tester.
- Réalise les expériences.
- Écris les résultats : l'eau obtenue est-elle plus claire ? Est-elle parfaitement claire ?
- Rédige une conclusion : par quelle méthode as-tu obtenu le meilleur résultat ?

Pour t'aider...
Tu peux combiner plusieurs méthodes.

Une astuce : pour voir si une eau est parfaitement claire, utilise un récipient transparent posé à la lumière sur un papier noir. Aucune saleté ne t'échappera !

2. Pourquoi l'eau des plages est-elle plus claire le matin ?

Si tu as observé l'eau des plages en été, au bord d'un lac ou à la mer, tu as certainement remarqué que l'eau est souvent trouble dans la journée et, au contraire, beaucoup plus claire le matin.

Pour expliquer ce phénomène, tu vas réaliser une <u>décantation</u>.

- Mélange de l'eau et de la terre dans une bouteille (document 3).
- Laisse reposer plusieurs heures sans toucher.
- Dessine la bouteille et son contenu au début, puis à la fin de l'expérience (→ p. 6, comment faire un dessin d'observation).
- D'après les résultats de cette expérience, explique pourquoi l'eau des plages est plus claire le matin.

Doc 3 Photo prise au début de l'expérience.

3. Comment les chimistes procèdent-ils ?

Les scientifiques ont régulièrement besoin de séparer l'eau des autres substances qu'elle contient. Ils utilisent pour cela de nombreuses méthodes. En voici deux que tu peux facilement reproduire : la <u>filtration</u> (document 4) et la centrifugation (document 5).

a. La filtration sur colonne

- Prends trois grandes bouteilles en plastique (1,5 L) que tu appelleras A, B et C.
- Découpe les bouteilles à 15 cm du fond.
- Perce le fond des bouteilles A et B d'une dizaine de trous avec un petit clou chauffé au-dessus d'une bougie. Tiens le clou avec une pince pour ne pas te brûler.

Tu dois faire ceci avec un adulte, car c'est dangereux.

- Lave soigneusement le sable, le gravier et le charbon de bois.
- Emboîte les récipients comme sur le document 4.
- Verse l'eau boueuse dans le récipient A.

eau trouble

A

sable
gravier
coton

B

charbon de bois pilé
gravier
coton

C

eau claire

Doc 4

b. La centrifugation

Cela consiste à faire tourner très rapidement un récipient dans un appareil qui s'appelle une centrifugeuse.

- Remplis deux petits pots d'un mélange d'eau et de sable. Dispose-les dans une essoreuse à salade (document 5).
- Fais tourner l'essoreuse 2 minutes. Qu'observes-tu ?

Doc 5

 Des bilans, des réponses : page 34

Comment récupérer le sel de l'eau de mer ?

👁 Pour bien comprendre la question...

Le sel de cuisine est parfois extrait de mines souterraines. On l'appelle le sel gemme. Mais il provient aussi des mers ; c'est le sel marin (document 1).

Cette enquête va te permettre de comprendre comment s'effectue sa récolte car dans la mer, le sel est mélangé à de nombreux petits débris (surtout du sable et des algues).

Doc 1 Non, ce n'est pas de la neige, mais du sel !

🔍 Des recherches pour répondre...

1. Quelle serait ta méthode ?

Tu disposes d'un petit pot dans lequel ton maître a mis de l'eau, du sel, un peu de sable et des débris végétaux. Si tu habites sur la côte, c'est tout simplement de l'eau de mer... Tu dois trouver un moyen pour récupérer le sel.

- Note tes idées, puis échange avec tes camarades.
- Dessine sur ton cahier les expériences que tu veux tester.
- Réalise-les et écris tes observations.
- Rédige une conclusion : par quelle méthode as-tu obtenu le meilleur résultat ?

Tu peux aussi combiner plusieurs méthodes

2. La technique des paludiers

Dans les marais salants, la récupération du sel se fait selon une technique très ancienne. Les paludiers, les hommes qui y travaillent, font les mêmes gestes depuis plus de 1 000 ans.

- À partir du document 2 et des expériences que tu viens de réaliser, imagine quelle peut être la technique des paludiers.

Pour t'aider...

Va voir dans l'encyclopédie, les mots mélange, solution et dissolution.

Doc 2 Un paludier au travail.

3. Une méthode pour savoir si une eau est pure

Maintenant, tu dois avoir compris comment récupérer le sel d'une eau salée. La même méthode permet aussi de savoir si une eau est pure ou si elle contient des substances dissoutes.

- Dépose quelques gouttes de l'eau à tester sur une feuille en plastique transparent. Laisse-la s'évaporer.
- Observe le résultat au-dessus d'un papier noir (document 3).
- Utilise cette méthode pour tester toutes sortes d'eaux : de l'eau du robinet, des eaux minérales, de l'eau déminéralisée (utilisée dans les fers à repasser), de l'eau de pluie (prélevée au début d'une averse ou après plusieurs heures de pluie), etc.

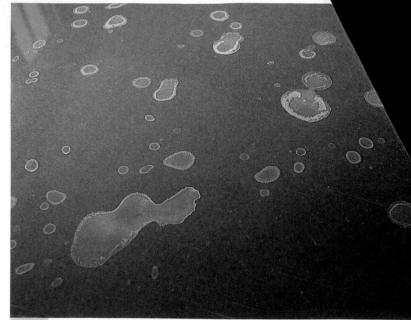

Doc 3 Traces obtenues en laissant évaporer quelques gouttes d'eau minérale de Badoit®.

Pour être sûr d'avoir bien compris

- Reproduis ce plan (document 4) sur ton cahier de sciences.
- Quels phénomènes se produisent dans la vasière et dans les œillets ?
- Pourquoi les bassins doivent-ils avoir une grande surface ?
- Quelles sont, à ton avis, les meilleures conditions météorologiques pour la récolte du sel ?

Doc 4 L'étier est le canal par lequel l'eau arrive. Elle circule ensuite doucement jusqu'aux œillets, où le sel est récolté.

Pour t'aider...

Va voir dans l'encyclopédie les mots décantation, dissolution et évaporation.

Pour aller plus loin

Dans l'océan, 1 L d'eau contient environ 35 g de sel. Dans les œillets, 1 L d'eau contient environ 300 g de sel. Explique ces différences.
Tu trouveras de très nombreuses précisions sur Internet (mot-clé : marais salant).

réponses : page 34

...our bien comprendre la question...

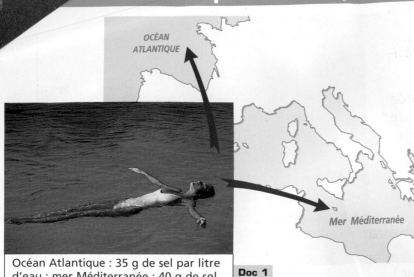

OCÉAN ATLANTIQUE

Mer Méditerranée

Mer Morte

Mer Morte : 250 g de sel par litre d'eau. Il y a tant de sel que la vie aquatique est impossible.

Océan Atlantique : 35 g de sel par litre d'eau ; mer Méditerranée : 40 g de sel par litre d'eau.

Doc 1

En tout cas, on ne risque pas de se noyer dans la mer Morte !

La salinité d'une eau correspond à la quantité de sel contenue dans 1 L de cette eau (document 1). Comment la mesurer ?
C'est ce que tu vas apprendre grâce aux activités qui suivent.

Des recherches pour répondre...

Ton maître a préparé trois bouteilles identiques. Dans la première, il a mis de l'eau et ce qu'il faut de sel pour qu'elle soit salée comme l'océan Atlantique. La deuxième contient de l'eau salée comme celle de la mer Méditerranée et la troisième de l'eau salée comme celle de la mer Morte.
Il a mélangé les bouteilles et leur a mis des étiquettes : A, B et C.
Ton travail consiste à retrouver quelle eau contient chaque bouteille.

1. Peut-on mesurer la salinité avec une balance ?

Un groupe d'élèves a réalisé l'expérience du document 2.
Voici leur conclusion :

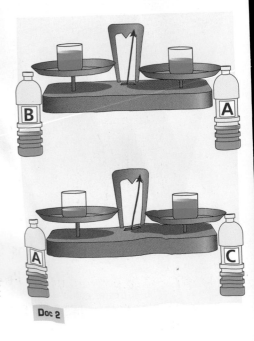

Mer Morte : bouteille C.
Mer Méditerranée : bouteille A.
Océan Atlantique : bouteille B.

Doc 2

☙ Qu'est ce qui ne convient pas dans cette expérience ?

☙ Réalise-la à ton tour.

☙ Fais le dessin de la méthode sur ton cahier de sciences et retrouve la provenance de chaque eau.

Pour t'aider...
Va voir dans l'encyclopédie à <u>dissolution</u>.

2. Peut-on mesurer la salinité en pesant avec des masses marquées ?

Un autre groupe d'élèves a mis en place l'expérience du document 3.

§ Observe le travail de ce groupe et lis la fiche « méthode ».

§ Quelle est la masse de 1 L d'eau du récipient A ?

§ Sachant que la masse de 1 L d'eau non salée est de 1 000 g, quelle est la provenance de cette eau ?

§ Utilise ensuite cette méthode pour savoir ce que contiennent les bouteilles B et C.

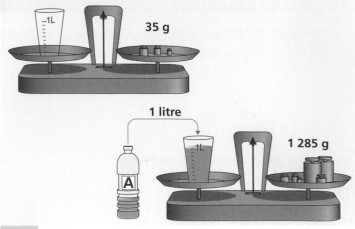

Doc 3

3. Peut-on mesurer la salinité par évaporation ?

Un troisième groupe veut procéder par évaporation (document 4), mais il ne réussit pas à conclure. À toi de l'aider !

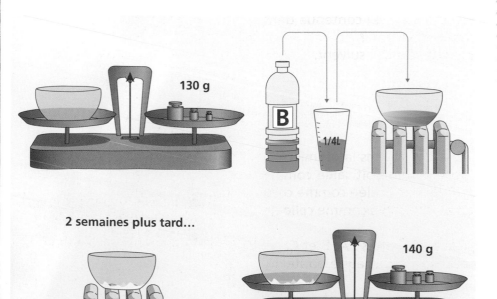

130 g

2 semaines plus tard...

140 g

Doc 4

§ Combien y avait-il de sel dans 1/4 L d'eau de la bouteille B ?

§ Quelle est la provenance de l'eau de la bouteille B ?

§ Réalise ensuite la même expérience pour identifier l'eau des bouteilles A et C.

Pour peser un objet

● Pose l'objet sur un plateau d'une balance Roberval®.

● Place les masses marquées sur l'autre plateau en allant toujours de la plus lourde à la plus légère.

● Il se peut qu'à la fin la balance ne soit pas parfaitement équilibrée. Ce n'est pas grave, l'erreur sera faible.

● Fais l'addition des masses marquées.

Pour peser un objet contenu dans un récipient

● Pèse le récipient vide.

● Pèse le récipient avec l'objet dont on cherche la masse.

● Soustrais les deux résultats.

Pour aller plus loin

Est-il vrai qu'on flotte mieux dans l'eau salée que dans l'eau douce ? Essaie, pour le savoir, de trouver des objets qui flottent dans l'eau salée et qui coulent dans l'eau douce.

des réponses : page 34

Pourquoi met-on du sel sur les routes en hiver ?

👁 Pour bien comprendre la question...

Après une chute de neige, les employés du département ou de la commune s'activent... Avec des chasse-neige, ils répandent sur la route du sel ou parfois du sable.

Doc 1

Il faut maintenant comprendre pourquoi le sel fait fondre la neige ou la glace. Voici ce que des élèves ont écrit pour l'expliquer :

> Je pense que le sel réchauffe la glace et ça la fait fondre.
>
> Peut-être que l'eau salée ne gèle pas, même quand il fait très froid.

- Et toi, qu'en penses-tu ?

- Réalise l'expérience du document 1 (de préférence à l'extérieur un jour d'hiver) pour savoir si le sable et le sel agissent de la même manière sur la <u>glace</u>.

- Laisse-la en place au moins 1 heure et observe le résultat.

- Fais le compte-rendu de ton expérience (→ p. 6) et explique comment agissent le sable et le sel.

Attention à tes doigts !

🔍 Des recherches pour répondre...

1. Le sel réchauffe-t-il la glace ?

Casse des glaçons en petits morceaux. Pour cela, mets-les dans un torchon et écrase-les avec un marteau.

Dans un récipient, mélange les débris de glace avec du gros sel (document 2).

Places-y un thermomètre et note la température après 5 minutes.

Refais l'expérience en faisant varier la quantité de sel. Note bien tous tes résultats.

Réponds à la question posée.

Doc 2

2. Jusqu'à quelle température l'eau salée reste-t-elle liquide ?

Réalise ce protocole expérimental (→ fiche « méthode ») en hiver.

⁂ Prépare un verre d'eau, verse quatre cuillerées à café de gros sel et mélange soigneusement.

⁂ Place-le dehors, un jour où il gèle. Pose un thermomètre à côté du récipient.

⁂ Après plusieurs heures, note la température et l'état (liquide ou solide) de l'eau salée.

⁂ Procède ainsi pendant plusieurs jours pour avoir des températures différentes.

⁂ Rédige un compte-rendu d'expérience.

Pour t'aider...

Tu peux attendre et observer le résultat le lendemain matin. Tu peux aussi réaliser ce protocole chez toi, le mercredi ou le week-end.

Tu peux réaliser le même protocole dans le compartiment à glaçons d'un réfrigérateur ou dans un congélateur.

Qu'est-ce qu'un protocole expérimental ?

● C'est la liste des étapes à suivre pour réaliser une expérience.

● Cela permet de bien penser à tout avant de faire l'expérience.

● En général, un protocole expérimental est suivi d'un compte-rendu d'expérience (→ p. 6).

3. Le sel peut-il être remplacé par autre chose ?

On mélange de l'antigel à l'eau qui circule dans les tuyaux des voitures pour l'empêcher de geler en hiver.

⁂ Lis attentivement l'étiquette du document 3.

⁂ Jusqu'à quelle température le circuit est-il protégé si l'on utilise 50 % d'antigel ?

⁂ Quel pourcentage d'antigel doit-on prévoir si l'on pense que la température peut descendre jusqu'à – 15 °C ?

Attention, l'antigel est un produit toxique ! Ne le manipule pas.

ANTIGEL

97,5 % de Mono-éthylène Glycol inhibé

POURCENTAGE EN ANTIGEL	25%	33%	40%	50%
PROTECTION JUSQU'A	-10°C	-16°C	-23°C	-35°C

Doc 3

☺ Pour être sûr d'avoir bien compris

– 20 °C	– 15 °C	– 10 °C	– 5 °C	0 °C	5 °C	10 °C

⁂ Reproduis cette droite graduée sur ton cahier de sciences.

⁂ À partir des résultats que tu as obtenus au paragraphe 2, colorie en rouge la partie où l'eau salée est restée liquide, puis en bleu la partie où elle a gelé.

⁂ Compare cette droite graduée à celle que tu as dessinée (→ p. 13) avec de l'eau non salée. Quel est l'état de l'eau non salée lorsqu'il fait – 5 °C ? et celui de l'eau salée ?

Pour aller plus loin

Penses-tu que l'eau salée et l'eau non salée bouillent à la même température ?

👁 Pour bien comprendre la question...

L'air est incolore, inodore, invisible, impalpable...

Alors l'air, c'est rien ?

Euh… Si. L'air c'est quelque chose, mais pas comme les autres matières.

Pour savoir si l'air est une matière comme une autre, voyons si nous pouvons faire avec l'air les mêmes expériences qu'avec d'autres matières (par exemple l'eau).

🔍 Des recherches pour répondre...

1. L'eau peut se transvaser. Et l'air ?

Lorsqu'un récipient est plein d'<u>air</u> (c'est-à-dire lorqu'il paraît vide), il est facile de le remplir d'eau… Mais est-il possible de remplir d'air le petit pot du document 1 sans le sortir de la bassine ?

- Essaie de trouver une ou plusieurs solutions.

> **Pour t'aider…**
>
> Tu peux utiliser du matériel : pailles, tuyaux, bouteilles, sacs en plastique, ballons de baudruche, etc.

Doc 1

2. L'eau est pesante. Et l'air ?

Une bouteille est plus lourde lorsqu'elle est pleine d'eau que lorsqu'elle n'est pas complètement pleine. Est-ce pareil avec l'air ?

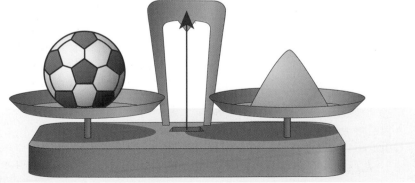

Doc 2 La balance est équilibrée. Le ballon de foot n'est pas gonflé au maximum.

- Si tu gonfles le ballon au maximum, va-t-il devenir plus lourd ou plus léger ? De quel côté va pencher la balance ?
- Recopie le schéma de l'expérience (document 2).
- Note ton hypothèse en la justifiant.
- Expérimente, puis rédige une conclusion.

3. L'eau peut être filtrée. Et l'air ?

Tu sais que l'eau peut être filtrée pour la débarrasser des substances qui la rendent trouble (→ p. 22).

Mais tu sais aussi que la filtration de l'eau ne permet pas de retenir certaines substances (→ pp. 24 et 88).

C'est la même chose pour l'air : certaines substances le polluent, surtout dans les villes.

Sais-tu qu'on évalue la qualité de l'air dans les villes ? Elle est repérée par des nombres allant de 1 (excellent) à 10 (exécrable).

❧ D'après le document 3, d'où vient la pollution de l'air dans les villes ?

❧ Fais un dessin représentant une ville et le trajet des substances qui polluent l'air.

❧ Penses-tu que les filtres, tels que celui que porte le cycliste du document 4, peuvent retenir toutes ces substances ?

❧ Cherche des idées pour lutter contre la pollution. Documente-toi ensuite sur ce que peuvent faire les habitants et les autorités (le préfet, le maire).

Doc 3

Chaque jour, les usines et les véhicules envoient dans l'air de grandes quantités de polluants :
– des gaz comme le dioxyde de soufre ou l'oxyde de carbone ;
– des poussières (petites particules solides) comme les fumées noires ou grises émises par les moteurs mal réglés ;
– des gouttelettes d'huile microscopiques provenant également des moteurs.
Tous ces déchets sont nocifs. Ils peuvent contribuer à des maladies graves.
Il ne faut pas croire qu'on peut s'en débarrasser en les envoyant dans l'atmosphère. Presque tous nous retombent dessus, soit sous l'action de leur propre poids, soit ramenés par les pluies.

Philippe Paraire, Nafa Dahmane *et al.*, *Géant environnement : Le livre des 10/15 ans*, Hachette Livre.

Doc 4

4. Est-ce que l'air est la seule matière invisible ?

Doc 5

❧ Y a-t-il des substances invisibles dans le document 5 ?

❧ Pour quelles raisons peux-tu affirmer qu'elles existent même si tu ne les vois pas ?

Pour t'aider...
N'oublie pas que tu as cinq sens...

☀ **Des bilans, des réponses : page 34**

👁 Pour bien comprendre la question...

Un sous-marin comporte de nombreux systèmes techniques plus ou moins compliqués. L'un d'eux lui permet de plonger en profondeur, puis de remonter en surface.

C'est possible grâce aux ballasts. Ce sont deux gros réservoirs qui entourent les flancs du sous-marin (document 1).

Lorsqu'ils sont remplis d'air, le sous-marin est en surface. Lorsqu'ils sont pleins d'eau, le sous-marin est en plongée.

Comment les ballasts peuvent-ils se remplir et se vider ?

Tu vas réaliser des expériences pour le comprendre.

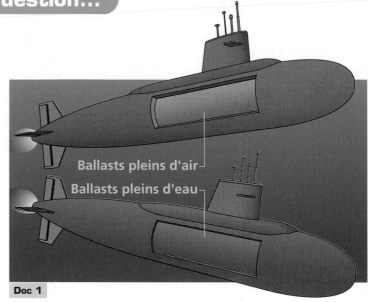

Ballasts pleins d'air
Ballasts pleins d'eau

Doc 1

🔍 Des recherches pour répondre...

1. Comment construire un modèle de ballast ?

• Procure-toi une petite bouteille en plastique avec son bouchon, un tuyau en plastique souple de 50 cm de long, un bouchon en liège et trois écrous.

• Fais un trou dans le bouchon avec un clou chauffé, puis agrandis-le jusqu'à ce que tu puisses y glisser le tuyau (document 2).

• Procède de la même façon pour faire trois trous sur un côté de la bouteille et un trou de l'autre côté. Bouche ce dernier avec le bouchon en liège. Colmate si nécessaire avec de la pâte à fixe.

• Fixe les écrous entre les trois trous avec du ruban adhésif.

Tu dois faire ceci avec un adulte.

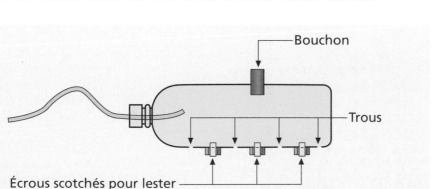

Bouchon

Trous

Écrous scotchés pour lester

Doc 2

Une bouteille, c'est comme un ballast : elle flotte lorsqu'elle est pleine d'air ; elle coule lorsqu'elle est pleine d'eau.

2. Comment faire plonger, puis remonter le ballast ?

Voici trois expériences (documents 3 à 5). Avant de les réaliser, discute avec un petit groupe de camarades. Essayez de prévoir les résultats et de les justifier par un raisonnement.

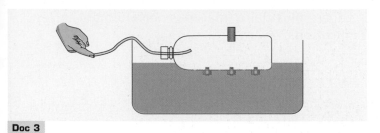

Doc 3

- L'eau peut-elle pénétrer dans le ballast par les trous inférieurs ? Pourquoi ?
- Le ballast flotte-t-il ou s'enfonce-t-il sous l'eau ?

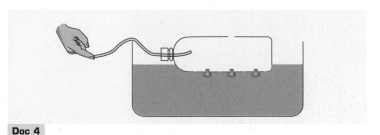

Doc 4

- Que fait le ballast ? Pourquoi ?

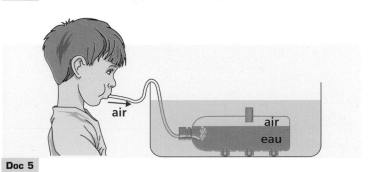

Doc 5

- Que fait le ballast ? Pourquoi ?

Pour t'aider...
Va voir dans l'encyclopédie à <u>air</u>.

Pour être sûr d'avoir bien compris

Comme tu le vois sur le document 6, les clapets sont des espèces de portes très solides et étanches qui peuvent s'ouvrir ou se fermer. Il y en a en haut du sous-marin (clapets supérieurs), en bas (clapets inférieurs) et entre les ballasts et la réserve d'air comprimé.

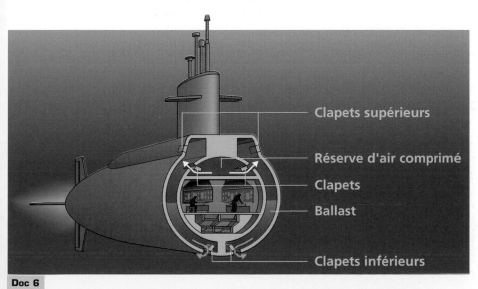

Doc 6

- Que se passe-t-il au niveau des clapets inférieurs ?
- Explique pourquoi le sous-marin est en train de monter.
- Pourquoi les clapets supérieurs sont-ils fermés ?
- En prenant modèle sur ce document, dessine le sous-marin en train de plonger. Les clapets supérieurs doivent-ils être ouverts ou fermés ? et les clapets inférieurs ?

Des bilans, des réponses : page 34

Des bilans, des réponses...

⑥ Comment rendre claire de l'eau trouble ?

• Lorsqu'on laisse reposer de l'eau trouble, la terre et les débris qui y sont mélangés se déposent au fond du récipient : c'est la **décantation**.

• En la passant à travers un filtre, on peut la rendre encore plus claire (mais pas parfaitement) : c'est la **filtration**.

⑦ Comment récupérer le sel de l'eau de mer ?

• Les filtres ne retiennent pas le sel dissous dans l'eau. En revanche, on peut le récupérer en laissant l'eau s'**évaporer**. C'est comme cela qu'on procède dans les **marais salants**.

• Cette méthode permet aussi de savoir si une eau contient des substances dissoutes. Dans ce cas, elles laissent des traces après évaporation.

RÉPONSES

Au fur et à mesure qu'elle circule dans la saline, l'eau s'évapore, mais pas le sel. L'eau de mer devient donc de plus en plus salée.
Les bassins des marais salants ont une grande surface pour que l'évaporation soit la plus rapide possible. La récolte est meilleure lorsqu'il y a du soleil et du vent.

⑧ Comment savoir si une mer est plus salée qu'une autre ?

Pour savoir si une mer est plus salée qu'une autre, on peut imaginer plusieurs méthodes.

• **1 L d'eau douce a une masse de 1 kg**. Mais **1 L d'eau de mer est plus lourd** à cause du sel.

• En **évaporant** 1 L d'eau de mer, on récupère le sel. Il suffit ensuite de le peser.

RÉPONSES

1. Ce groupe n'a pas comparé le même volume d'eau.
2. La bouteille A contient de l'eau de la mer Morte.
3. La bouteille B contient de l'eau de la mer Méditerranée.

⑨ Pourquoi met-on du sel sur les routes en hiver ?

• **Le sable ne fait pas fondre la glace**. En revanche, en s'enfonçant dans la neige tassée, il accroche les pneus et les semelles des chaussures.

• On met du sel sur les routes car **l'eau salée reste liquide même si la température descend sous 0 °C**.

RÉPONSE

3. Le circuit est protégé jusqu'à – 35 °C ; on doit prévoir 33 % d'antigel. Lorsqu'il fait – 5 °C, l'eau est à l'état de glace. À cette température, l'eau salée reste à l'état liquide.

⑩ L'air est-il une matière comme une autre ?

• **L'air a toutes les propriétés de la matière : on peut le transvaser** et le **peser** comme on transvase et on pèse de l'eau.

• **On peut aussi le filtrer** comme on filtre de l'eau et arrêter des poussières qui s'y trouvent. Toutefois, certaines substances ne sont pas retenues par les filtres.

• **L'air, c'est vraiment de la matière !**

RÉPONSE

4. Oui : le sel dissous dans l'eau de mer est invisible ; le parfum liquide est visible, mais la vapeur qui s'évapore est invisible ; le gaz dissous dans l'eau est invisible.

⑪ Comment un sous-marin peut-il plonger, puis remonter ?

• Pour qu'un sous-marin puisse plonger, **il faut remplir ses ballasts d'eau** et donc les vider de leur air.

• Pour qu'un sous-marin puisse remonter, **il faut remplir ses ballasts d'air**. C'est possible grâce à de l'air comprimé qui chasse l'eau des ballasts.

• **L'air**, comme n'importe quelle matière, **occupe de l'espace et peut se transvaser**.

Mélanges et solutions ; l'air

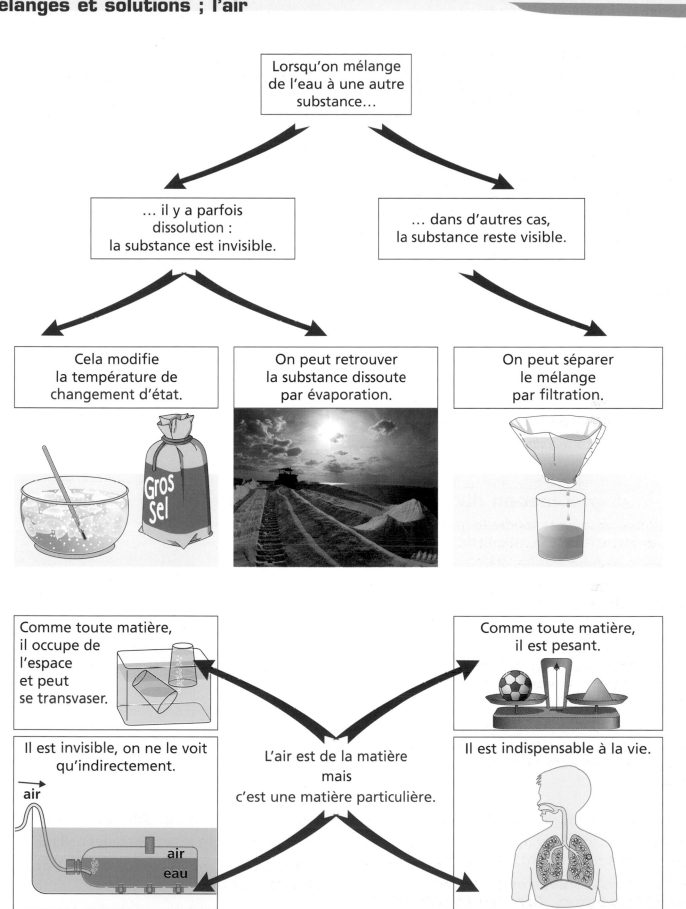

Lorsqu'on mélange de l'eau à une autre substance…

… il y a parfois dissolution : la substance est invisible.

… dans d'autres cas, la substance reste visible.

Cela modifie la température de changement d'état.

Gros Sel

On peut retrouver la substance dissoute par évaporation.

On peut séparer le mélange par filtration.

Comme toute matière, il occupe de l'espace et peut se transvaser.

Comme toute matière, il est pesant.

Il est invisible, on ne le voit qu'indirectement.

air

air

eau

L'air est de la matière mais c'est une matière particulière.

Il est indispensable à la vie.

Pour bien comprendre la question...

1. L'ours polaire peut mourir de chaud !

• D'après le document 1, qu'est-ce qui permet à l'ours blanc de résister au froid ?

Doc 1

L'ours blanc [document 2] est parfaitement adapté à la vie dans l'Arctique. Une épaisse couche de graisse lui sert à la fois de réserve d'énergie et d'isolation contre le froid. [...]

L'ours blanc peut maintenir un pas régulier pendant une période très longue, mais s'il va au-delà de sa vitesse normale, il produit un excès de chaleur qu'il lui est difficile d'évacuer. [...] Chassé par une motoneige ou un hélicoptère sur une assez longue distance, il peut mourir d'une attaque cardiaque.

Berit Mørkved, Ian Gjertz, Andrew E. Derocher, « Rencontre avec l'ours blanc »
(trad. Bernard Lefauconnier), in *Sciences et Avenir*, hors-série, décembre 2001/janvier 2002.

Doc 2

En hiver, lors d'une compétition sportive en plein air, tu as sans doute déjà remarqué que les athlètes sont en short et en tee-shirt.

• Que se passerait-il s'ils restaient en survêtement ? Quel rapport vois-tu entre cette question et le texte sur l'ours blanc ?

2. Le manchot empereur résiste à – 40 °C !

Les manchots empereurs vivent dans des régions où les températures varient entre – 15 °C et – 50 °C. Le vent souffle parfois jusqu'à une vitesse de 250 km/h ! Sans vêtements adaptés, un homme mourrait en 2 minutes. Pour se protéger, les manchots, eux, forment une « tortue » (documents 3 et 4).

Doc 4

Doc 3

Une formation originale : la « tortue »

Il s'agit d'un regroupement de plusieurs centaines, voire plusieurs milliers d'individus [...].

[...] La formation [...] se déplace lentement [...]. Les individus situés sur la périphérie* de la « tortue », du côté exposé au vent, la longent pour aller se mettre à l'abri du côté opposé.

[...] la température « à l'intérieur de la tortue » peut dépasser les 30 °C.

André Ancel, Yvon Le Maho, Yannick Pont, « Un modèle unique d'adaptation »,
in *Sciences et Avenir*, hors-série, décembre 2001/janvier 2002.

(*) Pourtour, extérieur.

• Fais le plan de la « tortue » sur ton cahier de sciences :

– représente le groupe de manchots par un cercle et les manchots par des croix ;

– représente le vent par des flèches bleues et le déplacement des manchots par des flèches rouges.

• Indique la température à l'extérieur et au centre de la « tortue ».

Pourquoi la fourrure, les plumes et la graisse permettent-elles de lutter contre le froid ? Pourquoi la stratégie de la « tortue » est-elle efficace ? Réalise les expériences qui suivent pour mieux le comprendre.

Pour les expériences qui suivent, utilise de la laine ou de la fourrure synthétique.

🔍 Des recherches pour répondre...

1. Les plumes et la fourrure sont-elles chaudes ?

Les deux thermomètres du document 5 sont en place depuis 1 heure. Penses-tu qu'ils indiquent la même température ?

- Écris ton avis. Échange avec tes camarades.
- Expérimente et rédige une conclusion.

2. La fourrure, les plumes et la graisse retiennent-elles la chaleur ?

La température du corps des animaux polaires dépasse souvent 30 °C. Or ils vivent dans des lieux où il fait extrêmement froid. Leur graisse, leurs plumes ou leur fourrure empêchent-elles la chaleur de s'échapper ? Vérifie cette hypothèse en mettant en œuvre une démarche expérimentale (→ p. 6).

Matériel

- des récipients variés
- des thermomètres
- de vieux vêtements en laine
- une barquette de margarine

- Discute avec un petit groupe de camarades et dessine les expériences que vous envisagez.
- Réalise-les dehors, un jour où il fait froid.
- Rédige une conclusion.

Doc 5

Pour t'aider...

Observe la liste de matériel.
Construis un tableau d'expérience (→ p. 17).

3. La chaleur s'échappe-t-elle plus vite à la périphérie qu'au centre de la « tortue » ?

- Procure-toi une douzaine de bouteilles en plastique et réalise l'expérience du document 6 dehors, un jour où il fait froid. C'est encore mieux s'il y a du vent !
- Mets la même quantité d'eau chaude dans toutes les bouteilles.
- Place également une bouteille toute seule, loin des autres, avec de l'eau chaude et un thermomètre. Que représente-t-elle ?
- Relève les températures toutes les 30 minutes.
- Réalise la « carte » des températures :
  – représente l'ensemble des bouteilles par un cercle, comme si on les voyait de dessus ;
  – reporte les valeurs sur ton schéma.

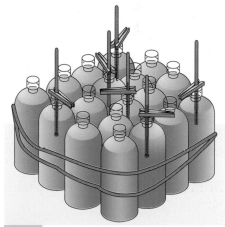

Doc 6

Pour aller plus loin

Sais-tu que l'air est un excellent isolant ? Réalise une expérience pour le prouver avec deux thermomètres et deux sacs en plastique. Comprends-tu pourquoi les couettes ou les vestes en duvet ne doivent pas être tassées ?

☀ **Des bilans, des réponses : page 44**

👁 Pour bien comprendre la question...

1. Qu'est-ce qu'une maison solaire ?

Une maison solaire (document 1) est conçue pour utiliser au mieux l'énergie du <u>Soleil</u>.

Elle comporte :

– des baies vitrées orientées au sud ;

– une bonne isolation ;

– un chauffe-eau solaire.

Doc 1

2. Comment fonctionne un chauffe-eau solaire ?

Grâce au document 2, tu peux voir de quoi se compose un chauffe-eau solaire.

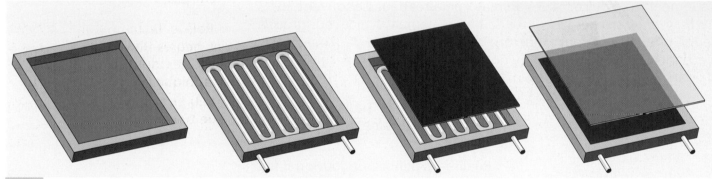

Doc 2 Un caisson isolé, un tuyau où l'eau circule, un panneau noir et une vitre.

Tu vas réaliser des expériences pour mieux comprendre l'influence de la couleur, de l'isolation, de l'orientation et de la vitre.

> À chaque fois, tu auras à pratiquer une démarche expérimentale (→ p. 6).

🔍 Des recherches pour répondre...

1. La couleur a-t-elle une influence?

Pour tester l'influence de la couleur, deux groupes d'élèves ont mis en place les expériences des documents 3 et 4.

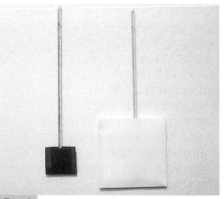

Doc 3 L'expérience du premier groupe.

Doc 4 L'expérience du second groupe.

Des thermomètres sont glissés dans les enveloppes qui sont laissées 15 minutes au soleil.

• Quelle est l'expérience qui convient ? Explique pourquoi en faisant un tableau d'expérience (→ p. 17).

• Réalise cette expérience.

• Dessine-la sur ton cahier de sciences et note les résultats que tu obtiens.

2. L'isolation a-t-elle une influence?

• Observe le document 5 : l'expérience te semble-t-elle correctement mise en place ?

• Réalise-la en la modifiant si tu penses que ce n'est pas le cas.

3. L'orientation a-t-elle une influence?

Pour tester l'influence de l'orientation, deux groupes d'élèves ont eu des idées différentes.

Le premier groupe a utilisé des enveloppes en papier et les a laissées 15 minutes au soleil (document 6).

Le second a fabriqué les deux maisons du document 7 avec des boîtes dont les ouvertures sont recouvertes de plastique transparent. Il les a laissées toute une journée au soleil.

Doc 6

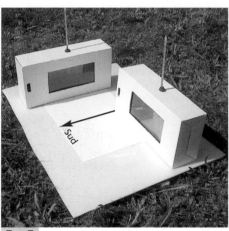

Doc 7

• Que penses-tu de ces expériences ? Sont-elles valables ?

• Réalise-les en les modifiant si tu penses qu'elles ne conviennent pas.

• Relève la température toutes les heures dans les deux boîtes. Avec ces données, construis un graphique (→ fiche « méthode » p. 63) et explique les différences que tu constates.

4. La vitre a-t-elle une influence ?

Tu sais maintenant mettre en place une démarche expérimentale.

• Imagine une expérience qui conviendrait pour tester l'influence de la vitre. Travaille avec un petit groupe de camarades et aide-toi du matériel ci-contre.

À la place de la vitre, utilise du plastique transparent.

Matériel

- les deux boîtes du document 7
- deux thermomètres
- du plastique transparent

Pour aller plus loin

L'adret est le côté d'une vallée ou d'une montagne orienté au sud. L'ubac est le côté orienté au nord. Imagine et mets en place une expérience pour prouver qu'il fait plus chaud sur l'adret que sur l'ubac. Pourquoi les maisons situées dans les pays chauds sont-elles souvent blanches ?

5. Comment les jardiniers utilisent-ils le soleil ?

Dans les enquêtes 18 et 19 (→ pp. 52 et 54), tu découvriras la manière dont les cultivateurs s'y prennent pour améliorer leurs récoltes.

• Quelles sont les expériences réalisées ici qui te permettent de comprendre certaines de leurs méthodes ?

👁 Pour bien comprendre la question...

Les hommes ont toujours utilisé des <u>sources d'énergie</u> différentes (documents 1 à 3).

Doc 1

Doc 2

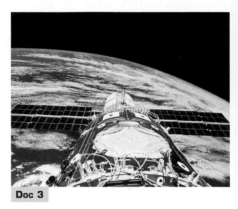

Doc 3

Quelles sont les sources dont nous disposons ? Comment les utilisons-nous ? Risquent-elles de s'épuiser ? Ce sont ces questions que nous allons aborder.

🔍 Des recherches pour répondre...

1. À quoi sert l'énergie ?

Voici une liste d'objets : une lampe de poche ; une bougie ; une lampe à pétrole ; un batteur électrique ; un lave-linge ; un four à micro-ondes ; une plaque chauffante ; une bûche enflammée ; un radiateur de chauffage central ; un aspirateur ; un fer à repasser ; un bateau à voile ; une automobile ; un escalier roulant ; un téléviseur ; une montre à aiguilles.

🎗 Recopie le tableau dans ton cahier de sciences.

🎗 Classe les objets de la liste dans les colonnes du tableau. Aide-toi des exemples donnés.

🎗 Ajoute deux objets de ton choix dans chaque colonne.

SE DÉPLACER OU DÉPLACER	SE CHAUFFER OU CHAUFFER	S'ÉCLAIRER OU ÉCLAIRER
Une automobile	Un radiateur de chauffage central	Une bougie
...		...

2. Qu'est-ce qu'une source d'énergie ?

À partir du mot « énergie » écrit au tableau, les élèves d'une classe ont cité tous les mots du document 4.

🎗 Recopie dans ton cahier de sciences ce qui, selon toi, est une source d'énergie.

🎗 Connais-tu d'autres sources d'énergie que ces élèves n'ont pas citées ? Ajoute-les en les écrivant dans une autre couleur.

Moulin à vent   Moteur de voiture   Bateau à voile

Vitesse   Rivière   Morceau de bois   Pile

Aliments   Soleil   **ÉNERGIE**   Puissance

Muscles   Pétrole   Bicyclette

Barrage   Centrale nucléaire

Force   Gaz   Derrick   Poêle à charbon

Doc 4

3. Comment produire de l'électricité ?

Voici un alternateur de bicyclette et une ampoule (document 5).

Lorsque le galet d'un l'alternateur frotte contre un pneu, il se met à tourner, ce qui fait briller l'ampoule.

🔖 Réalise les branchements qui conviennent pour que l'ampoule s'allume lorsque tu fais tourner le galet.

Pour t'aider...

Un composant électrique comporte toujours deux bornes.

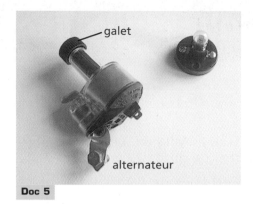

galet

alternateur

Doc 5

4. Comment les centrales électriques fonctionnent-elles ?

Lac

Une conduite forcée conduit l'eau jusqu'à la turbine.

L'alternateur est entraîné par la turbine. Il produit de l'électricité.

Petite rivière formée par le trop-plein du barrage.

La turbine est une hélice très solide qui tourne sous l'action de l'eau.

Doc 6

🔖 Étudie l'exemple d'une usine hydroélectrique (document 6) et va voir dans l'encyclopédie comment fonctionnent d'autres types de centrales électriques.

🔖 Dans ton cahier de sciences, fais un tableau avec trois colonnes : centrale hydroélectrique, centrale thermique classique, centrale thermique nucléaire.

🔖 Classe les mots suivants dans ce tableau : gaz naturel ; uranium ; lac artificiel ; barrage ; vapeur d'eau ; chute d'eau ; turbine ; alternateur.

🔖 Quelles sont les sources d'énergie que ces centrales utilisent ?

Pour t'aider...

L'encyclopédie te donnera des indications. Complète-les par une recherche documentaire (→ p. 6) en bibliothèque ou sur Internet.

5. Quelles sont les sources d'énergie renouvelables ?

Certaines sources d'énergie s'épuisent lorsqu'on les utilise ; d'autres se renouvellent grâce à la nature. Si le renouvellement ne dure pas plus d'une cinquantaine d'années, on dit que la source d'énergie est renouvelable.

Il est important d'utiliser les énergies renouvelables pour laisser à nos descendants autant de ressources que ce dont nous disposons nous-mêmes.

Voici une liste de sources d'énergie : bois ; charbon ; pétrole ; vent ; rivière ; soleil ; essence ; uranium ; marées de l'océan ; eau chaude souterraine ; gaz naturel.

🔖 Quelles sont celles qui sont renouvelables ?

☀ **Des bilans, des réponses : page 44**

41

👁 Pour bien comprendre la question...

Si tu as fait l'enquête 14 (→ p. 40), tu as appris ce que sont les <u>sources d'énergie</u>.

Certaines ne sont pas facturées : on peut utiliser le <u>Soleil</u> pour se chauffer ou le vent pour se déplacer (en bateau par exemple).

D'autres, en revanche, sont payantes. C'est le cas, le plus souvent, de l'énergie qu'on consomme dans la maison : électricité, bois, fioul, gaz… Alors comment réaliser des économies d'énergie ?

En plus, en économisant l'énergie, on préserve les <u>ressources de la planète</u>.

• Cherche des solutions simples que les adultes, ou même les enfants, pourraient mettre en œuvre. Fais une liste dans ton cahier de sciences et échange tes idées avec celles de tes camarades.

🔍 Des recherches pour répondre...

1. Est-il important d'isoler les maisons ?

Cet ouvrier (document 1) est en train de poser de la laine de verre sous une toiture.

Voici deux hypothèses proposées par des élèves de ton âge pour expliquer l'intérêt de l'opération.

> *La laine de verre, c'est chaud.*
>
> *La laine de verre, ça empêche la chaleur de passer.*

• Explique quelle est la bonne hypothèse et quelles sont les expériences qui le prouvent (→ enquête 12, p. 36).

• Pour mieux comprendre, réalise l'expérience du document 2 à l'extérieur, un jour d'hiver :

– des boîtes en carton représentent des maisons : l'une a les parois entourées de polystyrène, l'autre non ;

– des gourdes identiques, remplies d'eau chaude à la même température, représentent le chauffage central.

• Relève la température dans chaque boîte toutes les 30 minutes.

• Pendant que l'expérience se déroule, fais des prévisions : que va faire la température dans chaque boîte ? Quelles différences devrais-tu constater ?

Doc 1

Doc 2

2. Est-ce que l'isolation a une influence en été ?

En été, nous avons parfois trop chaud. Il est alors agréable de se reposer dans une maison fraîche.

- À ton avis, fait-il plus frais dans une maison isolée ou dans une maison non isolée ? Note ton hypothèse en la justifiant.

- Élabore ton expérimentation en travaillant avec un petit groupe de camarades. Aide-toi de l'expérience précédente et réfléchis à ce que tu dois changer pour répondre à cette nouvelle question.

- Réalise l'expérience et rédige son compte-rendu (→ fiche « méthode » p. 6).

Pour t'aider...

Va voir dans l'encyclopédie à <u>isolant</u>.

Ne réalise pas seul les expériences qui suivent !

3. Comment économiser l'énergie dans la cuisine ?

Pour faire bouillir de l'eau, une cuisinière ne met pas de couvercle sur sa casserole.

- Penses-tu qu'elle gaspille de l'énergie ?

- Réalise l'expérience du document 3 en notant, dans les deux cas, la durée nécessaire pour que l'eau commence à bouillir.

Doc 3

Doc 4

Après avoir fait cette expérience, un élève explique que les couvercles sont aussi utiles pour maintenir les plats au chaud. Sinon, on doit parfois les réchauffer et on gaspille de l'énergie…

- Imagine et réalise une expérience pour vérifier cette affirmation. Aide-toi en faisant un tableau d'expérience (→ p. 17).

Cette eau est en train de bouillir (document 4). Le cuisinier laisse le thermostat au maximum.

- A-t-il raison ? Justifie ta réponse.

Pour t'aider...

Dans l'enquête 2 (→ p. 12), tu as réalisé une expérience qui te permet de répondre à cette question.

Pour utiliser correctement des plaques de cuisson électriques, il est conseillé d'employer des casseroles à **fond bien plat**.

Tu disposes des deux casseroles représentées sur le document 5.

- Quelle expérience ferais-tu pour vérifier l'intérêt de ce conseil ? Dessine-la sur ton cahier de sciences.

- Réalise-la avec ton maître.

- Rédige une conclusion.

Doc 5

Des bilans, des réponses...

(12) Comment les animaux polaires résistent-ils au froid ?

- La fourrure des animaux polaires n'est pas chaude, mais elle est **isolante**, comme les plumes et la graisse.

- Des expériences prouvent qu'un **objet chaud** laissé au froid **se refroidit moins vite** lorsqu'il est entouré d'un **isolant**.

- C'est pour cette raison que le corps des animaux polaires perd moins vite sa chaleur dans cet air glacial.

RÉPONSES

1. Les deux thermomètres indiquent la même température.

3. La température diminue dans toutes les bouteilles ; plus vite dans celles qui sont au centre ; plus vite moins vite dans celles qui sont à la périphérie ; encore plus vite dans celle qui est toute seule, loin des autres.

(13) Comment utiliser au mieux le Soleil pour chauffer ?

- La température d'un objet placé au Soleil augmente plus ou moins. Pour étudier ce qui accentue ce réchauffement, il faut mener une **démarche expérimentale**.

- Le réchauffement est rendu plus important par : des **couleurs** sombres, une **orientation** face au Soleil, une bonne **isolation** et des **vitres** devant les ouvertures.

RÉPONSES

1. L'expérience du premier groupe ne convient pas, car les élèves font varier les dimensions des enveloppes.

2. L'expérience est correcte.

3. Les deux expériences sont valables. L'expérience du document 6 se fait en peu de temps et avec peu de matériel. L'expérience du document 7 demande de relever la température sur une journée entière.

(14) D'où vient l'énergie que nous utilisons ?

- Nous puisons toute l'énergie que nous utilisons dans les **ressources naturelles** de notre planète (le vent, l'eau, certaines matières combustibles...) et dans le **Soleil**.

- Grâce à ces **sources d'énergie**, nous pouvons faire fonctionner des objets et produire de l'**électricité**.

- Dans une **centrale électrique**, c'est la rotation de l'alternateur qui produit l'électricité, grâce à une chute d'eau (usine hydroélectrique) ou à un jet de vapeur d'eau (centrale thermique).

- Certaines sources d'énergie sont **épuisables**, d'autres sont **renouvelables**.

RÉPONSES

1. Certains objets peuvent être classés dans plusieurs colonnes : le lave-linge chauffe l'eau et met le linge en mouvement (il le déplace). Le téléviseur ne sert pas à éclairer ou à s'éclairer mais il produit de la lumière ; il faut donc le classer dans la troisième colonne.

2. Aliments, Soleil, gaz, pétrole, vent, essence, charbon, uranium, bois... sont des sources d'énergie.

(15) Comment consommer moins d'énergie dans une maison ?

- **Consommer moins d'énergie** est essentiel pour ne pas épuiser les ressources de la planète.

- L'**isolation des maisons** joue un rôle important. Mais chacun d'entre nous peut aussi prendre l'habitude de quelques **gestes simples** et pourtant efficaces : éteindre une pièce lorsqu'on la quitte, réduire le chauffage dans les chambres, etc.

RÉPONSES

2. Les maisons correctement isolées restent plus fraîches que les autres en été.

3. Pour économiser l'énergie dans une cuisine, on peut mettre un couvercle sur la casserole, baisser le chauffage lorsque l'eau atteint l'ébullition et n'utiliser sur une plaque électrique que des casseroles à fond plat.

L'énergie

Nous avons tous besoin de sources d'énergie pour nous chauffer, nous éclairer, nous déplacer.

Certaines réserves s'épuisent.

Exploitation d'un gisement de pétrole.

Mais il existe des sources d'énergie renouvelables.

Production d'énergie électrique par un aérogénérateur.

Il est important de chercher à mieux utiliser les sources d'énergie.

Utiliser le Soleil pour se chauffer.

Ne pas gaspiller de l'énergie par des gestes simples.

Ralentir le passage de la chaleur avec des isolants.

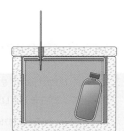

Ai-je compris ? Ai-je retenu ?

ⓐ Je vérifie mes connaissances

1. De l'eau est en train de bouillir doucement sur une plaque électrique.

Réponds par « vrai » ou « faux » et explique pourquoi.

✔ Sa température est proche de 100 °C.

✔ Les bulles qui se forment dans l'eau en train de bouillir sont des bulles d'air.

✔ L'eau passe de l'état liquide à l'état gazeux.

2. On augmente la puissance du chauffage.

Réponds par « vrai » ou « faux » et explique pourquoi.

✔ Les bulles deviennent plus grosses et plus nombreuses.

✔ L'eau s'évapore plus vite.

✔ La température de l'eau augmente.

ⓑ J'utilise mes connaissances

Observe les deux dessins.

Rédige un texte pour expliquer comment s'est formé le brouillard en utilisant les mots ou les groupes de mots suivants : *l'eau s'évapore ; l'eau se condense ; air chaud ; air froid ; vapeur d'eau ; brouillard.*

ⓒ J'exploite un graphique

Au moment précis où le gobelet est sorti du congélateur, le thermomètre, pris dans la glace, indique – 15 °C.
On note ensuite la température toutes les 15 minutes et on réalise un graphique.

✔ Quelle est la température à l'intérieur du congélateur ?

✔ Quelle est la température de l'eau au bout de :
  15 minutes ? 60 minutes ?
  30 minutes ? 90 minutes ?

✔ Dans quel état se trouve l'eau au bout de :
  15 minutes ? 60 minutes ?
  30 minutes ? 90 minutes ?

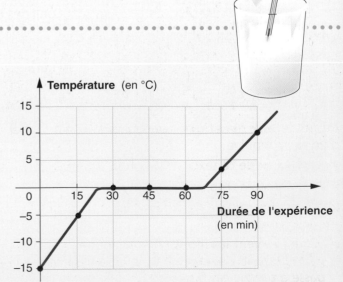

ⓓ Je pratique une démarche scientifique ....

L'huile de cuisine se dissout-elle mieux dans de l'eau du robinet ou dans de l'eau savonneuse ?

✔ Fais un schéma de l'expérience.

✔ Réalise-la.

✔ Rédige une conclusion.

Matériel

- des récipients variés
- de l'huile de cuisine
- du savon liquide
- un compte-gouttes
- de l'eau du robinet

ⓔ Je comprends le sens d'un texte documentaire ....

On peut consulter l'affiche suivante dans une salle de l'Aquarium du Musée océanographique de Monaco.

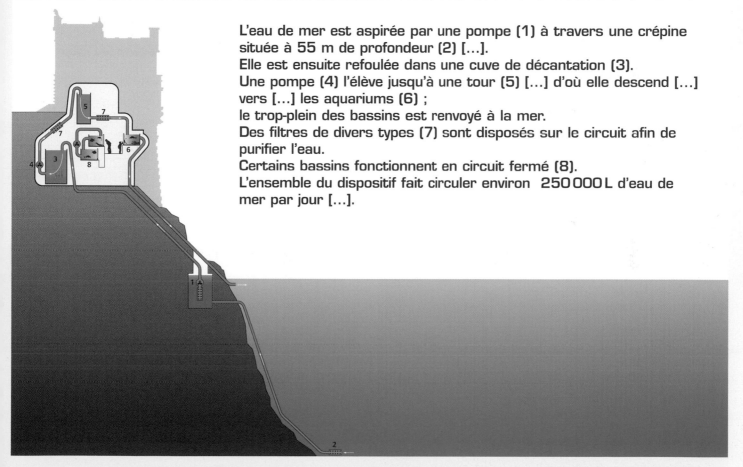

L'eau de mer est aspirée par une pompe (1) à travers une crépine située à 55 m de profondeur (2) [...].
Elle est ensuite refoulée dans une cuve de décantation (3).
Une pompe (4) l'élève jusqu'à une tour (5) [...] d'où elle descend [...] vers [...] les aquariums (6) ;
le trop-plein des bassins est renvoyé à la mer.
Des filtres de divers types (7) sont disposés sur le circuit afin de purifier l'eau.
Certains bassins fonctionnent en circuit fermé (8).
L'ensemble du dispositif fait circuler environ 250 000 L d'eau de mer par jour [...].

Réponds aux questions suivantes en t'aidant, si nécessaire, d'un dictionnaire.

✔ De quoi parle ce texte ? Donne-lui un titre.

✔ À quoi sert la crépine ?

✔ À quoi sert la cuve de décantation ? Pour quelle raison est-elle nécessaire ?

✔ À quoi servent les filtres (7) ? À ton avis que permettent-ils de retenir ? Que laissent-ils passer ? L'eau qui passe à travers ces filtres ressort-elle pure ?

Est-ce un fruit ?
Est-ce un légume ?

👁 Pour bien comprendre la question...

• Observe le document 1, puis fais un classement sur ton cahier de sciences : ce qui est un fruit d'un côté et ce qui ne l'est pas de l'autre.

• Rédige une phrase pour expliquer quels sont les signes (les critères) qui t'ont permis de faire ce classement.

• Compare tes critères à ceux choisis par tes camarades.

Certains mots ont parfois plusieurs sens, selon le contexte. C'est le cas du mot « fruit » :

– dans le vocabulaire alimentaire, c'est un aliment sucré et savoureux, souvent mangé en dessert ;

– dans le vocabulaire scientifique, il s'agit de l'organe porteur de graines.

Le mot « légume », lui, n'est qu'un terme alimentaire.

Tu vas apprendre à reconnaître un fruit selon ces critères.

Doc 1

🔍 Des recherches pour répondre...

1. Comment se forme un fruit comme la cerise ?

Doc 2

Doc 3

Doc 4

Doc 5

• Décalque les parties des documents 2 à 5 qui représentent les différents étapes du développement de la cerise.

• Découpe ces dessins et colle-les dans l'ordre chronologique sur ton cahier de sciences. Place les légendes suivantes : sépales, pétales, étamines, <u>pollen</u>, pistil, <u>ovule</u>, stigmate, <u>fruit</u>, noyau, <u>graine</u>.

Pour t'aider...

Va voir dans l'encyclopédie à <u>fleur</u>.

• Que deviennent les pétales, les étamines et le pistil ?

• Quelle partie de la fleur se transforme en fruit ?

• Rédige une phrase résumant le passage de la fleur au fruit.

Fais la liste des critères qui te permettront de reconnaître un fruit.

2. Comment se forme la pomme de terre ? Est-ce un fruit ?

● La pomme de terre se forme-t-elle comme la cerise ? D'après le document 6, rédige un texte court pour expliquer l'apparition de nouvelles pommes de terre en utilisant les mots : <u>tubercule</u>, tige, racines, feuilles.

C'est génial : avec une seule pomme de terre, j'en obtiens plus de dix !

On dit que ce mode de reproduction est asexué : il ne fait intervenir ni élément mâle (le pollen des étamines), ni élément femelle (les ovules du pistil).

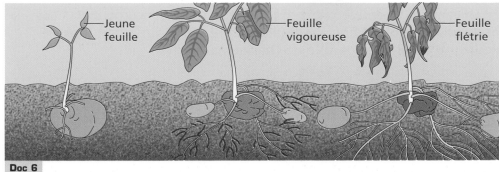

Jeune feuille — Feuille vigoureuse — Feuille flétrie

Doc 6

3. Une autre condition pour la formation des fruits

Au printemps, on voit des insectes comme les abeilles qui butinent de nombreuses fleurs (document 7). L'abeille récolte un liquide sucré au fond de la fleur, le nectar, qui servira pour nourrir la ruche. Lorsqu'elle butine le nectar, son corps est en contact avec les étamines et se couvre de pollen.

● Que se passera-t-il quand l'abeille se posera sur une nouvelle fleur ?

Pour t'aider...

Fais une recherche documentaire (➜ pp. 6 et 7).

Doc 7

Pour être sûr d'avoir bien compris

● Avec les critères que tu as découverts dans la première activité, vérifie la justesse de ton premier classement.

● Observes-tu des graines à l'intérieur du concombre et de la tomate (document 8) ?

Doc 8

Comment les plantes se « réveillent-elles » au printemps ?

👁 Pour bien comprendre la question...

En hiver, tout semble mort dans cette forêt (document 1). Les branches nues des arbres, les feuilles sur le sol... tout paraît sans vie. Pourtant, au printemps, que de changements !

• À ton avis, d'où viennent les feuilles et les jeunes plantes qui poussent au printemps ?

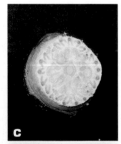

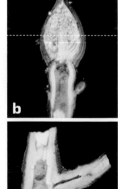

Doc 1 Sous-bois forestier en hiver, avec détails de pousses au printemps.

🔍 Des recherches pour répondre...

1. Comment apparaissent les feuilles d'un arbre ?

Voici des vues d'une branche de marronnier (numéro 1 du document 1) coupée en hiver (document 2). Tu peux compléter tes observations avec un vrai rameau.

Attention, il y a coupe et coupe !

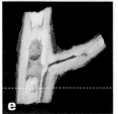
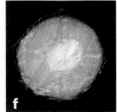

Doc 2 Rameau de marronnier, avec coupes.

• Quelle partie du rameau pourrait donner des feuilles ? Dans quelle coupe le voit-on ?

• Avec un vrai rameau, quelles expériences pourrais-tu faire pour vérifier si ton hypothèse est juste ? Dessine-les sur ton cahier de sciences.

Pour t'aider...

Va voir dans l'encyclopédie à bourgeon.

2. Comment pousse la jacinthe ?

En creusant sous le numéro 2 du document 1, on trouve un bulbe ressemblant à un petit oignon.

- Quelle partie du bulbe (document 3) pourrait donner une nouvelle jacinthe ?
- Vérifie ton hypothèse par des observations sur des bulbes d'oignons germés.

Pour t'aider...

Va voir dans l'encyclopédie à bulbe.

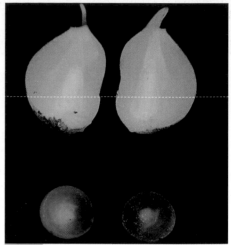

Doc 3 Bulbe de jacinthe, avec coupes.

Pour t'aider...

Sur un rhizome, il peut y avoir jusqu'à 20 parties renflées à la suite. On sait alors que la plus vieille partie du rhizome est âgée de 20 ans.

3. Comment pousse le sceau de Salomon ?

En creusant sous le numéro 3 du document 1, on trouve un <u>rhizome</u>, c'est-à-dire une tige souterraine souvent âgée.

- À ton avis, quelle partie du rhizome (document 4) produira une jeune pousse au printemps ? Quel âge a ce rhizome ?

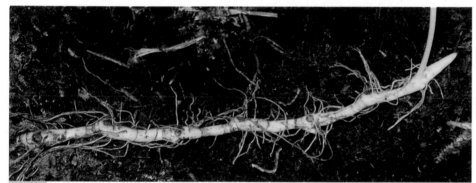

Doc 4 Rhizome du sceau de Salomon.

Attention, le sceau de Salomon est une espèce protégée, comme le muguet ! Tu ne dois pas l'arracher.

4. Comment apparaissent les jeunes érables ?

Si tu as fait l'enquête 16, tu peux remarquer que cette semence d'érable située sous le numéro 4 du document 1 a toutes les caractéristiques d'un fruit : elle renferme une graine et elle a un reste de pistil : le stigmate (document 5).

- Quelle partie de la graine va donner un jeune arbre ?
- Quelle différence y a-t-il entre cet exemple et les trois qui précèdent ?

Pour t'aider...

Va voir dans l'encyclopédie certains mots de cette liste : <u>tige</u>, <u>bourgeon</u>, <u>bulbe</u>, <u>rhizome</u>, <u>reproduction asexuée</u>, <u>fruit</u>, <u>graine</u> et <u>pistil</u>.

Doc 5 Fruit sec d'érable, avec coupe.

Des bilans, des réponses : page 56

Pour bien comprendre la question...

Si tu as fait l'enquête 17, tu as vu que beaucoup de végétaux restent apparemment en «sommeil» pendant l'hiver et qu'ils se «réveillent» au printemps. Il est possible d'accélérer leur développement.

Doc 2

Doc 3

Doc 1

Ainsi, les jardiniers qui posent des vitres sur leurs semis (document 1) réussissent à obtenir des salades avant la saison.

Les agriculteurs, eux, préparent leurs champs (document 2) avant de semer. Et s'il ne pleut pas assez, ils arrosent la terre (document 3).

Enfin, les horticulteurs produisent leurs plantes dans des serres (document 4) plutôt qu'à l'extérieur afin d'augmenter leur production.

- D'après tous ces exemples, quelles sont les conditions qui permettent aux graines de bien germer ?

Doc 4

Des recherches pour répondre...

1. Pourquoi les serres sont-elles utiles ?

Réalise cette expérience (document 5) au début du printemps.

- Mets de la terre dans deux boîtes en plastique identiques. Arrose avec la même quantité d'eau et pose un thermomètre.

- Place les deux boîtes à la lumière du jour, l'une couverte d'une vitre ou d'une plaque de Plexiglas, l'autre non.

- Note sur ton cahier la température obtenue dans chaque boîte à différents moments de la journée. Écris aussi toutes les observations qui te semblent importantes.

- Rédige une conclusion qui explique pourquoi les <u>serres</u> sont utiles.

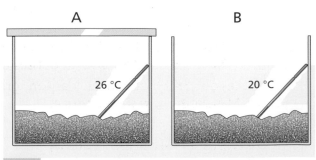

A   26 °C   B   20 °C

Doc 5

2. Teste tes hypothèses

a. Ce protocole expérimental est-il correct ?

Un groupe d'élèves a proposé le protocole expérimental du document 6 (→ fiche « méthode » p. 29)

- Es-tu d'accord avec ce protocole ? Si oui, pourquoi ?
- Si tu n'es pas d'accord, que proposes-tu de modifier ?

Pour t'aider...
Réalise le tableau d'expérience (→ p. 17).

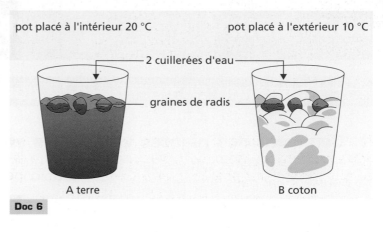

pot placé à l'intérieur 20 °C   pot placé à l'extérieur 10 °C

2 cuillerées d'eau

graines de radis

A terre   B coton

Doc 6

b. Que prouve cette autre expérience ?

Un second groupe d'élèves a réalisé une autre expérience (document 7).

- Que prouve cette expérience ?
- que les graines ont besoin d'eau ;
- qu'elles ont besoin d'air et d'eau ;
- qu'elles ont besoin d'air.
- Recopie le dessin sur ton cahier de sciences, puis rédige les résultats et la conclusion.

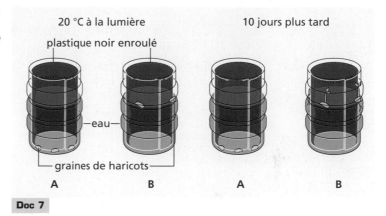

20 °C à la lumière   10 jours plus tard

plastique noir enroulé

eau

graines de haricots

A   B   A   B

Doc 7

3. À toi d'expérimenter maintenant !

- Imagine des expériences pour vérifier les hypothèses que tu as pu faire tout au long de cette enquête.

Expérimente

- Choisis une hypothèse à tester (besoin de lumière, de terre, d'eau, d'air, d'une température précise, etc.).
- Dessine le montage que tu souhaites mettre en place.
- Après discussion avec tes camarades, réalise l'expérience qui semble la meilleure pour tester l'hypothèse.

As-tu compris comment réaliser une expérience ?

- Mets les vignettes du document 8 dans l'ordre.

1. Sur ton cahier de sciences, écris la question posée, puis l'hypothèse à tester (ta proposition de réponse).

2. Dessine l'expérience à réaliser (le protocole expérimental). Note les résultats que tu penses obtenir.

3. Discutes-en avec les élèves de ton groupe et modifie ton expérience si nécessaire.

4. Réalise l'expérience.

5. Note et dessine le résultat obtenu.

6. Interprète-le, discutes-en et rédige la conclusion.

Matériel
- graines de radis, de lentilles ou de haricots
- bouteilles en plastique, terre, sable et coton
- engrais liquide, eau déminéralisée, thermomètre
- papier d'aluminium, film plastique transparent

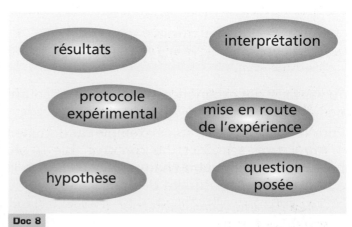

résultats   interprétation

protocole expérimental   mise en route de l'expérience

hypothèse   question posée

Doc 8

Des bilans, des réponses : page 56

👁 Pour bien comprendre la question...

1. Comment des plantes vivent-elles sans terre ?

Ces plants de tomates cultivés dans de grandes serres (document 1) ne poussent pas dans la terre.

- À ton avis, de quoi ces plantes se nourrissent-elles ?

En observant bien la photographie, tu remarqueras sans doute de fins tuyaux aux pieds des tomates.

Doc 1

Ces tuyaux sont reliés à une machine (document 2) qui produit un goutte-à-goutte à l'extrémité de chaque tuyau.

- Que peut-il y avoir dans ces tuyaux ? Écris tes idées dans ton cahier de sciences.

Doc 2

2. Que nous apprend ce cultivateur ?

Ce cultivateur (document 3) a une technique pour augmenter sa production. Voici ses explications :

« Les <u>engrais</u> coûtent cher et risquent de polluer le sol si on en met trop. Ils peuvent être entraînés par la pluie et contaminer des eaux souterraines qui ressortent dans mon puits, dans une source ou dans la rivière. Je dépose du fumier dans mon champ une fois par an ; j'économise ainsi beaucoup d'engrais. »

Doc 3

- Note sur ton cahier les informations qui répondent à la question du titre de cette enquête.

Tu vas maintenant vérifier tes hypothèses et connaître les besoins précis des plantes.

🔍 Des recherches pour répondre...

Tu vas faire des expériences avec de jeunes pousses de haricots.

Pour les faire germer, suis l'exemple du document 4. Après trois semaines, ne conserve que la plus belle germination dans chaque gobelet ; jette les autres, sinon elles risquent de pourrir.

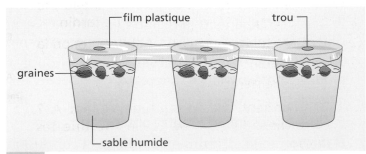

film plastique — trou

graines —

— sable humide

Doc 4

1. Que prouvent ces expériences ?

Dans ces deux expériences (documents 5 et 6), les pousses de haricot ont été arrosées une fois avant d'être placées près d'une fenêtre durant 1 semaine.

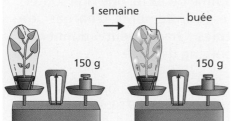

Doc 5 La pousse de haricot est enfermée avec le pot dans un plastique.

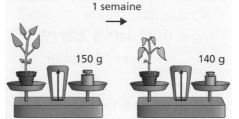

Doc 6 La pousse de haricot est laissée à l'air libre.

❧ Interprète les expériences.

❧ Vérifient-elles l'hypothèse suivante : « l'eau d'arrosage sort de la plante par les feuilles et par la tige » ? Si tu es d'accord, explique pourquoi. Sinon, que faudrait-il ajouter ou modifier ?

📎 **Matériel**

- six verres en plastique numérotés au marqueur
- du sable
- des graines de haricot
- de l'engrais liquide préparé
- une petite cuillère

2. À toi d'expérimenter maintenant

❧ Plante six germinations de haricot dans des pots après avoir coupé ce qui reste des cotylédons.

❧ Arrose les six germinations avec des doses différentes d'eau et d'engrais (document 7). Répète cet arrosage chaque semaine.

❧ Après 6 semaines, mesure la hauteur des pousses et reporte les résultats sur un graphique (→ fiche « méthode » p. 63).

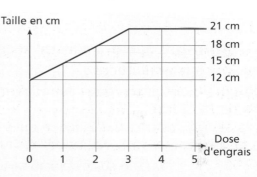

| cuillerées d'engrais | 0 | 1 | 2 | 3 | 4 | 5 |
| cuillerées d'eau | 6 | 5 | 4 | 3 | 2 | 1 |

Doc 7

3. Un exercice pour comprendre

Prépare deux pousses en même temps et sur la même durée, mais dans d'autres conditions :

– pot A: pas d'engrais et 6 cuillerées d'une eau macérée avec des végétaux en décomposition ;

– pot B : pas d'engrais et 6 cuillerées d'eau ; le sable a été remplacé par de la terre de jardin.

On mesure la taille des pousses obtenues et on la reporte sur une courbe (document 8).

❧ Quelles remarques peux-tu faire ?

❧ Que contient l'eau d'arrosage du pot A ? Que contient la terre de jardin ? Justifie tes réponses.

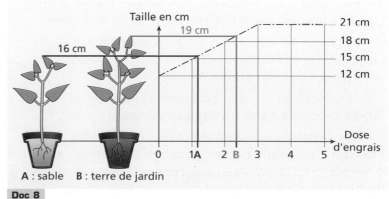

A : sable   B : terre de jardin

Doc 8

Des bilans, des réponses...

(16) Est-ce un fruit ? Est-ce un légume ?

• **Légume** est un mot courant désignant une partie comestible d'un végétal : racine, tige, feuille ou fruit. **Fruit** est un mot scientifique qui désigne ce qui reste de la fleur fanée lorsqu'elle a été fécondée. Un fruit renferme des graines.

• Les étamines, partie mâle de la fleur, produisent du pollen. Le pistil, partie femelle de la fleur, contient des ovules. Le pollen, transporté par le vent ou les insectes, féconde les ovules : ils se transforment en graines et le pistil en fruit.

• Certains végétaux se reproduisent aussi sans graines. Chez la pomme de terre, une tige souterraine produit des renflements chargés de réserves : les **tubercules**. Chacun peut redonner un nouveau pied de pomme de terre.

RÉPONSE

1. Les critères pour reconnaître un fruit : sépales, pétales, étamines ou stigmates séchés ; graines enfermées dans de la matière sèche ou juteuse.

(17) Comment les plantes se « réveillent-elles » au printemps ?

• Sur toutes les tiges d'arbres, des bourgeons contiennent des feuilles minuscules ou des fleurs en miniature. Elles n'apparaîtront qu'au printemps.

• D'autres plantes, comme la jacinthe, naissent d'un bulbe. Il contient un germe en son centre : c'est le bourgeon, prêt à se développer. Celui-ci est entouré et protégé par des feuilles épaisses pleines de réserves nutritives.

• D'autres plantes ont des rhizomes : ce sont des tiges souterraines contenant aussi des réserves nutritives et des bourgeons.

• Toutes les plantes à fleurs (comme l'érable) produisent des fruits contenant des graines. À l'intérieur des graines, des plantes miniatures sont prêtes à germer.

(18) Comment faire germer une graine rapidement ?

• **Chaleur**, **humidité** et **aération** sont les trois conditions importantes pour faire germer une graine rapidement.

2b. Seules les graines qui sont à la surface de l'eau germent, car elles ont besoin d'air pour germer.

RÉPONSES

1. L'expérience montre qu'il fait plus chaud dans la boîte B. Les serres sont donc utiles car elles retiennent la chaleur de la terre chauffée par le soleil.

2a. Le protocole est incorrect car il y a trop de choses (de facteurs) qui varient dans l'expérience. On ne saura pas si une différence est due à la température ou à la matière entourant les graines (coton ou terre).

(19) Comment obtenir de bonnes récoltes ?

• Pour vivre, les végétaux ont besoin d'**eau**, d'**engrais** (de substances minérales), d'**air** et de **lumière**.

• Ils puisent l'eau et les engrais dans le sol. L'eau circule dans les racines et les tiges, puis une partie s'évapore au niveau des feuilles.

• Ils absorbent le gaz carbonique de l'air et captent la lumière par les feuilles vertes.

• Les substances minérales existent souvent dans le sol. Des apports d'engrais ou de fumier augmentent les rendements agricoles.

RÉPONSE

1. **Résultat de l'expérience du doc 5** : le pot n'a pas changé de masse en 1 semaine ; le végétal s'est bien développé ; des gouttes d'eau apparaissent à l'intérieur du plastique. **Interprétation** : les gouttes peuvent provenir de la plante ou du pot. Mais tout ce dont le végétal a besoin se trouve à l'intérieur du plastique.

Résultat de l'expérience du doc 6 : la plante est flétrie et a perdu 10 g en 1 semaine. **Interprétation** : la plante a manqué d'eau. Les 10 g correspondent à l'eau évaporée de la plante ou du pot. Il manque un pot témoin, entouré d'un plastique mais sans haricot.

Reproduction et nutrition des végétaux

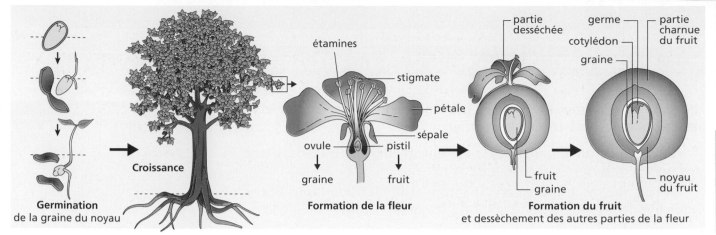

Les étapes de la reproduction sexuée d'un végétal à fleurs.

La reproduction sexuée (par les graines) produit des êtres uniques et différents. Comme chez les animaux, il y a rencontre et fusion des parties mâle (le pollen) et femelle (l'ovule) : c'est la fécondation.

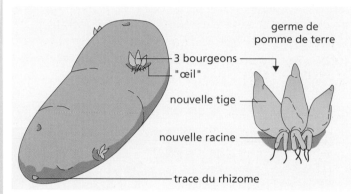

Reproduction asexuée chez le tubercule de pomme de terre.

La reproduction asexuée reproduit à l'identique de nouveaux individus.

Chez les végétaux, ce sont souvent les bourgeons, situés sur les tiges, qui peuvent donner de nouvelles pousses. Le tubercule de pomme de terre est une tige, car il porte aussi des bourgeons : les « yeux ».

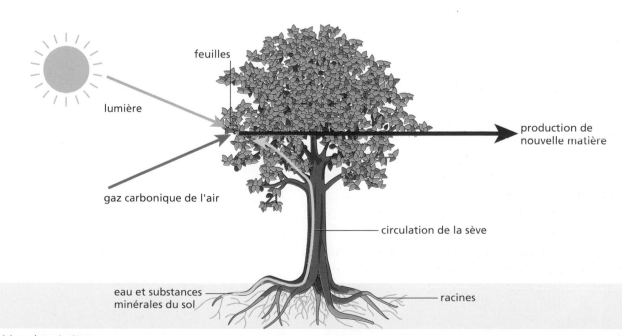

La nutrition des végétaux.

👁 Pour bien comprendre la question...

Pour nous nourrir, nous mangeons parfois des œufs, car le jaune et le blanc sont des aliments (document 1).

- Observe le document 2: y a-t-il encore du jaune et du blanc dans l'œuf ?
- À ton avis, à quoi ont servi le jaune et le blanc de l'œuf ? Écris tes hypothèses dans ton cahier de sciences.

Le poussin s'est développé dans l'œuf, mais tous les œufs peuvent-ils donner des poussins ? Que doit-il se passer avant pour que cela soit possible ? Les recherches que tu vas faire vont t'aider à trouver les réponses.

Doc 1

🔍 Des recherches pour répondre...

1. Que faut-il pour qu'un œuf donne un poussin ?

- Les événements représentés dans les documents 2, 3, 4 et 5 sont dans le désordre. Classe-les dans un ordre chronologique et donne-leur un titre.

Doc 2

Doc 3

Doc 4

Doc 5

2. À quoi sert la couvaison ?

Doc 6

La <u>couvaison</u> chez le manchot empereur

Les côtes du continent antarctique abritent le manchot empereur qui s'y reproduit en colonies. Le regroupement commence au début de l'hiver austral. Après l'accouplement, la femelle pond un œuf qu'elle confie au mâle et part s'alimenter en mer. L'œuf est couvé 2 mois dans un repli de la peau et porté sur les pieds. Jamais il ne touche le sol. Ainsi réchauffé, l'<u>embryon</u> se développe dans l'œuf. Les femelles reviennent lorsque les œufs sont prêts à éclore et les mâles, qui ont jeûné pendant la couvaison, partent se nourrir.

- À partir du document 6, explique l'intérêt de la couvaison.
- Quelle est sa durée chez le manchot empereur ?
- Cette durée est-elle identique pour toutes les espèces ?

Pour t'aider...

Va voir dans l'encyclopédie à <u>couvaison</u>.

3. Que se passe-t-il dans l'œuf ?

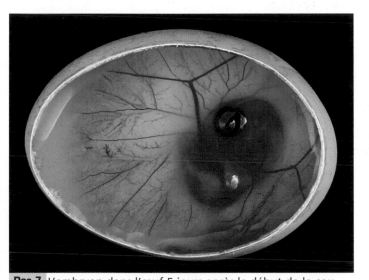

Doc 7 L'embryon dans l'œuf 5 jours après le début de la couvaison.

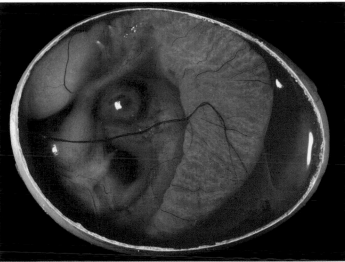

Doc 8 L'embryon dans l'œuf 10 jours après le début de la couvaison.

- Compare les documents 7 et 8.
- Décalque l'intérieur de l'œuf du document 8.
- Indique sur ton dessin les légendes suivantes : coquille, embryon, <u>vaisseaux sanguins</u>, jaune.
- D'où viennent les aliments nécessaires à la croissance de cet embryon ?
- À quoi servent les vaisseaux sanguins reliant l'embryon au jaune de l'œuf ?

Pour faire un dessin

- Utilise un crayon à papier.
- N'appuie pas trop sur la mine.
- Écris un titre sous le dessin. Place des légendes autour du dessin et relie-les à celui-ci par des flèches tracées à la règle.

→ Fiche «méthode», p. 7.

🔍 Pour être sûr d'avoir bien compris

- Résume les étapes de la <u>reproduction sexuée</u> chez les oiseaux dans un texte en utilisant ces mots : femelle, œufs, jeune oiseau, réserves nutritives de l'œuf, mâle, pondre, couver, embryon, ovipares, s'accoupler, éclosion.

Pour aller plus loin

Pour faire éclore des poussins dans ton école, il faut acheter une couveuse et se procurer des œufs. Sur Internet, consulte un moteur de recherche avec les mots-clés : couveuse, œuf, poule.

☀ **Des bilans, des réponses : page 66**

👁 Pour bien comprendre la question...

Sur cette photographie (document 1), le chaton vient de naître.

- Pourquoi est-il humide ?
- Le cordon ombilical est-il visible ? Que relie-t-il ?

Ce chaton sort du ventre de sa mère, mais que doit-il se passer avant pour qu'une chatte donne naissance à des petits ? Comment le chaton a t-il pu se développer dans le ventre de la mère ?

Les recherches que tu vas faire vont t'aider à trouver les réponses.

Doc 1

🔍 Des recherches pour répondre...

1. Que doit-il se passer pour que la femelle donne naissance à des petits ?

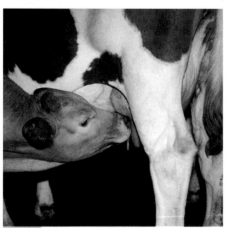

Doc 2

Doc 3

Doc 4

- Dans ton cahier de sciences, donne un titre aux documents 2, 3 et 4.
- Classe ces étapes de la reproduction sexuée chronologiquement.
- Observe les différences entre les mâles et les femelles et énumère leurs caractères sexuels.
- Les mammifères sont des vivipares. Que signifie ce terme ?

2. Que se passe-t-il dans le ventre de la femelle ?

Doc 5

Chez la jument, la durée de la gestation est d'environ 11 mois. Pendant cette période, l'<u>embryon</u> se développe dans le ventre de la mère.

Le <u>placenta</u> est un organe qui permet des échanges nutritifs et respiratoires entre la mère et l'embryon.

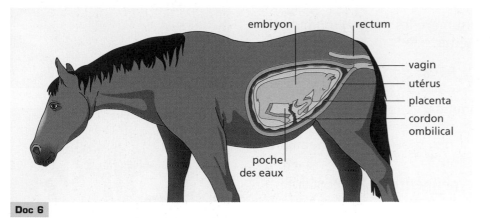

Doc 6

- D'après le document 5, où se développe l'embryon ?
- Comment est-il nourri dans le ventre de la mère ? Quel organe joue un rôle essentiel dans la nutrition de l'embryon ?
- Par quoi l'embryon est-il relié au placenta (document 6) ?
- Quelle est la durée de la gestation ? Cette durée est-elle identique chez tous les mammifères ?

Pour t'aider...

Va voir dans l'encyclopédie à <u>gestation</u>.

3. Que se passe-t-il après la naissance ?

Doc 7

L'éléphant de mer (document 8) est un phoque qui vit sur le continent antarctique. Le mâle peut atteindre 6,50 m et peser 3,5 t. La femelle est beaucoup plus petite, puisqu'elle mesure environ 3 m.

La période de reproduction débute en septembre, à terre. Après l'accouplement, la gestation dure 11 à 12 mois. La femelle donne naissance à un petit (rarement deux) qui mesure 1,20 m et pèse 50 kg. Il est allaité pendant 3 semaines, ce qui lui permet de tripler son poids. Les femelles peuvent procréer à leur tour dès l'âge de 2 ans et les mâles à partir de 4 ans.

- D'après le document 7, le petit peut-il se débrouiller seul dès la naissance ?
- Quels soins essentiels apporte la femelle ?
- À partir de quel âge les jeunes deviennent-ils des adultes capables de procréer ?

Doc 8

🔍 Pour être sûr d'avoir bien compris

- Compare le mode de procréation des mammifères avec celui des oiseaux en recopiant et en complétant le tableau suivant.

LES QUESTIONS	LES OISEAUX	LES MAMMIFÈRES
Y a-t-il un mâle et une femelle ?	oui	
Y a-t-il un accouplement ?		
D'où sort le jeune ? Ces animaux sont-ils ovipares ou vivipares ?	d'un œuf : ils sont ovipares	
Comment l'embryon est-il nourri ?		
Les parents s'occupent-ils des jeunes ? Si oui, comment ?		

👁 Pour bien comprendre la question...

• Fais la liste des points communs et des différences entre une poule et ses poussins.

• Observe les documents 1 et 2 : énumère les points communs et les différences entre les deux individus.

• La chenille et le papillon font-ils partie de la même espèce ? Écris ce que tu en penses dans ton cahier de sciences.

Les jeunes oiseaux et les jeunes mammifères ressemblent plus ou moins à leurs parents. La chenille, elle, ne ressemble pas du tout au papillon. Y a-t-il un lien entre eux ? Si oui, d'où vient la chenille et comment se transforme-t-elle en papillon ?

Les recherches que tu vas faire vont te permettre de le découvrir.

Doc 1

Doc 2

🔍 Des recherches pour répondre...

1. Que doit-il se passer pour qu'une chenille donne un papillon ?

Doc 3

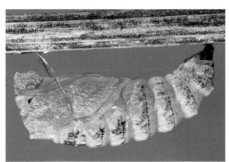
Doc 4

Doc 5

Doc 6

Doc 7

• Dans ton cahier de sciences, classe les documents 3 à 7 dans un ordre chronologique possible.

• Donne un titre à chacune de ces étapes en utilisant : chenille ou <u>larve</u>, ponte, accouplement, <u>chrysalide</u>, fin de la <u>métamorphose</u>.

• Indique d'où sort la chenille.

• En quoi se transforme-t-elle ?

• À ton avis, les papillons sont-ils des animaux <u>ovipares</u> ou <u>vivipares</u> ?

2. Comment la chenille grandit-elle ?

Doc 8

Le développement de la chenille de la piéride du chou

La chenille (ou larve) qui sort de l'œuf mesure quelques millimètres. Elle se met à manger la feuille du chou. Mais elle est entourée d'une « peau » rigide qui, elle, ne grandit pas. La chenille change alors de « peau » : on dit qu'elle <u>mue</u> (document 9). Durant quelques heures, cette nouvelle « peau » est extensible ; c'est pendant cette période que la chenille grandit et grossit.

Lors de sa cinquième mue, la chenille se transforme en une chrysalide. Celle-ci reste immobile sans manger durant quelques semaines, voire quelques mois. Lorsque la chrysalide se transforme en papillon, c'est la métamorphose.

Doc 9

- D'après le document 8, pourquoi la croissance de la chenille n'est-elle pas régulière ?

- Précise à quel moment elle peut grandir et donnes-en les raisons.

- Construis le graphique qui correspond aux données du tableau suivant : place sur l'axe horizontal le temps en jours et, sur l'axe vertical, la taille de la larve en millimètres.

STADE LARVAIRE	DURÉE DU STADE LARVAIRE	TAILLE DE LA CHENILLE
Stade 1	3 jours	7,5 mm
Stade 2	3 jours	12 mm
Stade 3	4 jours	17 mm
Stade 4	3 jours	23 mm
Stade 5	7 jours	40 mm

3. Et d'autres insectes ?

Pour faire une comparaison, mets en place un élevage de vers de farine. Pour cela, achète des vers chez un grainetier. Mets une couche de farine au fond d'une cuvette. Ajoutes-y quelques croûtes de pain et, de temps en temps, une feuille de salade. Installe alors les vers de farine dans la cuvette. Observe régulièrement ton élevage pendant plus de 3 mois.

- En t'inspirant de ce que tu as découvert chez le papillon, explique comment sont apparus les nouveaux individus.

Pour être sûr d'avoir bien compris

- Résume les étapes de la reproduction chez les insectes dans un texte en utilisant ces mots : accouplement, mâle, ponte, adulte, chrysalide, métamorphose, femelle, éclosion, larve.

Pour construire un graphique

- Trace deux segments de droite perpendiculaires : un vertical et l'autre horizontal. Ce sont les deux axes.

- Place sur l'axe horizontal (ou abscisse) le temps en jours.

- Place sur l'axe vertical (ou ordonnée) le facteur que tu étudies (ici, la taille des larves).

- Choisis les unités de mesure sur les deux axes. Par exemple : sur l'abscisse, 1 cm pour un jour ; sur l'ordonnée, 1 cm pour 1 cm.

- Mets les points à l'aide des informations contenues dans le tableau. Par exemple : durant les trois premiers jours, la chenille mesure 7,5 mm.

Manipule les vers de farine avec précaution : ce sont des êtres vivants !

Des bilans, des réponses : page 66

Pour bien comprendre la question...

Les oiseaux ne sont pas les seuls ovipares.

- Que présentent les documents 1 et 2 ?

- Connais-tu d'autres espèces ovipares ?

- À ton avis, y a-t-il accouplement chez la plupart des poissons ?

Certains animaux sont <u>ovipares</u> : le jeune sort d'un œuf pondu par la femelle. D'autres sont <u>vivipares</u> : le jeune sort du ventre de la mère. Chez certaines espèces, il y a accouplement ; chez d'autres, il n'y en a pas.

Alors existe-t-il un point commun entre ces différents modes de <u>reproduction sexuée</u> ? Le mâle intervient-il ? Si oui, que produit-il ?

Les recherches que tu vas faire vont t'aider à répondre à toutes ces questions.

Doc 1

Doc 2

Des recherches pour répondre...

1. Le mâle est-il indispensable ?

EXPÉRIENCE	CE QU'ON A FAIT, C'EST-À-DIRE LE PROTOCOLE DE L'EXPÉRIENCE	CE QU'ON OBSERVE, C'EST-À-DIRE LES RÉSULTATS DE L'EXPÉRIENCE
Expérience 1		
Expérience 2		

Doc 3

> **Les expériences de Réaumur, scientifique français du XVIIIe siècle**
>
> En 1740, Réaumur cherche à connaître le rôle des deux partenaires lors de la procréation des grenouilles.
>
> Expérience 1 : il réussit à mettre des sortes de culottes à des grenouilles mâles accouplées sans interrompre l'accouplement. Il constate que dans ces conditions, les <u>ovules</u> pondus par la femelle ne donnent pas de têtards.
>
> Expérience 2 : il confie à son assistante la surveillance de grenouilles accouplées et non pourvues de culottes. Celle-ci aperçoit les ovules qui sont pondus par la femelle. Puis, observant le mâle, elle voit sortir un jet laiteux, qu'on appelle la laitance*. Réaumur constate que les ovules arrosés de la laitance du mâle donnent naissance à des têtards qui se métamorphosent en grenouilles.
>
> (*) Liquide qui contient les spermatozoïdes.

- Reproduis ce tableau et complète-le en recopiant les phrases du document 3 au bon endroit.

- Quelle est la seule différence entre ces deux expériences au moment où on les réalise ?

- Les ovules seuls peuvent-ils donner des têtards ?

- Que doit-il se passer pour qu'un ovule donne un têtard ?

Pour t'aider...

Va voir page 6 ce qu'est une démarche expérimentale.

2. Que produisent le mâle et la femelle ?

Doc 4

La fécondation chez la truite

On comprime le ventre d'une truite femelle pour récolter les ovules dans une cuvette (document 5). On comprime le ventre du mâle pour faire sortir la laitance que l'on mélange avec les ovules (document 6). L'ensemble est placé dans une eau bien aérée. Au bout de quelques jours, les ovules fécondés ont donné naissance à des alevins (document 7).

Lorsqu'on fait la même expérience sans mélanger aux ovules la laitance du mâle, on n'obtient aucun alevin.

- Quelle est la seule différence entre les deux expériences du document 4 ?
- Les ovules seuls peuvent-ils donner des alevins ?
- Que produit la femelle ? Et le mâle ?

Doc 5 Récupération des ovules.

Doc 6 Récupération de la laitance.

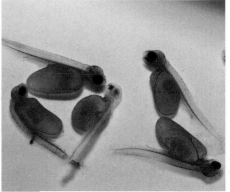

Doc 7 Alevins de truite.

3. Que se passe-t-il entre les ovules et la laitance ?

La fusion entre un ovule et un spermatozoïde s'appelle la fécondation (document 8). Cette fusion donne un œuf qui devient un embryon.

- Qui produit les spermatozoïdes ?
- Où a lieu la fécondation chez la truite ? Et chez la vache ?

Pour t'aider...

Va voir dans l'encyclopédie à appareil génital.

🔍 **Pour être sûr d'avoir bien compris**

Au cours de tes recherches, tu as vu que le mâle, comme la femelle, est indispensable dans la procréation et qu'il existe deux types de fécondation : l'une externe et l'autre interne.

- Résume les caractéristiques de ces deux modes de procréation dans un tableau comme celui-ci, en répondant à ces questions : y a-t-il un mâle et une femelle ? Que produit la femelle ? Que produit le mâle ? Y a-t-il accouplement ? Où se fait la fécondation ? D'où sort le jeune ? Comment est nourri l'embryon ?

Doc 8 Cet ovule entouré de spermatozoïdes mesure 0,1 mm.

Pour aller plus loin

Au tout début du printemps, procure-toi des merlans mâles et femelles chez le poissonnier. Ouvre le ventre de ces poissons et observe les organes que tu y trouves. Essaie d'identifier les ovaires et les testicules.

LES QUESTIONS	MAMMIFÈRE (VACHE)	POISSON (TRUITE)

Des bilans, des réponses...

20   Comment les oiseaux se reproduisent-ils ? ....

• Les oiseaux sont **ovipares**, c'est-à-dire que **le petit sort d'un œuf**.

• Pour se reproduire, le mâle et la femelle doivent s'accoupler.

• Puis la femelle pond des œufs qui sont couvés par les parents, la mère le plus souvent.

• Durant la couvaison, **l'embryon se développe à partir des réserves nutritives** (le jaune et le blanc) contenues dans l'œuf.

• Après l'éclosion, chez de nombreuses espèces, les parents s'occupent des jeunes : ils les protègent et les nourrissent. Les oisillons grandissent et deviennent des jeunes oiseaux, mâles ou femelles, capables à leur tour de procréer.

21   Comment les mammifères se reproduisent-ils ? ....

• Les mammifères sont **vivipares**, c'est-à-dire que **le petit sort du ventre de la mère**.

• Pour se reproduire, le mâle et la femelle doivent s'accoupler.

• Alors débute la **gestation** : **un embryon** (ou plusieurs) **se développe dans l'utérus de la mère**.

Il est nourri grâce au **placenta**, un organe où se font des échanges nutritifs et respiratoires entre la mère et l'embryon.

• Après la mise bas, le jeune est allaité par sa mère. Il grandit, devient un adulte mâle ou femelle capable de procréer à son tour.

22   À quoi ressemble le jeune chez le papillon ? ....

• Les papillons, comme les autres insectes, sont **ovipares**, mais le petit qui sort de l'œuf est très différent de l'adulte : c'est une **larve**.

• Cette larve grandit au cours d'une série de **mues**. Lors de la dernière mue, elle se transforme en chrysalide. Celle-ci se **métamorphose** ensuite en papillon.

23   Quel est le rôle du mâle ? ....

• De nombreuses espèces sont **ovipares** : les **oiseaux**, les **amphibiens**, la plupart des **poissons**, les **insectes**. D'autres sont **vivipares** : il s'agit essentiellement des **mammifères**.

• Selon les espèces, il y a **accouplement** ou non. Cependant, dans tous les cas, **le mâle produit des spermatozoïdes** et **la femelle des ovules**.

• La fusion entre un ovule et un spermatozoïde donne un **œuf** qui évolue en un **embryon**. C'est la **fécondation**. Elle peut se faire dans l'eau ou dans l'appareil génital de la femelle.

RÉPONSE

Le document 1 présente des œufs et des alevins de truite. Le document 2 présente des œufs et de jeunes têtards.

La reproduction chez le papillon Machaon

Comment peut-on classer les animaux ?

👁 Pour bien comprendre la question...

Où classer l'ornithorynque (document 1) ? Est-ce un mammifère, avec ses poils ? Ou est-ce un oiseau, avec son bec ?

● Quelles sont les informations données dans le document 2 qui sont utiles pour classer l'ornithorynque ?

Doc 2

L'ornithorynque est un original. Il a des poils comme les mammifères. Pourtant comme les oiseaux, il possède un bec et la femelle pond des œufs. Elle n'a pas de mamelles. Ses petits lèchent son lait dans ses poils. Quant au mâle, ses pattes arrière peuvent délivrer du venin.

Doc 1

🔍 Des recherches pour répondre...

1. Comment classer ces animaux observés à la campagne ?

fourmi   homme   poule faisane   cerf   coccinelle

épeire diadème   geai   souris   iule   coucou

chauve-souris   opilion   Machaon   canard   scolopendre

Doc 3

Attention, on ne peut pas classer les hommes comme on classe les animaux ! Va voir l'enquête 46.

● Écris le nom de chaque animal sur une étiquette.

● Rassemble les étiquettes des animaux qui te semblent appartenir à un même groupe. Écris ce que les animaux de chaque groupe ont en commun (les critères de ton tri).

● Compare ton tri avec celui de tes camarades et notez quelques-uns des critères proposés.

2. Observe et décris un animal : la fourmi

• Observe bien une fourmi et réalise dans ton cahier une fiche de présentation à partir du modèle suivant.
Tu dois consulter une encyclopédie pour compléter tes observations.

Nom de l'animal :   la fourmi

Ce que l'animal a (coche ce que tu observes) :

☐ Squelette intérieur (avec os et vertèbres)   ☐ Des mamelles

☐ « Peau rigide », appelée cuticule   ☐ 6 pattes articulées

☐ 4 membres   ☐ 8 pattes articulées

☐ Des poils   ☐ De nombreuses pattes articulées (plus de 8)

☐ Des plumes   ☐ 2 antennes

Ce que l'animal fait (écris une phrase pour répondre à chaque question) :

– Comment se déplace-t-il ? ....

– Que mange-t-il ? ....

Dessin de l'animal (qui doit occuper la moitié de la feuille) :

3. Propose un nouveau classement

Les biologistes classent les animaux à partir de ce qu'ils ont et non à partir de ce qu'ils font.

• Recopie le tableau suivant sur une feuille, en écrivant sur la première ligne le nom des 15 animaux observés et, dans la première colonne, ce qu'ils peuvent avoir (squelette intérieur, peau rigide, plumes, poils, mamelles, 6 pattes, 8 pattes, nombreuses pattes, 2 antennes).

• Si tu peux, observe les animaux dans la nature. Puis consulte une encyclopédie (papier ou numérique) pour compléter ton tableau.

	FOURMI	HOMME	MÉSANGE	....	....	....
Squelette intérieur		✓	✓			
Peau rigide	✓					
....						
....						

• Découpe les différentes colonnes et regroupe celles qui se ressemblent.

• Compare ton classement à celui qui est présenté au dos de la couverture du livre.

• Sur ton cahier, écris ce que les mammifères ont.

Pour être sûr d'avoir bien compris

Pour savoir dans quel groupe est l'ornithorynque, les scientifiques ont retenu qu'il avait des poils.

• Où le classes-tu maintenant ?

👁 Pour bien comprendre la question...

Des <u>fossiles</u> ressemblant à des coquillages marins sont retrouvés en haut d'une montagne (document 1). Comment est-ce possible ?

❧ Note tes idées sur ton cahier.

❧ Discutes-en avec tes camarades et listez les hypothèses possibles.

Fossiles d'huître et d'ammonite trouvés à 1 800 m. **Doc 1** La chaîne des Aravis dans les Alpes.

🔍 Des recherches pour répondre...

1. Que nous apprend l'animal actuel ressemblant le plus à l'ammonite ?

Pour reconstituer l'allure et le mode de vie d'une ammonite, observons un animal actuel qui lui ressemble : le nautile.

❧ Quelles sont les ressemblances qui permettent de rapprocher ces deux animaux (documents 2 et 3) ?

❧ Imagine comment pouvaient vivre les ammonites (document 4).

Doc 2 Ammonite et coupe de la coquille.

Doc 4

Le nautile vit dans des mers chaudes. Comme certaines pieuvres, il se déplace et se nourrit d'autres animaux grâce aux tentacules qui entourent sa bouche. Il peut vivre entre deux eaux, car sa coquille lui sert de flotteur : elle est remplie d'air. Contrairement à l'escargot, le corps du nautile ne remplit pas toute la coquille. Il est relié au centre par un filament qui passe dans toutes les loges.

Doc 3 Nautile et coupe de la coquille.

2. Comment se forment les fossiles ?

❧ Réalise l'expérience du document 5 en mélangeant de la terre, du sable, de l'eau et un coquillage.

❧ Sur ton cahier de sciences, note tes observations et ton hypothèse sur la formation des fossiles.

❧ On peut refaire cette expérience en remplaçant la terre et le sable par du plâtre. Qu'observe-t-on alors ?

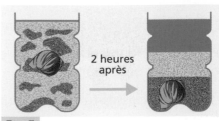

2 heures après

Doc 5

3. Comment dater les fossiles ?

On trouve des ammonites voisines de celle du document 1 dans des terrains situés au-dessus et au-dessous de la falaise. Les fossiles sont alors un peu différents.

🞂 Dessine le sommet de la montagne (document 1) et indique quelles sont, d'après toi, les couches les plus âgées et les plus jeunes.

Il existe une méthode scientifique pour dater une roche ou un fossile. Va voir dans l'encyclopédie à <u>datation</u>.

4. Comment reconstituer le milieu de vie ?

On a retrouvé de nombreux fossiles d'animaux (document 6) qui vivaient dans la même région des Alpes et à la même époque que ces ammonites.

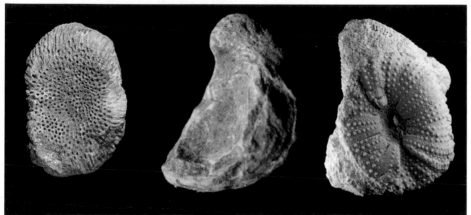

Doc 6 Fossiles de coraux, d'huîtres et d'oursins.

🞂 Fais une recherche (→ pp. 6-7 ; mots-clés : ère secondaire, fossiles…) pour tenter de reconstituer le milieu de vie de cette région, il y a 130 millions d'années (MA) : comment et où vivaient ces animaux ?

🞂 Rédige un texte court sur ton cahier pour résumer tes découvertes. Note quels renseignements apportent les fossiles.

🔍 Pour être sûr d'avoir bien compris

Maintenant, tu peux imaginer l'histoire de la région.

🞂 Remets en ordre les vignettes du document 7 et associe chacune d'elles au texte du document 8 qui lui correspond.

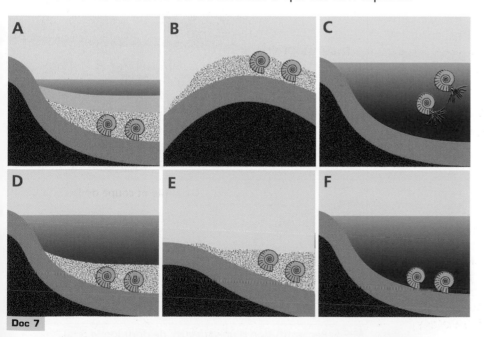

Doc 7

Doc 8

a. Des ammonites vivent dans une mer chaude (130 MA).

b. Quand elles meurent, elles tombent au fond de la mer.

c. Les coquilles d'ammonites sont recouvertes de vase déposée par la mer : ce sont les sédiments.

d. Les sédiments se transforment en une roche dite « sédimentaire ». Puis la mer se retire.

e. Les terres émergées commencent à s'user (érosion).

f. Après des plissements lors de la formation des Alpes, le terrain se retrouve en altitude (30 MA).

☀ **Des bilans, des réponses : page 76**

👁 Pour bien comprendre la question...

De tout temps, l'homme a cherché à connaître l'histoire de la Terre et l'origine du monde. Toutes les religions ont leur explication. D'après la Bible, par exemple, la Création aurait duré 6 jours (document 1). Mais les textes saints ne sont pas des explications scientifiques.

Pour reconstituer l'histoire des origines, les scientifiques étudient les fossiles d'animaux disparus et les êtres vivants actuels.

C'est ce que tu vas faire maintenant.

Doc 1 Les six premiers jours de la Création, d'après une Bible du XIIIe siècle.

🔍 Des recherches pour répondre...

1. Ces animaux préhistoriques sont-ils les ancêtres de la baleine ?

Dans des roches qui se sont formées voilà près de 48 millions d'années (MA), on a retrouvé des fossiles d'animaux aujourd'hui disparus (documents 2 et 3). Ils vivaient au bord d'un lac.

Dans des terrains de 35 MA, on a découvert des fossiles de dorudon (document 4), un animal qui vivait en mer.

Les <u>paléontologues</u> considèrent que les descendants possibles de ces espèces fossiles sont les baleines, comme la baleine bleue à fanon (document 5).

Le fanon est une sorte de peigne qui filtre les petits aliments dans la bouche.

• Décalque les pattes avant des quatre animaux et compare-les. Constates-tu une <u>évolution</u> de ces pattes au cours du temps ?

• Que deviennent les pattes arrières ?

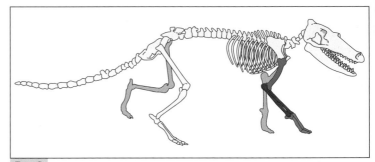

Doc 2 Reconstitution d'un squelette de Pakicetus (1,75 m).

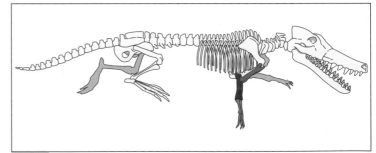

Doc 3 Reconstitution d'un squelette d'Ambulocetus (4,15 m).

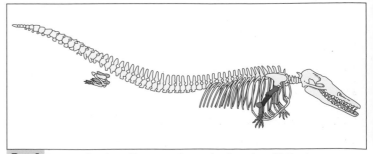

Doc 4 Reconstitution d'un squelette de dorudon (4,5 m).

2. Quelles sont les transformations qui ont pu se produire ?

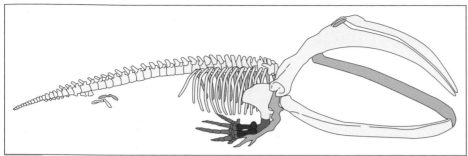

Doc 5 Squelette d'une baleine bleue à fanons (30 m).

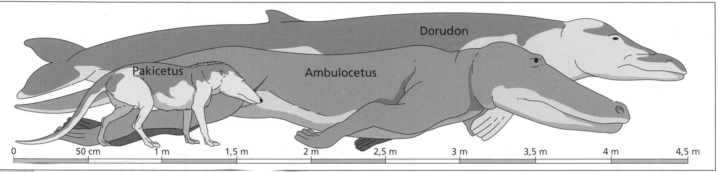

Dorudon

Pakicetus

Ambulocetus

| 0 | 50 cm | 1 m | 1,5 m | 2 m | 2,5 m | 3 m | 3,5 m | 4 m | 4,5 m |

Doc 6 Reconstitution des trois espèces fossiles.

● Note sur ton cahier de sciences les transformations que ces animaux (document 6) auraient subies et qui expliqueraient leur évolution probable jusqu'aux baleines actuelles.

3. Comment représenter l'échelle des temps ?

Il est difficile de se représenter l'échelle des temps historiques, et encore plus celle de la préhistoire.

Doc 7

- Tu es né il y a environ 10 ans et tes arrière-grands-parents (que tu as pu connaître) sont nés il y a moins de 100 ans.
- Le royaume des Francs date d'environ 1 000 ans.
- Les premières civilisations humaines, avec les premiers signes évoquant l'écriture, avoisinent les 10 000 ans.
- Au-delà, nous entrons dans la préhistoire. Les premiers hommes modernes (*Homo sapiens*) sont apparus il y a environ 100 000 ans (0,1 MA).
- Les premiers hommes (*Homo habilis*) dont on a retrouvé des traces : 2 MA.
- Les plus anciens primates (singes et hominidés) : 50 MA.
- Les premiers mammifères retrouvés : 200 MA.
- L'époque des dinosaures : de 220 à 65 MA.
- Les premiers poissons : 420 MA.
- Les premières traces de vertébrés (à Burgess, Canada) : 540 MA.
- Les premières traces d'animaux (à Ediacara, Australie) : 650 MA.
- Les premières traces de vie : 3 500 MA.
- Les plus anciennes roches sédimentaires : 4 000 MA.
- Les plus vieilles roches terrestres : 4 500 MA.

❧ Choisis avec les autres élèves un dispositif pour réaliser une frise.

❧ Place sur la frise des événements (document 7) qui ont marqué l'histoire du monde vivant.

Pour t'aider...

Tu peux utiliser : une ficelle, des pinces à linge, des feuilles blanches, des feutres, des ciseaux, une perforeuse à papier (document 8)...

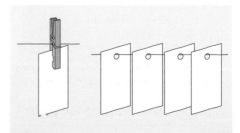

Doc 8 Avec une ficelle de 45 m, 1 m vaut 100 MA par exemple.

Pour bien comprendre la question...

Doc 1

11 juillet 2002, découverte fracassante : un crâne, deux morceaux de mâchoires et trois dents ont été mis à jour au Tchad. Le propriétaire, vieux de 7 millions d'années (MA), a été baptisé Toumaï. Il s'agit du plus vieil <u>hominidé</u> découvert à ce jour. Jusqu'ici, le record était de 6 MA (Orrorin, découvert au Kenya en 2000). La célèbre Lucy, un squelette de femme australopithèque presque complet trouvé en 1974 en Afrique de l'Est, ne date que de 3,1 MA.

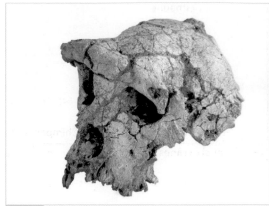

Doc 2 Crâne de Toumaï.

Après avoir lu le document 1, à ton avis, comment savoir si Toumaï (document 2) peut être notre lointain ancêtre ?

C'est ce que nous allons chercher maintenant.

Des recherches pour répondre...

1. Histoire de dents

Voilà six mâchoires (document 3), certaines de fossiles, d'autres d'animaux actuels. Tous sont du groupe des <u>primates</u> (comprenant les singes et les hommes).

Regroupe les mâchoires qui se ressemblent et classe-les en choisissant parmi les critères suivants : le nombre de dents, la forme des canines, la forme de la mâchoire (en U ou en V).

Toumaï, lui, ne peut être classé ici car on n'a pas retrouvé assez de dents.

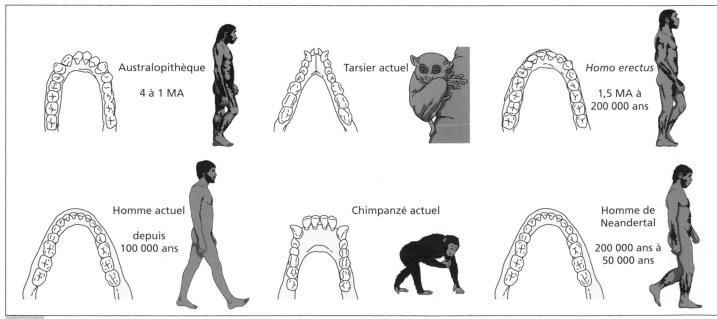

Australopithèque 4 à 1 MA

Tarsier actuel

Homo erectus 1,5 MA à 200 000 ans

Homme actuel depuis 100 000 ans

Chimpanzé actuel

Homme de Neandertal 200 000 ans à 50 000 ans

Doc 3

2. Histoire de crânes

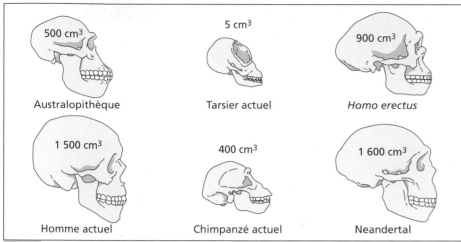

Doc 4 Les six crânes correspondant aux mâchoires du document 3.

Australopithèque — 500 cm³
Tarsier actuel — 5 cm³
Homo erectus — 900 cm³
Homme actuel — 1 500 cm³
Chimpanzé actuel — 400 cm³
Neandertal — 1 600 cm³

¦ Regroupe les crânes qui se ressemblent (document 4), puis classe-les en choisissant parmi ces critères : le volume du crâne, la présence d'un museau, l'arcade sourcilière proéminente.

¦ Compare ce classement avec celui des mâchoires. Discutes-en avec tes camarades.

¦ D'après les documents 1 et 2, peut-on classer Toumaï ?

3. Histoire d'arbre

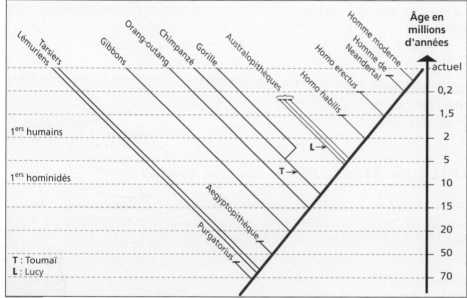

Doc 5 Arbre évolutif de l'homme : une hypothèse actuelle.

T : Toumaï
L : Lucy

Le document 5 présente un arbre évolutif actuel. On peut y voir par exemple que les tarsiers ne sont pas les ancêtres de l'homme, mais qu'ils sont de lointains cousins : tous deux descendent d'un animal qui vivait il y a environ 65 MA et que l'on nomme « ancêtre commun ».

¦ Les grands singes (gorilles, chimpanzés...) peuvent-ils être nos ancêtres ou nos cousins ?

¦ Où placerais-tu Toumaï ? Justifie ta réponse.

4. Histoire de l'homme

¦ Place les événements du document 6 dans l'ordre chronologique.

Doc 6

- Premiers *Homo erectus*
- Premiers feux
- Naissance de l'agriculture et de l'écriture
- Premiers primates
- Premiers dessins
- Premiers australopithèques
- Premiers hommes modernes
- Hommes de Neandertal
- Premiers outils en pierre taillée
- Extinction des dinosaures

Pour t'aider...

Va voir dans l'encyclopédie aux mots <u>australopithèques</u>, *Homo erectus*, <u>homme de Neandertal</u> et *Homo sapiens*.

Des bilans, des réponses : page 76

Des bilans, des réponses...

24 Comment peut-on classer les êtres vivants ? ....

• Certains animaux, comme l'ornithorynque, sont difficiles à classer. Pourtant, ceux qui se ressemblent ont des chances d'être de proches « cousins ».

• Les **biologistes** classent les êtres vivants à partir de nombreux **critères**. Les plus simples sont **visibles** (avec ou sans pattes par exemple). Les autres sont **invisibles**: ils reposent sur l'organisation interne des êtres vivants (avec ou sans vertèbres).

RÉPONSE

L'ornithorynque appartient à un groupe rare de mammifères primitifs. En effet, en plus des caractères de mammifères (poils, lait), il a conservé des caractères des reptiles et des oiseaux : œufs, absence de mamelles, venin.

25 Que racontent les fossiles ? ....

• Les **fossiles** sont des **restes ou des traces d'animaux ou de végétaux enfermés dans une roche**. Le plus souvent, l'animal ou le végétal mort a été recouvert de vase. Au cours des millions d'années qui ont suivi, la roche s'est durcie sous le poids d'autres couches qui se sont accumulées au-dessus, transformant les restes en fossile.

• Les fossiles permettent souvent de **dater** les couches qui les contiennent.

• Ils donnent aussi des **informations sur leur milieu de vie**: les fossiles d'ammonites retrouvés dans les Alpes prouvent que la mer s'est retirée de cette région et que les fonds ont été soulevés pour former des montagnes.

RÉPONSES

1. Comme les nautiles actuels, les ammonites vivaient dans une mer chaude. Elle recouvrait les Alpes il y a 130 millions d'années. Près de 100 millions d'années plus tard, une lente remontée des terres a conduit à la formation des montagnes actuelles. Plus tard, l'érosion a mis à nu des fossiles pourtant profondément enfouis.

5. L'ordre des vignettes avec les textes qui leur correspondent est: aC, bF, cD, dA, eE, fB.

26 Comment peut-on reconstituer l'histoire du monde vivant ? ....

• Pour reconstituer l'histoire du monde vivant, il faut **comparer les fossiles d'animaux qui se ressemblent** et qu'on a découverts dans des terrains d'âges différents.

• Sur des millions d'années, on observe souvent des changements qui montrent une **évolution**. On constate, par exemple, une réduction progressive des membres antérieurs et postérieurs chez les ancêtres probables des baleines.

• Toutefois, il manque beaucoup de fossiles pour reconstituer entièrement l'histoire du monde vivant.

27 D'où vient l'homme moderne ? ....

• Pour étudier un fossile de **primate (groupe des singes et des hommes)**, on peut d'abord comparer sa mâchoire à celle d'autres primates. Les singes ont de longues canines et une disposition des dents en V ou en U. Les **hominidés (l'homme et ses ancêtres proches)** ont des canines moins développées et une disposition des dents presque en demi-cercle.

• On peut aussi comparer les crânes: celui des singes est moins développé que celui des homi-nidés. De plus, le museau des singes est proéminent, alors que la face des hominidés est plus plate.

• La comparaison des fossiles avec les primates actuels nous apprend beaucoup sur les origines de l'homme; on sait aujourd'hui que **les singes ne sont pas nos ancêtres mais nos « cousins »**.

RÉPONSE

3. Toumaï serait proche des ancêtres communs des grands singes et des hominidés.

Les grandes étapes de l'évolution

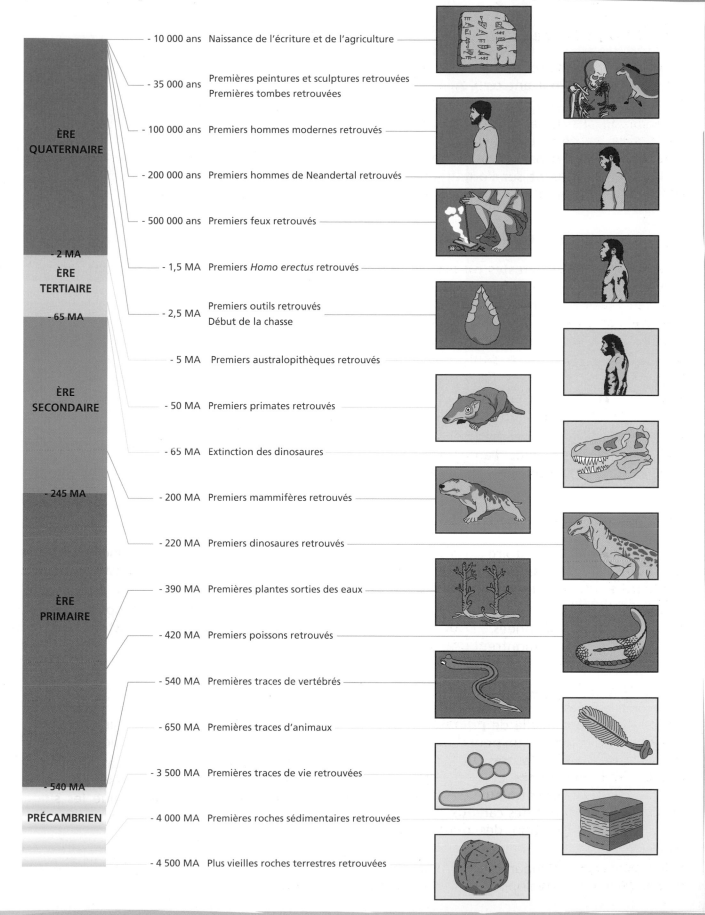

ÈRE QUATERNAIRE

- 10 000 ans — Naissance de l'écriture et de l'agriculture

- 35 000 ans — Premières peintures et sculptures retrouvées
Premières tombes retrouvées

- 100 000 ans — Premiers hommes modernes retrouvés

- 200 000 ans — Premiers hommes de Neandertal retrouvés

- 500 000 ans — Premiers feux retrouvés

- 2 MA
ÈRE TERTIAIRE

- 1,5 MA — Premiers *Homo erectus* retrouvés

- 65 MA

- 2,5 MA — Premiers outils retrouvés
Début de la chasse

- 5 MA — Premiers australopithèques retrouvés

ÈRE SECONDAIRE

- 50 MA — Premiers primates retrouvés

- 65 MA — Extinction des dinosaures

- 245 MA

- 200 MA — Premiers mammifères retrouvés

- 220 MA — Premiers dinosaures retrouvés

ÈRE PRIMAIRE

- 390 MA — Premières plantes sorties des eaux

- 420 MA — Premiers poissons retrouvés

- 540 MA — Premières traces de vertébrés

- 650 MA — Premières traces d'animaux

- 3 500 MA — Premières traces de vie retrouvées

- 540 MA

PRÉCAMBRIEN

- 4 000 MA — Premières roches sédimentaires retrouvées

- 4 500 MA — Plus vieilles roches terrestres retrouvées

Ai-je compris ? Ai-je retenu ?

ⓐ Je vérifie mes connaissances ....

1. Observe les documents 1 à 6.

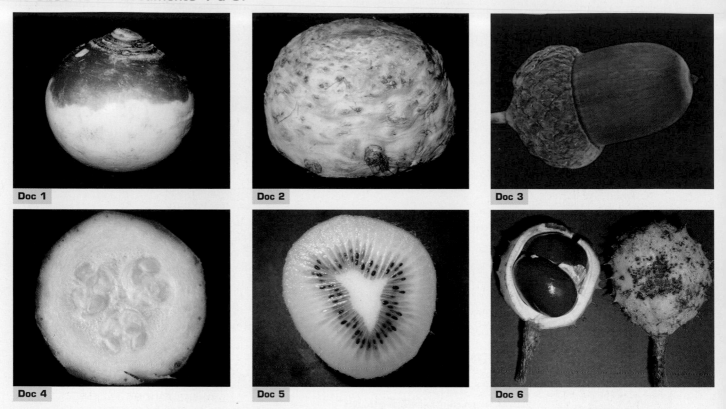

Doc 1 Doc 2 Doc 3
Doc 4 Doc 5 Doc 6

✔ Dis, pour chacun de ces documents, s'il s'agit :

– d'une tige ;

– d'une racine ;

– d'un fruit ;

– ou d'une graine.

✔ Note tes réponses dans un tableau à deux colonnes sur ton cahier de sciences.

2. Les indices me permettant de reconnaître un fruit sont ceux qui proviennent de la transformation d'une tige **, d'un** bourgeon **, d'une** racine **, d'une** fleur **.**

✔ Recopie la phrase en ne gardant, parmi les mots encadrés, que celui qui est correct.

ⓑ J'utilise mes connaissances ....

1. Des pâquerettes ont poussé sur une taupinière (document 7). Elles n'ont pas les mêmes parties souterraines que les pâquerettes qui ont poussé dans la prairie (document 8).

Doc 7

Doc 8

✔ Quelle hypothèse proposes-tu pour expliquer cette différence ? Comment la vérifier ?

2. Lis le témoignage d'un agriculteur.

Doc 9

✔ Quelles sont les étapes que cet agriculteur suit pour obtenir des germinations ?

✔ Que fait-il pour faire germer plus vite ses graines de melon ?

✔ Comment fait-il pour augmenter sa production de melons ? Explique pourquoi.

✔ Que faut-il pour transformer une fleur en un fruit ?

La culture du melon

Le plus important, c'est de préparer le sol avec du fumier de mouton (20 t/ha) et des engrais. Il faut également le labourer afin d'aérer la terre.

Selon la région, les semis se font début mai, lorsque la terre est suffisamment réchauffée pour assurer une bonne germination. Avant de semer, on déroule sur le sol des bandes de plastique de 1 m de large en les espaçant de 2,5 m. On perce ensuite un trou tous les 50 cm dans la longueur de la bande.

Si la terre n'est pas assez humide, on l'arrose à travers les trous. On pose alors deux graines (qu'on a fait tremper pendant 12 heures) dans chaque trou et on les recouvre de sable fin ou de terreau. La plante sort de terre dans les quatre jours qui suivent.

Il existe une autre technique qui est de plus en plus répandue : on utilise des plantes élevées en serre dans de petits pots. Lorsqu'elles mesurent environ 8 cm, on les replante dans les champs. Chaque plant donne 3 à 4 kg de melons.

Dans les deux cas, pour assurer une meilleure production, il faut une bonne fécondation des fleurs femelles par le pollen des fleurs mâles. Pour cela, il est conseillé d'installer à proximité deux ruches par hectare de culture.

Robert, à Beaulieu en Ardèche.

Que deviennent les feuilles mortes ?

 Pour bien comprendre la question...

À l'automne en forêt, il y a un épais tapis de feuilles (document 1). Au printemps, presque toutes ont disparu. Que sont-elles devenues ?

Voilà l'avis de quelques élèves :

Elles ont été ramassées par des jardiniers.

Elles ont été emportées par le vent.

Les animaux les ont mangées.

Elles ont pourri.

- Et toi, qu'en penses-tu ? As-tu d'autres idées ?

Doc 1 Sous-bois en automne et au printemps.

Des recherches pour répondre...

1. Que découvre-t-on en observant le sol de la forêt en automne ?

En cherchant sous les feuilles et sous les écorces de vieilles branches tombées (document 2), tu peux observer des indices sur la disparition des feuilles.

Si tu soulèves une branche morte, pense à la remettre en place !

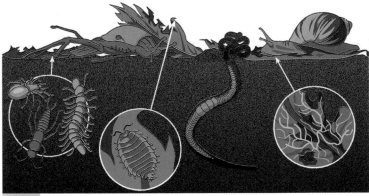

Doc 2 Détails du sol en forêt.

- Note sur ton cahier de sciences les premiers éléments de réponse à la question du titre.

2. Comment une feuille se transforme-t-elle ?

- Ordonne chronologiquement les images du document 3.

Doc 3 Cinq stades de décomposition d'une feuille de cerisier.

3. Une expérience à interpréter

Dans l'expérience du document 4, deux lombrics sont placés dans le montage A (une bouteille d'eau coupée trouée à la base, remplie de couches de sable et de terre recouvertes de feuilles). Le montage B est le même que le A, sans lombrics.

A et B sont arrosés deux fois par semaine et entourés de papier d'aluminium.

- Quelle hypothèse cette expérience permet-elle de vérifier ? (À quelle question cherche-t-elle à répondre ?)
- À quoi sert le papier d'aluminium ?
- Quel est le résultat obtenu ?

N'oublie pas : une seule condition varie dans ton expérience

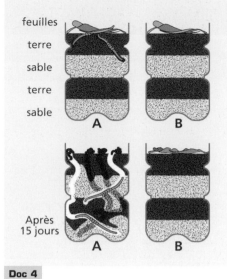
Doc 4

4. Quel est le rôle des lombrics ?

Doc 5

Dans une prairie de la taille d'un stade de foot, il y a plus d'un million de lombrics. Ils avalent 250 000 kg de terre par an. Dans cette prairie, on trouve aussi plusieurs milliards d'autres êtres vivants, surtout des bactéries (2 à 3 tonnes) et des champignons microscopiques.

Les lombrics représentent la première masse animale terrestre. Ils enfouissent les feuilles mortes dans leurs galeries et les avalent avec de la terre. Ils participent ainsi à leur décomposition. Leurs excréments, appelés turricules, sont très riches en sels minéraux ; ils fertilisent le sol. De plus, les galeries de vers (4 000 à 5 000 km dans notre prairie) permettent une bonne aération du sol et une meilleure circulation de l'eau de pluie. Les racines des plantes s'y développent mieux.

- Pourquoi dit-on que les vers de terre sont utiles pour les agriculteurs ?
- Que se passe-t-il quand un agriculteur répand beaucoup trop d'engrais dans ses champs ?

Pour t'aider...

Consulte la page 89 et essaie de réunir un gobelet de turricules.

5. Des images à interpréter

Ces images montrent quatre étapes successives de la nutrition du lombric.

- Écris quatre phrases correspondant à ces étapes. Aide-toi du texte précédent.
- Pourquoi dit-on que les vers de terre fertilisent le sol ? Quelle expérience pourrait le prouver ?
- Le lombric mange des feuilles, mais qui mange le lombric ? Fais une recherche documentaire pour répondre et réaliser une chaîne alimentaire des êtres vivants du sol.

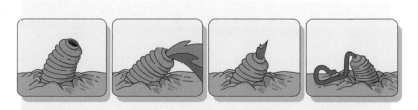
Doc 8 Quelques étapes de la digestion d'une feuille par un lombric.

Pour aller plus loin

Tu peux aussi fabriquer une mini-ferme à lombrics chez toi. Tu trouveras des conseils sur Internet en utilisant un moteur de recherche de ton choix et les mots clés : lombric, élevage, classe, lombriculture (→ p. 7).

À qui sont ces traces ?

29

👁 Pour bien comprendre la question...

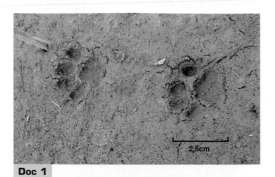

Doc 1

2,5cm

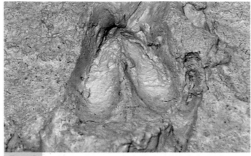

Doc 2

Doc 3

Doc 4

À la campagne, tu peux trouver des traces d'animaux à tout moment : en hiver sur la neige ou, après une averse, au bord d'une flaque. Mais quels sont ces animaux qui te voient peut-être sans que tu ne les voies ?

● Essaie de reconnaître les traces des documents 1 à 4.

On ne trouve pas seulement des empreintes de pas... Les animaux laissent beaucoup d'autres traces.

Tu vas maintenant apprendre à identifier les différentes traces des animaux sauvages de ta région.

🔍 Des recherches pour répondre...

1. Comment se font des traces de pas ?

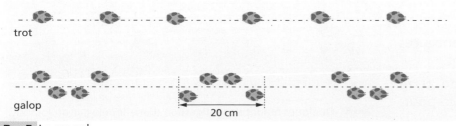

trot

galop

20 cm

Doc 5 Le renard.

Observe les <u>empreintes</u> de tes pas sur la plage, sur la neige ou dans la boue près d'une flaque d'eau.

● Regarde attentivement les documents 5 à 7, puis essaie de repérer le sens du déplacement et l'allure de l'animal.

40 cm

Doc 6 Le chevreuil.

Approche écologique à partir de l'environnement proche

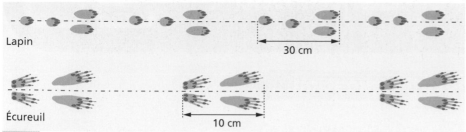

Lapin

30 cm

Écureuil

10 cm

Doc 7 Le lapin et l'écureuil.

Certains animaux, comme le lapin et l'écureuil, se déplacent par bonds : leurs pattes arrière forment une plus grosse empreinte et viennent se placer en avant.

2. Comment reconnaître un animal par son empreinte ?

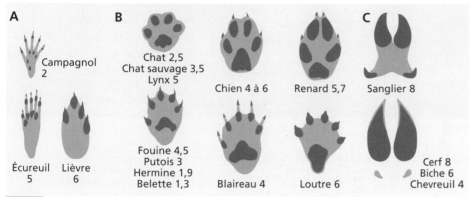

A

Campagnol 2

Écureuil 5   Lièvre 6

B

Chat 2,5
Chat sauvage 3,5
Lynx 5

Chien 4 à 6   Renard 5,7

Fouine 4,5
Putois 3
Hermine 1,9
Belette 1,3

Blaireau 4   Loutre 6

C

Sanglier 8

Cerf 8
Biche 6
Chevreuil 4

Doc 8 Traces et tailles (en cm) de pattes postérieures.

- Regarde attentivement sur le document 8 les différentes sortes de traces que tu peux trouver :

– A : les animaux qui marchent sur la plante des pieds ;

– B : ceux qui marchent sur leurs « doigts », souvent garnis de coussinets ;

– C : ceux qui marchent sur des sabots (des ongles très épais).

3. Entraîne-toi !

Doc 9

- Observe le document 9 : essaie de trouver quels animaux ont laissé ces traces et à quelles allures ils sont passés. Pour cela, aide-toi des documents 1 à 8.

- Rédige l'histoire qui s'est probablement déroulée en argumentant avec les traces découvertes.

Pour aller plus loin

Tu es prêt pour une enquête grandeur nature. Recherche des traces de vie animale en forêt ou à la campagne. Reconstitue ensuite l'histoire des événements qui ont pu se passer à cet endroit.

👁 Pour bien comprendre la question...

Certains animaux font des bulles sous l'eau, d'autres pas (document 1). Les loutres (document 2) et les baleines (document 3) ont besoin d'air pour respirer : elles viennent régulièrement faire des réserves à la surface.

Doc 1 Un têtard de grenouille de 6 semaines.

Doc 2

Doc 3

Comment font les poissons ou les autres animaux aquatiques pour respirer dans l'eau ? C'est ce que tu vas découvrir.

🔍 Des recherches pour répondre...

1. Comment respire le poisson ?

Observe quelques minutes un poisson dans un aquarium, puis réponds aux questions suivantes dans ton cahier de sciences.

- Remarques-tu dans le corps du poisson des mouvements réguliers comme ceux de ta cage thoracique quand tu respires ?
- Que font les petites particules qui flottent dans l'eau près de la tête du poisson ?
- Remonte-t-il à la surface ? Si oui, pourquoi ?
- À ton avis, comment le poisson respire-t-il (document 4) ?

Doc 4 Tête de poisson avec les branchies mises à nu.

Pour mettre en place un aquarium

- Munis-toi de bottes, d'une épuisette et de récipients avec leurs couvercles.

- En compagnie d'un adulte, observe ce qui bouge le long des berges d'un plan d'eau.

- N'attrape que les animaux dont tu as besoin. Prends aussi quelques plantes aquatiques et des cailloux.

- De retour à la maison, verse le contenu de tes récipients dans un aquarium ou dans un grand récipient transparent. Arrange le décor.

Pour t'aider...
Va voir dans l'encyclopédie à branchie.

2. Comment respirer dans l'eau ?

Pour savoir s'il y a de l'air dans l'eau (ce qui permettrait aux poissons de respirer), réalise cette expérience (document 5) avec un adulte.

- Fais chauffer de l'eau et observe à quelle température les premières bulles apparaissent.

- À ton avis, de quoi sont composées ces premières bulles ? Note ton hypothèse sur ton cahier de sciences.

- Pour la vérifier, refais cette expérience avec de l'eau bouillie refroidie. Note tes résultats.

- Rédige une conclusion.

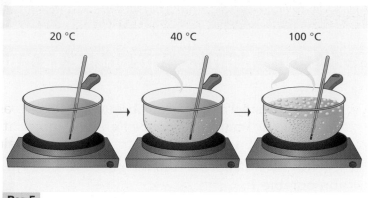

Doc 5

3. Un exemple pour analyser une pollution

a. Comment respire le dytique ?

Doc 6

Doc 7

- Propose une hypothèse pour répondre à la question en observant les documents 6 et 7.

- Lis le document 8 pour vérifier ton hypothèse.

Doc 8

Le dytique monte régulièrement à la surface. Il sort alors l'arrière de son corps de l'eau. Comme ses ailes sont grasses, il peut piéger dessous une bulle d'air et l'utiliser pour respirer (document 7). Ses orifices respiratoires se trouvent au niveau de son abdomen, sous ses ailes.

On a constaté que dans un étang, lors d'une <u>pollution</u> due à l'essence (provoquant des couleurs arc-en-ciel à la surface de l'eau), les dytiques meurent et non les poissons.

Tu sais maintenant pourquoi il ne faut pas jeter de produits chimiques dans l'évier ou dans la nature !

b. Des expériences pour comprendre

- Observe l'expérience du document 9, puis fais une hypothèse pour expliquer pourquoi les dytiques meurent lors d'une pollution à l'essence.

- Pour savoir quelle surface d'eau peut être polluée par 1 L d'essence, on en a versé quelques gouttes qui se sont étalées sur une surface d'eau. Complète le tableau suivant (10 000 cm² = 1 m²).

GOUTTES D'ESSENCE	SURFACE ÉTALÉE
1	20 cm²
2	40 cm²
10	?
20 000 (1 L)	?

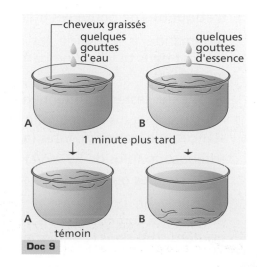

Doc 9

Des bilans, des réponses : page 94

👁 Pour bien comprendre la question...

• Peut-tu boire l'eau de cet abreuvoir (document 1) ? Pourquoi peut-elle être non potable ?

• À ton avis, l'eau du robinet peut-elle être non potable ?

Tu vas étudier cette question à travers les recherches qui suivent.

Doc 1

🔍 Des recherches pour répondre...

1. Un test de goût

• Demande à un camarade de verser dans six verres numérotés : de l'eau du robinet, de l'eau déminéralisée (pour le repassage), deux eaux minérales différentes, de l'eau dite naturelle et de l'eau gazéifiée.

• Goûte-les et compare-les. Laquelle préfères-tu ?

• Écris les mots qui qualifient le goût de ces eaux sur ton cahier de sciences. Pour t'aider, tu peux choisir dans cette liste : salée, piquante, pétillante, goût de terre ou de vase…

Il ne faut boire que des eaux potables. Attention : une eau claire ne l'est pas toujours !

2. Quelles sont les normes pour l'eau potable ?

• Rassemble, avec ton maître et tes camarades, le plus possible d'étiquettes de bouteilles d'eaux minérales.

• Demande à la mairie les résultats des analyses de l'eau du robinet dans ta ville. Compare sa composition avec celle des eaux minérales.

• Les eaux testées contiennent-elles :

– beaucoup (plus de 400 mg/L) ou peu (moins de 80 mg/L) de substances minérales dissoutes (appelées « résidus sec à 180 °C ») ?

– beaucoup (plus de 50 mg/L) de calcium ou non ?

– des nitrates ou non ?

• Résume en une phrase ce qui définit officiellement une eau potable (document 2), puis vérifie que toutes les eaux que tu as goûtées sont dans ces « normes ».

Doc 2

Normes officielles

Substance	Dose max.
Chlorures	200 mg/L
Sodium	150 mg/L
Sulfates	250 mg/L
Magnésium	50 mg/L
Potassium	12 mg/L
Calcium	100 mg/L
Nitrates	50 mg/L
Résidus secs	1 500 mg/L

De plus, aucune bactérie ne doit être détectée.

3. Que trouve-t-on en remontant le trajet de l'eau du robinet ?

- Place les étiquettes du document 3 (recopiées et découpées) sur le schéma de l'usine d'eau potable (document 4).

Doc 3

filtration sur sable	dernière désinfection	arrivée d'eau potable
1ʳᵉ désinfection	rivière	filtration sur charbon actif
dégrillage	décantation	château d'eau ou réservoir

Pour t'aider...

Recherche dans l'encyclopédie et dans le dictionnaire le sens des mots que tu ne connais pas et écris-les dans ton cahier.

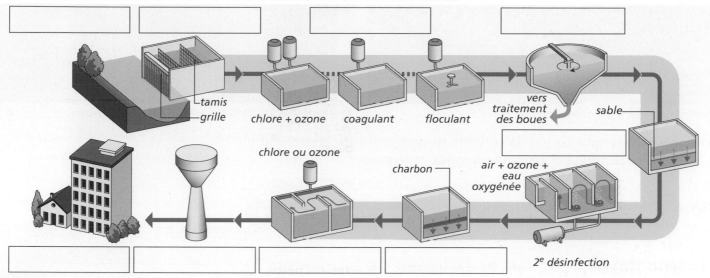

tamis
grille chlore + ozone coagulant floculant vers traitement des boues sable

chlore ou ozone charbon air + ozone + eau oxygénée

2ᵉ désinfection

Doc 4

- Rédige un texte expliquant les procédés utilisés pour transformer l'eau de la rivière en eau potable.

4. Comment l'usine d'eau potable fonctionne-t-elle ?

Même si une eau est claire, des <u>microbes</u> et des substances toxiques peuvent encore s'y trouver.

Doc 5

L'eau impropre est d'abord filtrée à travers une grille, puis un tamis plus fin. Les microbes sont tués par du chlore (eau de Javel), puis les micro-particules restantes sont « collées » les unes aux autres. Elles se déposent dans le fond d'une cuve (<u>décantation</u>). De nouvelles filtrations et désinfections (au chlore et à l'ozone) rendent l'eau potable à la sortie de l'usine.

Pour t'aider...

Utilise les informations contenues dans le document 5.

- Quels sont les moyens utilisés pour tuer les microbes ?

5. Qu'est-ce qui peut provoquer une pollution ?

L'eau qui entre dans une usine d'eau potable vient, le plus souvent, de la rivière.

- Quelles peuvent être les conséquences d'une pollution (document 6) ?
- Fais des recherches (→ pp. 6-7) et liste des causes possibles de <u>pollution</u> d'une rivière.

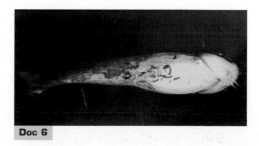

Doc 6

👁 Pour bien comprendre la question...

Ces pollutions (documents 1 et 2) sont survenues sans incident industriel, ni accident particulier. Alors comment les expliquer ?

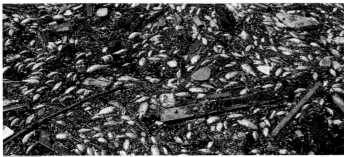

Doc 1 Au bord d'une rivière en été.

Doc 2 Prolifération d'algues vertes sur une plage.

Les recherches que tu vas faire vont te permettre de comprendre comment se produisent ces phénomènes et comment les éviter.

🔍 Des recherches pour répondre...

1. Que deviennent les eaux usées de la maison ?

Les eaux usées peuvent être évacuées dans une fosse septique ou bien canalisées vers une station d'épuration (document 3).

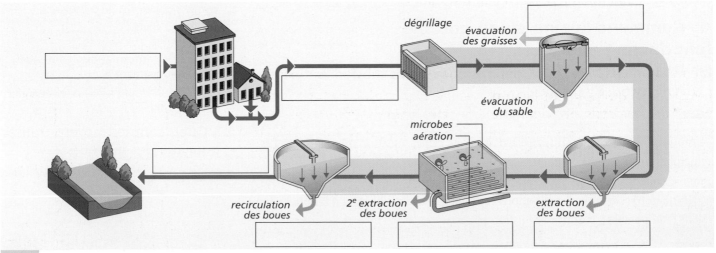

dégrillage
évacuation des graisses
évacuation du sable
microbes aération
recirculation des boues
2ᵉ extraction des boues
extraction des boues

Doc 3

🔹 Place les étiquettes du document 4 (recopiées et découpées) sur le document 3.

🔹 Compare avec l'usine d'eau potable (→ p. 87) : dans la station d'épuration, quels sont les procédés qui diffèrent ? Où utilise-t-on des êtres vivants ?

🔹 Que se passe-t-il lorsque tu vides dans l'évier un produit (solvant) qui a servi à nettoyer les pinceaux ?

Doc 4

dessablage/dégraissage	traitement par des microbes
arrivée d'eau potable	2ᵉ décantation/clarification
évacuation des eaux usées	eau traitée — décantation

2. Quels produits rendent les stations d'épuration inefficaces ?

Pour le savoir, tu peux réaliser ce test.

❧ Place de l'herbe dans un récipient rempli d'eau (document 5) et laisse reposer pendant 2 semaines.

Matériel

– une forte loupe (x 5)
– une feuille en plastique transparent
– du papier noir
– des gobelets en plastique

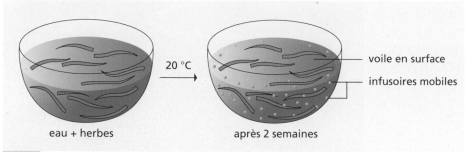

20 °C

voile en surface
infusoires mobiles

eau + herbes   après 2 semaines

Doc 5 Montage pour produire des infusoires.

Après 2 semaines, l'eau est trouble : des êtres minuscules (les infusoires) se développent et décomposent l'herbe.

❧ Pose la feuille de papier noir sur une table et place la feuille en plastique par dessus.

❧ Mets en place le dispositif du document 6, puis observe la mobilité des infusoires avec la loupe.

❧ Sur chaque goutte, dépose une autre goutte contenant l'un des produits que tu veux tester (par exemple : de l'eau de Javel, de la lessive, du détergent, du savon, du shampoing, du vinaigre, un antiseptique…). Tu peux aussi diluer le produit. N'oublie pas de noter le numéro de la goutte sur laquelle tu le déposes.

❧ Observe de nouveau les infusoires : que remarques-tu ?

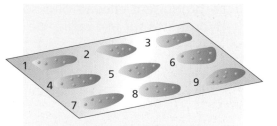

gouttes d'eau + infusoires
déposées sur une feuille de plastique

Doc 6 Pour économiser les récipients.

L'arrêt de mobilité des infusoires correspond souvent à leur mort.

Pour t'aider…
Va voir dans l'encyclopédie à dilution.

3. Quels autres produits peuvent polluer l'eau ?

Les produits qui polluent l'eau ne viennent pas seulement des eaux usées des maisons. Ils viennent aussi des engrais utilisés en trop grandes quantités dans les champs. D'après les scientifiques, ils sont responsables de la prolifération des algues vertes sur les côtes bretonnes (document 2).

Mais comment les engrais répandus sur les terres cultivées peuvent-ils se retrouver dans les rivières ?

Un groupe d'élèves a proposé ce montage (document 7) pour répondre à la question.

❧ Recopie le schéma dans ton cahier de sciences, puis écris le résultat que tu prévois.

❧ Réalise l'expérience et observe le résultat le lendemain. Note ce que tu vois dans l'assiette.

❧ Explique ce qui peut se passer dans la nature.

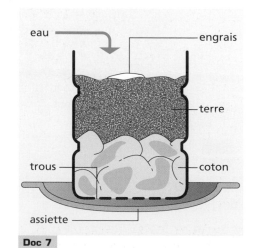

eau   engrais

terre

trous   coton

assiette

Doc 7

Pour t'aider…
Va voir dans l'encyclopédie les mots cycle de l'eau et nappe souterraine.

☀ **Des bilans, des réponses : page 94**

Pour bien comprendre la question...

Régulièrement, des inondations dévastent certaines régions (document 1).

● Qu'est-ce qui provoque les inondations ? Où se produisent-elles le plus souvent ? Écris tes hypothèses sur ton cahier de sciences.

Doc 1 Inondations dans le département de la Somme.

Des recherches pour répondre...

1. Les risques d'inondation ne sont-ils liés qu'à la pluie ?

● Étudie les documents 2 et 3 avec des camarades.

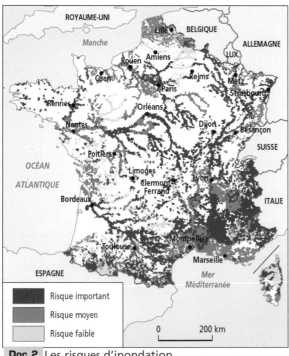

Doc 2 Les risques d'inondation.

Risque important
Risque moyen
Risque faible
0   200 km

Doc 3 La quantité de pluie tombée chaque année.

Hauteur des précipitations (en mm)
800   1 200
0   200 km

● Réponds à ces questions sur ton cahier de sciences : y a-t-il des régions où il pleut beaucoup et où il n'y a pas de grands risques d'inondation ? Y en a-t-il où il ne pleut pas beaucoup et où il y a pourtant des risques ?

● Si tu penses que la pluie n'est pas la seule cause des inondations, cherche d'autres hypothèses et étudie le paragraphe suivant.

2. Quelle est l'influence du sol ?

- Réalise l'expérience du document 4.

- La terre de jardin et l'argile retiennent-elles l'eau de la même façon ?

- Imagine et réalise une expérience pour savoir si de la terre bien tassée et de la terre peu tassée retiennent l'eau de la même façon.

- Rédige les conclusions de ces expériences et réponds à la question posée. Utilise les mots perméable ou imperméable.

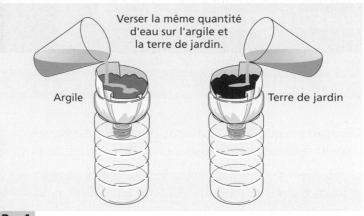

Verser la même quantité d'eau sur l'argile et la terre de jardin.

Argile

Terre de jardin

Doc 4

3. Quelle est l'influence de la végétation ?

Doc 5

Le phénomène de l'inondation est vieux comme le monde mais on remarque une nette augmentation [...] ces dernières années, surtout dans les régions déboisées. Lorsque l'eau tombe sur une forêt, les feuilles des arbres l'interceptent en partie et la renvoient dans l'atmosphère par évaporation. La quantité qui arrive à terre s'infiltre dans le sol épais de la forêt. Là, elle s'évapore de deux façons : soit directement à travers l'humus*, soit par les arbres qui l'absorbent par les racines et la rejettent par les feuilles sous forme de vapeur d'eau.

Lorsque la forêt n'est plus là, les arbres ne limitent plus la quantité d'eau au sol. De plus, la terre, souvent trop maigre** [...], ne peut en absorber qu'une faible quantité. L'eau se met alors à ruisseler à la surface et vient gonfler les fleuves et les rivières qui sortent alors de leur lit, créant quelquefois de gigantesques inondations.

Patrick Paraire, Nafa Dahmane, Christian Camara *et al.*,
Géant environnement : le livre des 10/15 ans, Hachette Livre, 1992.

(*) Terre rendue très fertile par la présence de nombreux décomposeurs.
(**) Terre qui ne contient pas d'humus.

Lis le document 5.

Réalise un schéma pour le résumer :

– dessine un arbre dans une forêt avec le sol et les racines qui s'y enfoncent ;

– indique le trajet de l'eau par des flèches ;

– fais un second schéma qui représente le sol dans un lieu où il n'y a pas de forêt ;

– mets des légendes sur tes schémas en utilisant les mots pluie, évaporation, ruissellement, infiltration.

4. Les plantes gardent-elles toute l'eau qu'elles pompent par leurs racines ?

D'après le document 5, quelle est la réponse à cette question ?

Réalise l'expérience du document 6 pour le vérifier : arrose la plante, enferme le pot dans un sac en plastique, puis équilibre la balance.

Après quelques heures, la balance est-elle encore équilibrée ?

Rédige le compte-rendu de l'expérience (→ fiche « méthode », p. 6) en utilisant le mot transpiration.

Doc 6

👁 Pour bien comprendre la question...

Les documents 1 et 2 offrent quelques exemples de décharges « sauvages » qui peuvent exister en ville ou dans la nature.

Doc 1

Doc 2

Ce n'est pas grave, la nature est là pour nettoyer.
C'est dégoûtant, la nature est salie.
De toute façon, il faut bien se débarrasser des déchets...

• Es-tu d'accord avec l'une de ces remarques ?

• Comment savoir ce que deviennent les déchets jetés dans la nature ?

Doc 3

🔍 Des recherches pour répondre...

1. Que se passe-t-il sur le trottoir ?

Un déchet jeté sur le trottoir peut se retrouver dans la poubelle d'un balayeur. Mais il arrive aussi qu'il soit emporté par la pluie dans les égouts (document 3).

 • Sers-toi des informations de l'enquête 32 pour raconter dans ton cahier de sciences ce que devient ce déchet.

• Calcule, à partir des chiffres du tableau, la quantité de détritus de plus de 3 cm jetés chaque année par un habitant de Genève.

Eaux usées produites à Genève par an (420 000 hab.)	78 000 000 m³
Détritus de plus de 3 cm retenus au dégrillage	1 106 t
Sable séparé à la décantation	1 104 t
Boues séchées puis incinérées	6 490 t

2. Que se passe-t-il dans le sol ?

Doc 4

Un sac poubelle contenant deux bouteilles en plastique, des restes de fruits et des piles usées est jeté en avril dans la nature.

Il est d'abord colonisé par des animaux du sol et recouvert en 1 mois par la végétation. Dès l'automne, le sac en papier et les pelures disparaissent.

Un an plus tard, les deux bouteilles sont encore visibles : l'une s'est cassée, l'autre non. Les piles qu'il contenait ont commencé à «couler» sur le sol et à intoxiquer les petits êtres qui y vivent. Le sol sous le sac est compact. Les feuilles coincées sous la bouteille sont moins décomposées.

• Décris ce qui reste d'un sac poubelle abandonné et quelles sont les modifications du sol (document 4).

3. Que se passe-t-il dans l'eau ?

Doc 5 Déchets jetés dans un étang.

Doc 6 Les mêmes déchets 1 an plus tard.

• Observe les documents 5 et 6, puis décris ce que deviennent les déchets jetés dans l'eau.

Dans ta liste, pense au tube de dentifrice, aux emballages, aux piles...

4. Comment vérifier qu'un déchet est biodégradable ?

Si tu as mené l'enquête 28, tu as vu que les déchets naturels comme les feuilles, les branches ou les animaux morts sont naturellement recyclés. Mais nos déchets jetés dans la nature échappent en partie à ce <u>recyclage</u> : tous ne sont pas <u>biodégradables</u>.

• Liste tous les déchets que tu produis en une journée.

Doc 7

• Rédige un protocole expérimental (➜ fiche « méthode » p. 29) pour découvrir ce que deviennent les déchets dans le sol. (Tu as 1 m² de terrain.)

• Compare ton protocole à celui de tes camarades. Choisissez celui qui convient le mieux.

• Réalisez votre expérience.

Pour aller plus loin

Cet agriculteur (document 7) utilise certains déchets de sa ferme pour en faire de l'engrais (du compost). Cela lui permet de faire des économies. Explique pourquoi dans un texte (➜ p. 54).

☀ **Des bilans, des réponses : page 94**

Des bilans, des réponses...

28 Que deviennent les feuilles mortes ?

• Les feuilles mortes pourrissent ou sont mangées par de minuscules êtres vivants (des **insectes**, des **bactéries**, des **champignons**...) qui les transforment en **engrais**.

• Parmi ces **décomposeurs**, les lombrics jouent un rôle important. Avec les galeries qu'ils creusent, ils aèrent le sol et le rendent plus fertile.

• Ce processus de **recyclage** est en danger à cause de la **pollution** provoquée par l'homme.

29 À qui sont ces traces ?

• Dans leur milieu naturel, les animaux sauvages laissent des traces de leur passage. Ce sont des empreintes de pas, des restes de nourriture ou des excréments.

• Ces traces permettent d'identifier l'animal et donnent des indices sur son allure, sa taille, son poids, etc. Grâce à elles, on peut reconstituer les événements qui se sont produits.

RÉPONSES

Doc 1 à 4 : chat ; chevreuil ; noisettes ouvertes par un écureuil (à gauche) et un mulot (à droite) ; cônes d'épicéa mangés par un oiseau (au centre) et par un écureuil (à droite).

3. Un écureuil monte dans un arbre et mange des noisettes (2). Un renard l'attaque et le mange (3). Un chevreuil passe (1) et broute une branche au passage (4). Un sanglier fouille la terre à la recherche de racines (5) et recouvre les traces de l'écureuil (7). Un lapin passe ensuite (6).

30 Comment respirer dans l'eau ?

• Les êtres vivants respirent en consommant de l'**oxygène**. Dans l'eau, il y en a un peu. Il est présent sous une forme dissoute.

• Les poissons prélèvent **directement** cet oxygène de l'eau grâce à leurs **branchies**.

• D'autres animaux stockent une réserve d'air dont ils se servent pendant leur plongée (baleine, dytique, homme...).

RÉPONSES

1. Le poisson fait entrer de l'eau par sa bouche. Elle passe autour des branchies qui captent l'oxygène dissous, puis ressort par les **ouïes**.

2. Vers 40 °C, les premières bulles proviennent de l'oxygène dissous. À 100 °C (ébullition), les nouvelles bulles sont constituées de vapeur d'eau.

3b. L'essence enlève la graisse des ailes du dytique : il ne peut plus piéger sa bulle d'air.

31 L'eau du robinet est-elle toujours potable ?

• L'eau du robinet provient le plus souvent des rivières, mais elle subit d'abord un traitement dans une **usine d'eau potable**, avec des normes strictes.

• Après filtration et plusieurs traitements chimiques, l'eau est débarrassée de tout ce qui la rendrait non potable.

• Ce n'est pas parce que de l'eau est claire qu'elle est potable.

32 Où vont les eaux usées ?

• Les eaux usées doivent être traitées dans des **stations d'épuration** avant d'atteindre la rivière pour éviter sa pollution.

• Les stations d'épuration comportent des filtres, mais elles fonctionnent aussi grâce à des microbes qui se nourrissent de substances organiques polluantes.

• Ces microbes sont des **êtres vivants**. Ils peuvent être tués par de grosses quantités de substances toxiques (comme l'essence, l'eau de Javel ou les détergents). L'épuration est alors stoppée.

• Les **fosses septiques** des maisons isolées sont de petites stations d'épuration.

Les chaînes alimentaires possibles

③③ Pourquoi y a-t-il des inondations ?...

• Lorsqu'il pleut, une partie de l'eau **s'infiltre** dans le sol, une partie **ruisselle** le long des pentes et une autre partie **s'évapore**. Le risque d'inondation dépend de l'importance et de la violence des pluies, de la nature du sol et de la végétation.

• Lorsque la pluie tombe sur un **sol perméable**, l'eau s'infiltre et les risques diminuent.

• Lorsque le sol est recouvert de **végétation**, celle-ci ralentit le ruissellement et renvoie l'eau dans l'atmosphère grâce à la **transpiration**. D'où la nécessité de préserver les espaces verts pour lutter contre les inondations.

③④ Ce déchet est-il biodégradable ?...

• Ces **décomposeurs** digèrent les matières organiques en produisant des **engrais** qui sont réutilisés par les plantes vertes. C'est la **biodégradabilité**.

• Les verres, les métaux, les plastiques, etc., ne sont pas biodégradables. L'homme peut heureusement les recycler grâce au tri sélectif de déchets.

RÉPONSES

1. 2,6 kg par habitant.
4. Protocole expérimental : tu peux enfouir à 20 cm des déchets dans des boîtes de camembert (biodégradables) trouées et reliées à la surface par du fil de fer. Recouvre le tout de feuilles mortes et vérifie les transformations chaque mois.

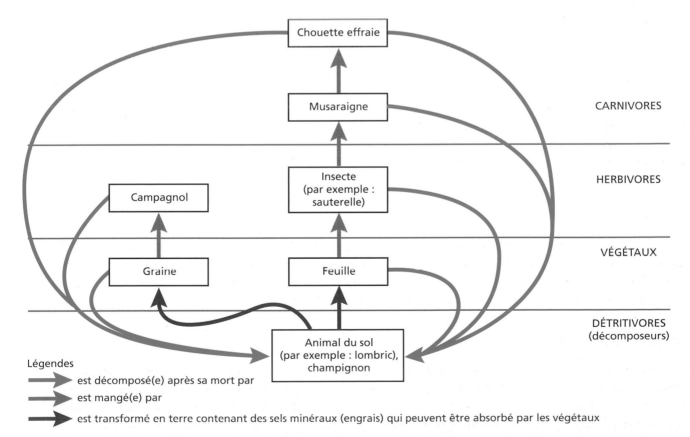

Légendes

➤ est décomposé(e) après sa mort par

➤ est mangé(e) par

➤ est transformé en terre contenant des sels minéraux (engrais) qui peuvent être absorbé par les végétaux

Exemple : La musaraigne peut être mangée par la chouette effraie ou mourir naturellement et être décomposée par les animaux du sol. Ceux-ci, après leur mort, vont enrichir le sol en sels minéraux (engrais) utiles pour la croissance des végétaux.

Ai-je compris ? Ai-je retenu ?

ⓐ Je vérifie mes connaissances ....

Observe ces images.

✔ Pour chacune d'elles, indique s'il s'agit :
– d'un carnivore ;
– d'un herbivore ;
– d'un végétal ;
– ou d'un détritivore.

escargot coquelicot mouette araignée

chien ver de terre bolet mille-pattes

ⓑ Je présente mes résultats dans un tableau ················

✔ Regroupe dans un tableau les êtres vivants du premier exercice et indique quel est leur type d'alimentation.

ⓒ Je schématise un résultat ·······································

✔ Représente le schéma d'une chaîne alimentaire possible en utilisant des exemples du premier exercice.

ⓓ Je vérifie une hypothèse par une observation ....

1. Après avoir observé ces traces, choisis la réponse correcte parmi les hypothèses proposées.

✔ Un lapin est passé après un chevreuil.
✔ Un lapin est passé avant un chevreuil.
✔ Un lapin et un chevreuil sont passés
en suivant à peu près la même direction.

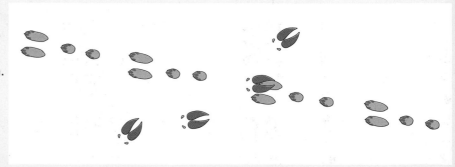

2. Sur le document suivant, repère les traces des pattes qui ont permis au lapin de bondir. Est-ce que ce sont les pattes avant ou les pattes arrière ?

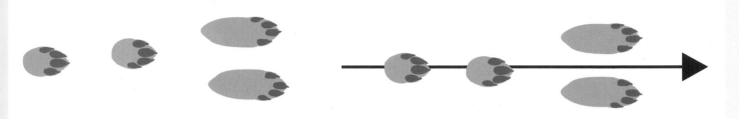

ⓔ Je dessine un protocole expérimental ....

Sur ton cahier de sciences, représente le protocole expérimental qui est décrit dans la phrase suivante.

Pour comparer la capacité de deux sols à retenir plus ou moins d'eau lors de fortes pluies, on dispose de deux bouteilles en plastique coupées en deux, de terre, de sable, de papier filtre et d'eau.

ⓕ J'interprète une expérience ....

Deux aquariums sont remplis d'eau : l'aquarium A avec de l'eau du robinet, l'aquarium B avec de l'eau du robinet bouillie, puis ramenée à la même température. Un poisson est placé dans chaque aquarium.

✔ Décris le résultat de l'expérience.

✔ Interprète l'expérience :

– pourquoi les poissons ont-ils des mouvements d'ouïe ?

– pourquoi est-ce différent en A et en B ?

✔ Si l'on remplace les poissons par des dytiques, on constate qu'ils montent à la surface aussi régulièrement en A qu'en B. Comment l'expliques-tu ?

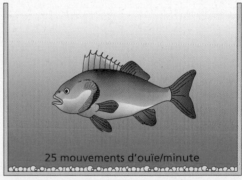

25 mouvements d'ouïe/minute

45 mouvements d'ouïe/minute

ⓖ Suis-je un bon citoyen de l'environnement ? ....

Sur ton cahier, note les actions qu'il ne faut surtout pas faire si l'on souhaite protéger l'environnement.

✔ Vider une assiette de soupe dans l'évier.

✔ Verser un pot de diluant de peinture dans le caniveau.

✔ Enterrer dans le sol des épluchures de melon et de pamplemousse.

✔ Enterrer une pile dans le sol.

✔ Jeter une boîte de conserve vide dans une mare.

Pour bien comprendre la question...

Ce garçon de 12 ans (document 1) consomme très souvent des hamburgers, de la glace et des boissons sucrées.

Il a aussi l'habitude de grignoter des sucreries devant la télévision.

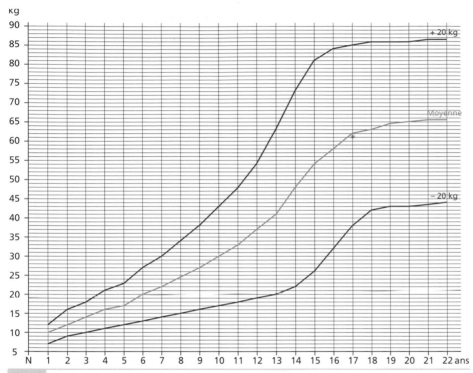

Doc 2 Courbe du poids minimal et maximal en fonction de l'âge.

Doc 1 Poids : 70 kg.

• À partir du document 2, indique le poids minimal et le poids maximal des enfants de 12 ans.

• Que devrait faire ce garçon pour améliorer son alimentation ?

Évite de grignoter entre les repas !

Il est important de manger sans excès, mais aussi d'avoir une alimentation de qualité. Alors que faut-il manger pour être en bonne santé ? Tous les aliments se valent-ils ?

Des recherches pour répondre...

1. Comment classe-t-on les aliments ?

Pour avoir une alimentation équilibrée, il faut consommer au moins un aliment de chaque groupe par jour (document 3). Seuls les produits sucrés ne sont pas indispensables ; il faut éviter d'en manger trop.

 Es-tu obligé de manger de la viande à chaque repas ? Peut-on remplacer les légumes par la viande ?

• Explique tes réponses.

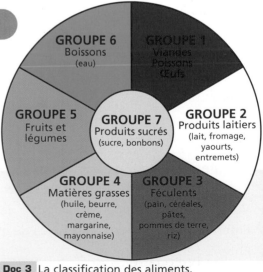

Doc 3 La classification des aliments.

2. Que contiennent les aliments ?

Filet de cabillaud	Pain	Lait demi écrémé	Jus d'orange
Protides : 13,8 g Glucides : 12,6 g Lipides : 0,3 g	Protides : 8 g Glucides : 41 g Lipides : 4 g Fibres : 1,3 g Vitamines	Protides : 3,15 g Glucides : 5 g Lipides : 1,55 g Calcium : 0,12 g	Protides : 0,7 g Sucre : 9 g Fibres : 0,5 g Vitamine C
Haricots verts Protides : 1,5 g Lipides : 0,4 g Fibres : 3,5 g	**Steak haché** Protides : 16 g Glucides : 1 g Lipides : 15 g,	**Pâtes** Protides : 12,5 g Glucides : 55,2 g Matières grasses : 2,5 g	**Huile** Matières grasses : 100 g
Pomme de terre Protides : 2,5 g Glucides : 22,7 g Lipides : 5,5 g		**Salade** Protides : 2,5 g Fibres : 5,3 g Lipides : 0,5 g	*Les fibres et le sucre font partie des glucides.

Doc 4 Composition des aliments pour 100 g.

3. Pourquoi faut-il manger ?

Doc 5

Pour grandir, tu as besoin d'aliments bâtisseurs. Pour vivre, marcher, courir, tu as besoin d'aliments énergétiques. Pour rester en bonne santé, tu as besoin d'aliments protecteurs.

Les aliments bâtisseurs contiennent des protides. Les aliments énergétiques sont riches en glucides (amidon) ou en matières grasses. Les aliments protecteurs apportent des vitamines et des fibres.

4. Ces repas sont-ils équilibrés ?

Doc 6

Petit déjeuner
Pain, beurre, miel, lait chocolaté

10 heures : Jus de pomme

Déjeuner
Filets de limande aux tomates
Riz complet
Salade
Yaourt
Eau

Goûter
Barre de céréales

Dîner
Lasagnes aux épinards
Salade
Tarte aux pommes
Eau

Pour être sûr d'avoir bien compris

- Avec ce que tu viens d'apprendre, compose un menu équilibré pour le garçon du document 1.
- Propose quatre conseils pour éviter l'obésité.

- Lis le document 4, puis note, pour chaque aliment, quel est l'élément le plus abondant (glucides, protides ou lipides).

- Indique ce que chaque groupe d'aliments présenté dans le document 3 apporte à ton organisme.

- Pourquoi la viande et le poisson sont-ils mis dans le même groupe ?

Pour t'aider...
Va voir dans l'encyclopédie à alimentation.

- À l'aide du document 5, classe les groupes d'aliments présentés dans le document 3 en trois ensembles :
  – les aliments bâtisseurs ;
  – les aliments énergétiques ;
  – les aliments protecteurs.

- Recopie les menus du document 6, puis indique à quel groupe appartient chaque aliment en le coloriant avec la couleur qui correspond (document 3).

- L'alimentation prise durant cette journée est-elle équilibrée ?

Pour aller plus loin

Enquête sur les problèmes de malnutrition et de famine dans le monde. Tu peux consulter l'encyclopédie à malnutrition, mais aussi faire une recherche sur Internet avec les mots clés : alimentation et malnutrition.

Où vont les aliments que je mange ?

👁 Pour bien comprendre la question...

Un maître a demandé à ses élèves de dessiner le trajet d'une pomme et d'un verre d'eau dans leur corps. Voici le travail de trois d'entre eux (documents 1 à 3).

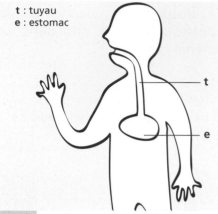

t : tuyau
e : estomac

Doc 1 Les aliments s'accumulent dans l'estomac.

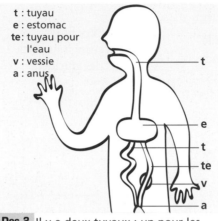

t : tuyau
e : estomac
te : tuyau pour l'eau
v : vessie
a : anus

Doc 2 Il y a deux tuyaux : un pour les solides, un pour les liquides.

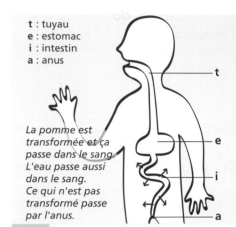

t : tuyau
e : estomac
i : intestin
a : anus

La pomme est transformée et ça passe dans le sang. L'eau passe aussi dans le sang. Ce qui n'est pas transformé passe par l'anus.

Doc 3 Le tri se fait dans l'intestin : une partie des aliments passe dans le sang et les déchets sont évacués par l'anus.

- Quel dessin te semble le plus proche de la réalité ? Justifie ta réponse.

🔍 Des recherches pour répondre...

1. Que voit-on sur les radiographies ?

Pour suivre le trajet des aliments chez un homme, on lui fait avaler une pâte opaque qui permet de voir certains organes de l'<u>appareil digestif</u> à la radiographie.

- Décris la forme des organes visibles sur les documents 4 à 6.
- Peux-tu les nommer ?

Certaines radios, (comme le document 5) sont « inversées », comme lorsqu'on tire une photo à partir d'un négatif.

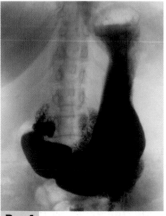

Doc 4

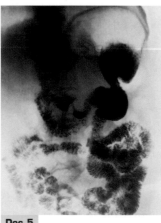

Doc 5

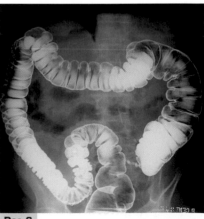

Doc 6

2. À quoi ressemble l'appareil digestif du lapin ?

• Dans ton cahier de sciences, recopie le nom des différents organes qui constituent l'appareil digestif du lapin (document 7).

• Quel trajet empruntent les aliments à la sortie de l'estomac ?

• En utilisant l'échelle, évalue la longueur de l'intestin grêle du lapin et celle du gros intestin.

• Lequel des documents 1 à 3 correspond le plus à la réalité ?

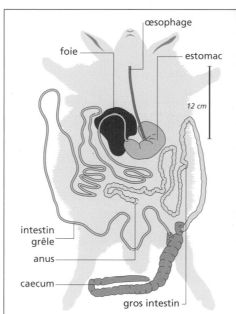

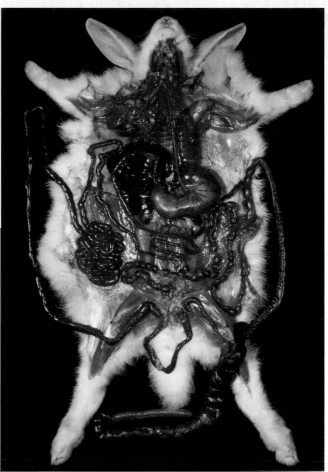

Doc 7 L'appareil digestif déplié du lapin.

3. Quel est le trajet des aliments chez l'homme ?

⁑ À l'aide des documents 4, 5 et 6, fais un dessin du <u>tube digestif</u> de l'homme (→ fiche « méthode » p. 59) en simplifiant la forme des organes, notamment celle de l'intestin grêle.

⁑ Mets des légendes à ton dessin et donne-lui un titre.

⁑ Colorie-le en utilisant une couleur différente pour chaque organe.

Attention : les aliments ne passent ni par les glandes salivaires, ni par le foie, ni par le pancréas

🔎 Pour être sûr d'avoir bien compris

• Recopie ce texte en mettant les phrases dans l'ordre.

a) Les aliments passent par le tube digestif, c'est-à-dire :

b) Les aliments ne passent pas par :

c) Les liquides et les solides suivent le même trajet.

d) la bouche, l'œsophage, l'estomac, l'intestin grêle qui se prolonge par le gros intestin où se forment les excréments.

e) les glandes salivaires, le pancréas, le foie.

Pour aller plus loin

Pour comprendre comment les aliments progressent dans le tube digestif : prends un collant et découpe-le aux deux extrémités. Introduis une balle de tennis par l'une d'elles et fais-la avancer.

👁 Pour bien comprendre la question...

Le tableau suivant indique la quantité d'eau et d'aliments consommés en moyenne chaque jour par un adulte, ainsi que les quantités rejetées.

	CONSOMMATION	REJET
Matières solides	550 g (aliments)	30 g (excréments)
Eau	2 550 g dont :	2 550 g dont :
	1 500 g dans les boissons	1 600 g dans les excréments et les urines
	1 050 g dans les aliments	950 g dans la sueur et la respiration

On ne rejette pas les aliments sous leur forme initiale. Ils subissent donc des transformations, mais lesquelles ? Et puisque l'on consomme plus de matières solides qu'on en rejette, où vont les aliments ?

• Rejette-t-on autant d'eau qu'on en consomme ?

• Rejette-t-on autant de matières solides qu'on en consomme ?

• Sous quelle forme rejette-t-on les matières solides ?

🔍 Des recherches pour répondre...

1. Que se passe-t-il au niveau de la bouche ?

• Mâche un morceau de pain (c'est la mastication).

• Décris ce que tu ressens. Comment le pain est-il broyé ? Que se passe-t-il en plus de la mastication ?

• Reproduis le schéma (document 1) et place les dents visibles sur le document 2. Représente les incisives par des rectangles, les canines par des cercles et les molaires par des carrés.

• Quelles dents jouent un rôle essentiel dans le broyage des aliments (document 2) ?

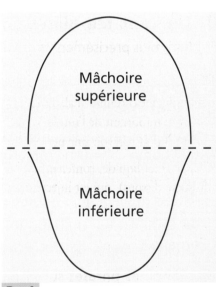

Mâchoire supérieure

Mâchoire inférieure

Doc 1

N'oublie pas de te brosser les dents après chaque repas !

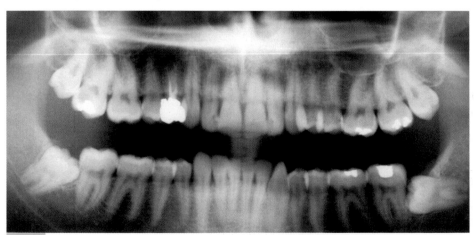

Doc 2

2. Comment évolue le contenu du tube digestif ?

Les documents 3 à 6 montrent le contenu du <u>tube digestif</u> d'un lapin.

Le tableau suivant résume l'aspect de ces différents contenus.

ORGANES	ASPECT DES ALIMENTS
Bouche	Herbe et autres aliments solides
Estomac	Sorte de purée épaisse
Intestin grêle	Sorte de soupe liquide
Gros intestin	Crottes solides

§ À ton avis, comment les aliments solides se transforment-ils en une purée épaisse, puis en une soupe liquide ?

§ Quelles actions mécaniques les aliments subissent-ils dans le tube digestif ?

§ D'où viennent les liquides qui imprègnent ces aliments ?

§ La soupe liquide contenue dans l'intestin grêle se transforme en crottes solides. D'après toi, où est parti le liquide ?

Doc 3 Aliments mis dans la bouche.

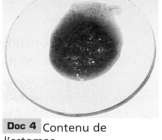

Doc 4 Contenu de l'estomac.

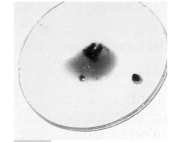

Doc 5 Contenu de l'intestin grêle.

Doc 6 Contenu du gros intestin.

> **Pour t'aider...**
> Va voir dans l'encyclopédie à <u>digestion</u>.

3. Où vont les aliments digérés ?

Étudions plus précisément le cas du sucre à partir du texte (document 7).

Doc 7

> Pour soigner certaines maladies, les chirurgiens sont parfois obligés d'enlever un morceau important de l'intestin grêle. Le malade ne peut plus se nourrir normalement : il doit recevoir une perfusion.
>
> Il s'agit d'un liquide, contenant de nombreux composants (notamment de l'eau et du sucre dissous), qui est injecté directement dans le sang.

● Grâce à ce texte, peux-tu savoir où va le sucre que tu manges ?

● À quel niveau du tube digestif se produit ce phénomène ?

● Que montre le document 8 qui permet de comprendre où vont les aliments digérés ?

🔍 Pour être sûr d'avoir bien compris

● Parmi les phrases suivantes, choisis celles qui sont correctes et mets-les dans l'ordre.

a) Les aliments sont digérés et transformés en nutriments grâce à des actions mécaniques et chimiques.

b) Les aliments sont digérés, puis ils sont évacués par l'anus.

c) Les aliments digérés (ou nutriments) passent dans le sang au niveau de l'intestin grêle ; seuls les déchets sont évacués.

d) Les aliments s'accumulent dans l'estomac.

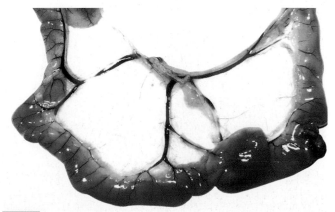

Doc 8 L'intestin grêle.

Pour bien comprendre la question...

• D'après toi, quel est le trajet de l'air dans le corps ? Fais un dessin avec des légendes. Tu peux aussi faire des phrases pour préciser ta pensée.

• À quoi peuvent être dus les sifflements qui accompagnent une crise d'asthme (document 1) ?

Doc 1

L'asthme

Lors d'une crise, un asthmatique tousse, étouffe et a l'impression qu'il ne peut plus respirer. Cette gêne respiratoire est accompagnée de sifflements. Le plus souvent, l'asthme est provoqué par une allergie à de minuscules particules : il s'agit, par exemple, de poussières ou d'animaux microscopiques (les acariens, document 2) présents dans la literie.

Aujourd'hui, l'asthme se soigne : il faut éviter le plus possible ces poussières ou ces animaux et prendre des médicaments sous la surveillance d'un médecin.

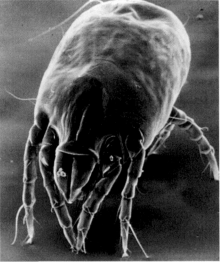

Doc 2 Ta literie et la moquette sont peuplées d'acariens (taille : 0,2 mm).

Des recherches pour répondre...

1. Que se passe-t-il quand on inspire ?

• Place tes mains sur ta cage thoracique et fais des <u>mouvements respiratoires</u> forcés. Que constates-tu ?

• Mesure le périmètre de ta cage thoracique à l'inspiration et à l'expiration. Note les résultats obtenus et compare-les.

• Décalque le document 3 : tu ne dessineras que les poumons.

• Superpose ce dessin au document 4. Que fait le volume des poumons ?

• Colle le calque dans ton cahier et mets des légendes.

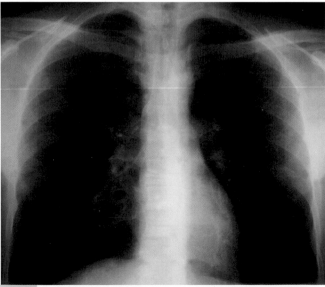

Doc 3 Radiographie de la cage thoracique à l'inspiration.

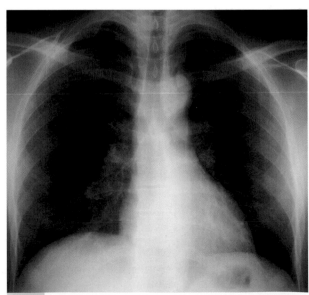

Doc 4 Radiographie de la cage thoracique à l'expiration.

2. Les poumons sont-ils comme des ballons de baudruche ?

- Reproduis le document 5 en le schématisant. Place les légendes : trachée artère et poumon.
- Lis le document 6.

Doc 6

> Les poumons sont roses, mous, spongieux. Sur une coupe, on observe des tuyaux largement ouverts : les bronches. Elles sont de diamètre variable.
>
> Les bronches les plus petites (ou bronchioles) se terminent par de petits « sacs », les alvéoles pulmonaires.
>
> Par ailleurs, du sang sort de très fins tuyaux : les vaisseaux sanguins.

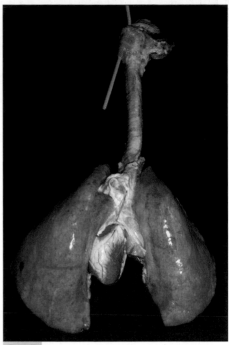

Doc 5 Appareil respiratoire du mouton.

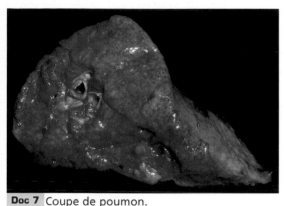

Doc 7 Coupe de poumon.

- Observe le document 7 : les poumons sont-ils comme un ballon ou comme une éponge ?
- Où circule l'air ? Va-t-il dans le sang ?

Pour t'aider...

Va voir dans l'encyclopédie à appareil respiratoire.

3. Quelle quantité d'air entre et sort des poumons ?

- Réalise l'expérience du document 8.
- Bouche-toi le nez, mets le tuyau dans ta bouche, puis expire normalement.
- Pour connaître la quantité d'air que tu as expulsée, retourne la bouteille (qui a été partiellement vidée) et ajoute avec un récipient gradué la quantité d'eau manquante.
- Note le résultat obtenu. Compare avec ceux de tes camarades.

Chez un adulte, la quantité d'air qui entre et qui sort est de 0,5 L par mouvement respiratoire. Le nombre d'inspirations ou d'expirations par minute est de 10 environ.

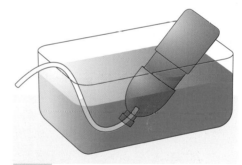

Doc 8 Une expérience pour évaluer la quantité d'air expiré.

- Quel est le volume d'air qui entre et qui sort en 1 heure ? en une journée ?
- Calcule le volume d'air expiré en 1 heure par tous les enfants de la classe. Exprime ce volume en litres.

Pour être sûr d'avoir bien compris

- Écris dans le bon ordre les organes par où l'air va passer depuis son entrée jusqu'à sa sortie de ton corps.
- Au cours de la crise d'asthme, quels sont les tuyaux qui se ferment partiellement ?

Pour aller plus loin

Propose quelques conseils pour éviter qu'un enfant asthmatique ait des crises dans sa maison.

 Des bilans, des réponses : page 108

Pour bien comprendre la question...

Dans un centre de médecine sportive, on évalue le rythme respiratoire (c'est-à-dire le nombre d'inspirations ou d'expirations par minute) au cours d'un effort physique (document 1).

- Compte le nombre d'inspirations que tu fais en 1 minute lorsque tu es assis et après avoir couru.
- Note tes résultats dans un tableau.
- Comment évolue ton rythme respiratoire ?

Lors de la respiration, l'air entre et sort des poumons. Or, quand on court, le rythme respiratoire change. Quel est le lien entre la respiration et l'exercice physique ?

Doc 1

Des recherches pour répondre...

1. L'air expiré est-il identique à l'air inspiré ?

a. Une expérience simple
L'eau de chaux se trouble en présence de gaz carbonique.

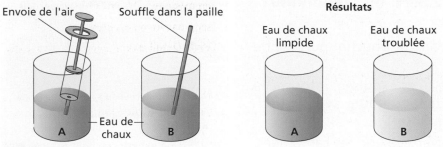

Envoie de l'air — Souffle dans la paille

Résultats

Eau de chaux limpide — Eau de chaux troublée

A — Eau de chaux — B — A — B

Doc 2

- Réalise l'expérience du document 2 et note tes résultats
- L'air expiré est-il plus ou moins riche en gaz carbonique que l'air que tu peux inspirer dans la pièce ?

b. Un tableau à analyser
Ce tableau t'indique la composition de l'air inspiré et de l'air expiré.

POUR 100 L D'AIR	AIR INSPIRÉ	AIR EXPIRÉ
Gaz carbonique	Très faible (0,03 L)	4 à 5 L
Oxygène	21 L	16 L
Azote	79 L	79 L

- Traduis les résultats sous la forme de deux diagrammes.
- Peut-on dire que l'air expiré est du gaz carbonique ? Peut-on dire que l'air inspiré est de l'oxygène ?
- Compare les teneurs en oxygène et en gaz carbonique de l'air expiré avec celles de l'air inspiré. Fais des phrases en utilisant les expressions « plus que », « moins que », « autant que ».

Pour faire un diagramme

- Construis un rectangle de 1 cm sur 10 cm.
- Dans ce rectangle, représente les volumes des gaz, sachant qu'un volume de 10 L correspond à un carré de 1 cm sur 1 cm.
- Colorie la surface correspondant au gaz carbonique en noir, à l'oxygène en rouge et à l'azote en bleu.

2. Que se passe-t-il au niveau des poumons ?

a. Un tableau à analyser

Le tableau suivant et les diagrammes (document 3) indiquent les quantités d'oxygène et de gaz carbonique du sang.

POUR 100 L DE SANG	SANG ENTRANT DANS LES POUMONS	SANG SORTANT DES POUMONS
Oxygène	15 L	20 L
Gaz carbonique	53 L	49 L

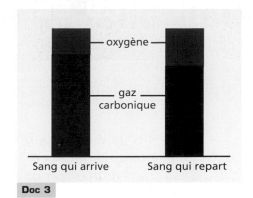

Doc 3

• Compare les quantités d'oxygène et de gaz carbonique dans le sang qui arrive et dans celui qui repart des poumons. Fais des phrases en utilisant les expressions « plus que » et « moins que ».

• D'après le premier tableau, d'où vient l'oxygène qui arrive dans le sang ? Où va une partie du gaz carbonique contenu dans le sang ?

b. Des schémas à comprendre

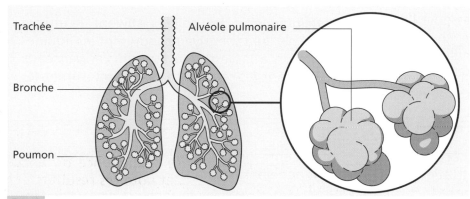

Doc 4 L'appareil respiratoire.

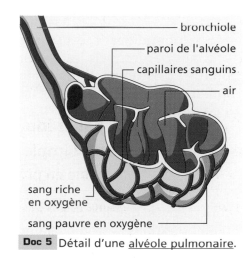

Doc 5 Détail d'une <u>alvéole pulmonaire</u>.

• Observe les documents 4 et 5 et indique le trajet de l'air depuis son entrée jusqu'à sa sortie du corps.

• Où va une partie de l'oxygène contenu dans l'air inspiré ?

• D'où vient le gaz carbonique présent dans l'air expiré ?

> Pour t'aider...
>
> Va voir dans l'encyclopédie à <u>respiration</u>.

3. À quoi sert l'oxygène ?

Les muscles, comme tous les organes, ont besoin d'oxygène pour vivre et se contracter. Ils respirent : ils consomment de l'oxygène et rejettent du gaz carbonique. Quand tu cours, tes muscles ont besoin de plus d'oxygène.

• Comment l'oxygène est-il amené aux muscles ?

• Comment le gaz carbonique est-il évacué ?

🔍 Pour être sûr d'avoir bien compris

• Décalque le document 5.

• Colle-le dans ton cahier, puis indique à l'aide de flèches le trajet de l'air, celui de l'oxygène et celui du gaz carbonique.

• Pourquoi ta respiration s'accélère-t-elle quand tu cours ?

> Pour aller plus loin
>
> *La quantité d'oxygène retenu par l'organisme est de 5 L pour 100 L d'air échangé. Sachant que l'on inspire et expire environ 5 L d'air par minute, quelle est la quantité d'oxygène retenue par l'organisme en 1 minute ? en 1 heure ?*

Des bilans, des réponses...

(35) Pourquoi faut-il manger équilibré ?

• Les aliments sont classés en **sept groupes** :

– viandes, poissons, œufs ;

– produits laitiers (lait, fromages, yaourts) ;

– féculents (pâtes, pommes de terre, pain, riz) ;

– matières grasses (beurre, crème, huile) ;

– fruits et légumes crus ou cuits ;

– boissons (eau) ;

– produits sucrés.

• Pour avoir une alimentation équilibrée, il faut manger au moins **un aliment de chaque groupe** par jour (sauf les produits sucrés). Deux aliments d'un même groupe peuvent être échangés.

• Les **aliments bâtisseurs**, essentiels pour assurer la croissance des enfants, sont les **laitages** et les **viandes**, les **poissons**, les **œufs**.

• Les **aliments énergétiques**, essentiels pour faire fonctionner le corps, sont les **féculents** et les **matières grasses**.

• Les **aliments protecteurs**, essentiels pour maintenir le corps en bonne santé, sont les **fruits** et les **légumes**.

(36) Où vont les aliments que je mange ?

• Le **tube digestif** est constitué de différents organes par lesquels les aliments passent : l'**œsophage**, l'**estomac**, l'**intestin grêle** et le **gros intestin**, où se forment les excréments.

• D'autres **organes** interviennent dans la digestion **sans que les aliments n'y passent** : les **glandes** salivaires, le **pancréas** et le **foie**.

• **Les liquides et les solides suivent le même trajet** : il n'y a pas de tuyau conduisant les liquides de l'intestin à la vessie ou au rein. Les vaisseaux sanguins sont les seuls liens entre l'intestin et les reins.

(37) Que deviennent les aliments ?

• Les aliments subissent une **action mécanique** : ils sont broyés par les dents (la **mastication**), puis mélangés dans l'estomac (le **brassage**).

• Ils subissent aussi une **action chimique** : elle est due aux **sucs digestifs** (la salive, les sucs gastriques, pancréatiques et intestinaux).

• Les aliments sont digérés. Ils deviennent **solubles** et sont appelés **nutriments**.

• **Ils passent alors dans le sang au niveau de l'intestin grêle**. Ce qui ne passe pas dans le sang est transformé dans le gros intestin et évacué par l'anus sous forme d'excréments.

(38) Où va l'air que j'inspire ?

• Lors de l'**inspiration**, l'air entre par le **nez** et la **bouche**, passe par la **trachée artère**, puis par les **bronches** qui se ramifient en des tuyaux de plus en plus petits et nombreux : les **bronchioles**. Celles-ci se terminent dans des sortes de sacs minuscules : les **alvéoles pulmonaires**.

• À l'**expiration**, l'air ressort en empruntant le trajet inverse. Même si les poumons sont riches en vaisseaux sanguins, **l'air ne passe pas dans le sang**.

Lors d'une crise d'asthme, les bronches se ferment presque totalement : l'air entre et sort dans les poumons avec difficulté.

3. Volume d'air qui entre et sort : 5 L par minute ; 300 L en 1 heure ; 7 200 L en une journée.

RÉPONSES

(39) À quoi ça sert de respirer ?

• L'air expiré est plus riche en gaz carbonique et plus pauvre en oxygène que l'air inspiré.

• Au niveau des alvéoles pulmonaires, l'oxygène de l'air passe dans le sang et le gaz carbonique du sang passe dans l'air.

• **Le sang distribue l'oxygène à tous les organes.**

Quantité d'oxygène retenue par l'organisme : 0,25 L (250 mL) par minute ; 15 L par heure.

RÉPONSE

Appareils digestif et respiratoire

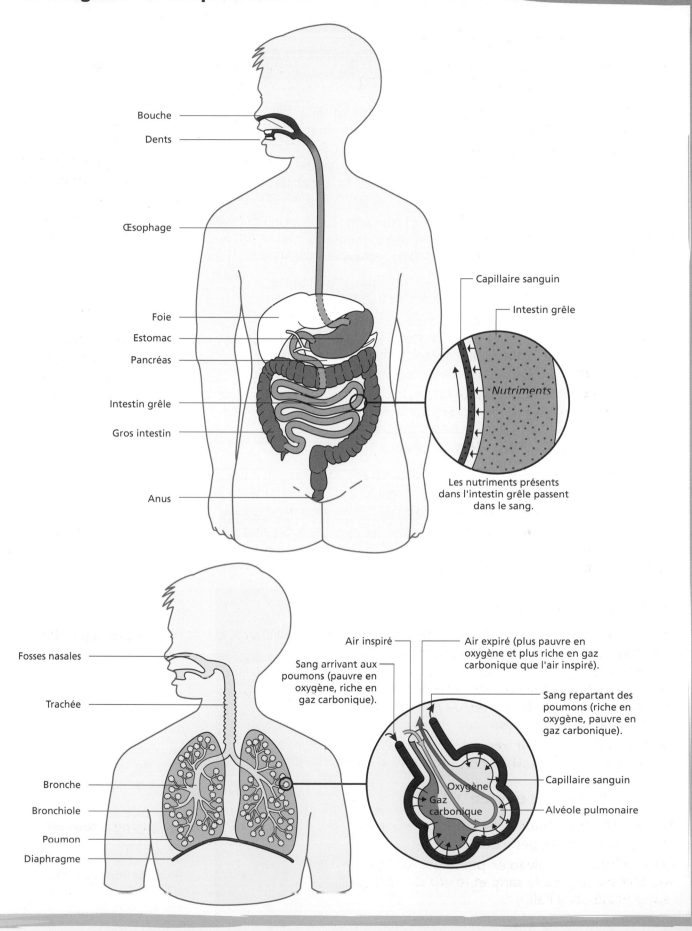

Bouche

Dents

Œsophage

Foie

Estomac

Pancréas

Intestin grêle

Gros intestin

Anus

Capillaire sanguin

Intestin grêle

Nutriments

Les nutriments présents dans l'intestin grêle passent dans le sang.

Fosses nasales

Trachée

Bronche

Bronchiole

Poumon

Diaphragme

Air inspiré

Sang arrivant aux poumons (pauvre en oxygène, riche en gaz carbonique).

Air expiré (plus pauvre en oxygène et plus riche en gaz carbonique que l'air inspiré).

Sang repartant des poumons (riche en oxygène, pauvre en gaz carbonique).

Capillaire sanguin

Alvéole pulmonaire

Oxygène

Gaz carbonique

Pour bien comprendre la question...

Quand une personne saigne beaucoup, on dit qu'elle fait une hémorragie. Elle doit alors voir rapidement un médecin. En effet, si les pertes de sang sont supérieures à 1,5 L, elles peuvent provoquer un coma (c'est-à-dire une perte de conscience, de mobilité et de sensibilité) et la mort en quelques heures.

Lorsqu'une personne est blessée et perd du sang, suite à un accident par exemple, il faut l'allonger, appuyer sur la blessure avec une main gantée (document 1) et prévenir le SAMU.

Doc 1

- À ton avis, pourquoi une hémorragie importante entraîne-t-elle le coma ? Pour t'aider, lis le document 2.

Doc 2

Si l'arrêt des apports de sang au cerveau dépasse 3 minutes, c'est la mort. En effet, le cerveau a besoin de sucre (ou glucose) et d'oxygène pour vivre.

Le sang est un liquide vital pour notre organisme. Mais comment circule-t-il dans notre corps ? Et à quoi sert-il ? C'est ce que tu vas rechercher maintenant.

> Pour appeler le SAMU, compose le 15. C'est un numéro gratuit.

Des recherches pour répondre...

1. Qu'est ce que le sang ?

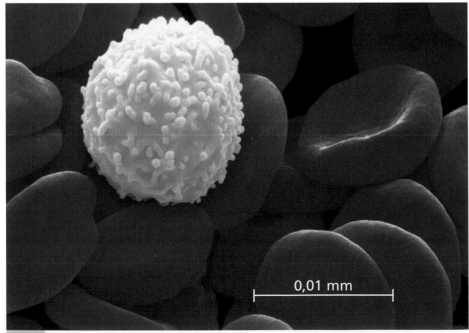

0,01 mm

Doc 3

Le sang est composé d'un liquide (le plasma) dans lequel se trouvent :

– des globules rouges, qui assurent le transport de l'oxygène ;

– des globules blancs, qui participent à la lutte contre les microbes (document 3).

La masse du sang représente 8 % de la masse totale du corps et 1 L de sang pèse environ 1 kg.

Calcule la masse et le volume total du sang chez un individu de 70 kg.

Observe le document 3. Nomme les globules les plus abondants et rappelle leur rôle.

2. Où circule le sang ?

• Observe le dessus de ta main gauche lorsque tu serres ton poignet gauche avec ta main droite. Que vois-tu ?

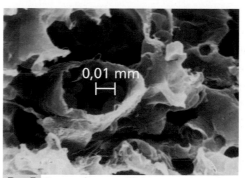

Doc 5 Coupe d'un capillaire sanguin avec des globules rouges.

En injectant un produit dans le sang, on peut voir les <u>vaisseaux sanguins</u> (artères) qui amènent le sang dans les organes (document 4) grâce à de très nombreux capillaires sanguins (document 5).

• À l'aide de l'échelle, évalue le diamètre des artères, puis celui des capillaires sanguins.

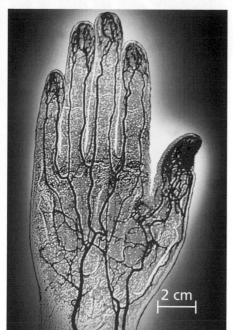

Doc 4 Une angiographie.

3. Quel est le rôle des différents vaisseaux sanguins ?

• Observe attentivement le document 6, puis donne le nom des vaisseaux sanguins qui jouent les rôles suivants :

– conduit rapidement le sang du cœur à l'organe ;

– ramène rapidement le sang des organes au cœur ;

– permet des échanges entre le sang et les organes.

Pour t'aider...

Va voir dans l'encyclopédie à <u>vaisseaux sanguins</u>.

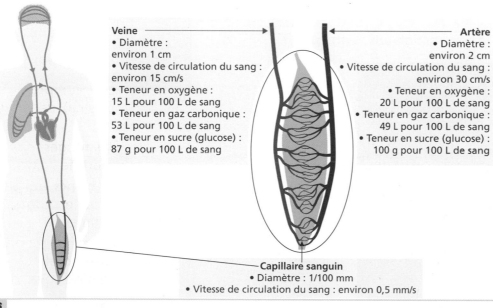

Veine
• Diamètre : environ 1 cm
• Vitesse de circulation du sang : environ 15 cm/s
• Teneur en oxygène : 15 L pour 100 L de sang
• Teneur en gaz carbonique : 53 L pour 100 L de sang
• Teneur en sucre (glucose) : 87 g pour 100 L de sang

Artère
• Diamètre : environ 2 cm
• Vitesse de circulation du sang : environ 30 cm/s
• Teneur en oxygène : 20 L pour 100 L de sang
• Teneur en gaz carbonique : 49 L pour 100 L de sang
• Teneur en sucre (glucose) : 100 g pour 100 L de sang

Capillaire sanguin
• Diamètre : 1/100 mm
• Vitesse de circulation du sang : environ 0,5 mm/s

Doc 6

• D'après les légendes du document 6, comment évolue la teneur en oxygène dans le sang entre l'entrée et la sortie du muscle ? celle du gaz carbonique ? et celle du glucose ?

• À ton avis, où va une partie de l'oxygène et du glucose présents dans le sang qui arrive dans le muscle ? Et d'où vient le gaz carbonique ?

Quand tu seras plus grand, tu pourras donner ton sang. Le don de sang permet de sauver de nombreux malades.

🔍 Pour être sûr d'avoir bien compris

• Explique pourquoi une hémorragie due à la section d'une artère est très dangereuse.

👁 Pour bien comprendre la question...

Le rythme cardiaque de certains sportifs de haut niveau peut être particulièrement lent au repos (35 battements par minute) et très rapide (200 battements par minute) lors d'un effort prolongé (document 1). Pour évaluer le rythme cardiaque, on mesure le <u>pouls</u> pendant 1 minute.

- Mesure ton rythme cardiaque au repos et après avoir fait un exercice physique (une course rapide, par exemple).

- Écris les résultats dans un tableau.

- Comment évolue ton rythme cardiaque au cours d'une activité physique ? et ton rythme respiratoire (➜ p. 106) ?

Le fonctionnement du cœur est modifié lors d'une activité sportive. Pourquoi ? À quoi servent les battements du cœur ?

Doc 1

🔍 Des recherches pour répondre...

1. Découvrir le cœur

- Observe les documents 2 et 3 et décris le <u>cœur</u>.

- Reproduis le document 4 et mets les légendes en utilisant le document 2.

- Que se passe-t-il lors de la contraction des ventricules ?

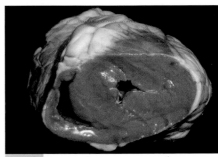

Doc 3 Coupe du cœur.

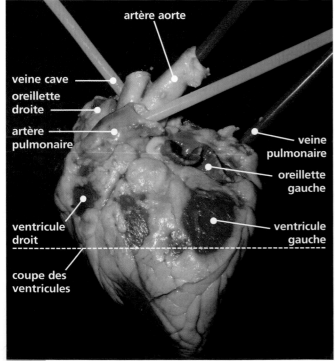

artère aorte

veine cave
oreillette droite
artère pulmonaire

veine pulmonaire
oreillette gauche
ventricule gauche

ventricule droit

coupe des ventricules

Doc 2 Cœur de mouton.

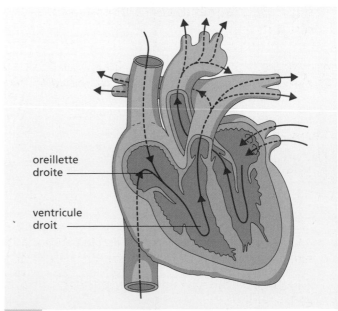

oreillette droite

ventricule droit

Doc 4 Le trajet du sang dans le cœur.

2. Comment l'oxygène est-il transporté des poumons aux organes ?

🦶 Décalque le document 5, puis complète-le. Mets les légendes : artère pulmonaire, aorte, veine cave, veine pulmonaire, capillaires sanguins.

🦶 Colorie en mauve les <u>vaisseaux sanguins</u>, l'oreillette et le ventricule qui contiennent du sang pauvre en oxygène et riche en gaz carbonique.

🦶 Colorie en rouge le sang riche en oxygène et pauvre en gaz carbonique.

🦶 Indique à l'aide de flèches les échanges d'oxygène et de gaz carbonique au niveau des organes (poumons, muscles et cerveau).

> Pour t'aider...
> Va voir dans l'encyclopédie à <u>circulation sanguine</u>.

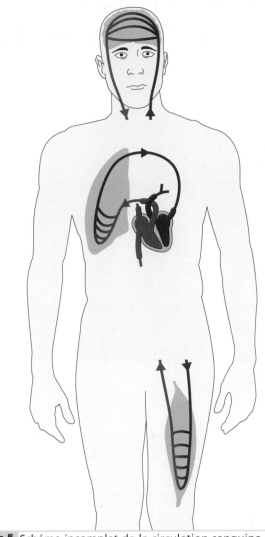

Doc 5 Schéma incomplet de la circulation sanguine.

N'oublie pas : le sport, c'est bon pour la santé !

3. Que se passe-t-il lors d'un effort physique ?

Le débit cardiaque est le volume de sang expulsé par chaque ventricule pendant 1 minute. Pour le calculer, il suffit de faire cette multiplication : volume de sang éjecté à chaque battement de cœur × rythme cardiaque.

🦶 À partir des chiffres du tableau suivant, calcule le débit cardiaque de l'homme peu sportif au repos et lors d'un exercice physique. Fais la même chose pour l'homme sportif et compare tes résultats.

	HOMME PEU SPORTIF		HOMME SPORTIF	
	Volume de sang éjecté à chaque battement de cœur	Rythme cardiaque	Volume de sang éjecté à chaque battement de cœur	Rythme cardiaque
Repos	80 mL	65 batt./min	120 mL	40 batt./min
Exercice Physique	130 mL	150 batt./min	150 mL	200 batt./min

🦶 Que fait le débit cardiaque d'un homme peu sportif lors d'un exercice physique ? Quel est l'intérêt de cette modification ?

🦶 Explique pourquoi le sportif peut faire travailler ses muscles plus efficacement.

Pour aller plus loin

Chez un homme adulte, le cœur bat environ 70 fois par minute. Combien de fois bat-il par heure ? par jour ? par année ?

 Des bilans, des réponses : page 118

Comment nos jambes peuvent-elles se plier ?

Pour bien comprendre la question...

• Observe, sur le document 1, les jambes du deuxième personnage en partant de la gauche. Indique celle qui est pliée (en flexion) et celle qui est tendue (en extension).

Doc 1 Bas-relief sculpté au pied d'une statue grecque (510 av. J.-C.).

Nos jambes nous portent, car elles sont faites de parties (ou segments) rigides ; elles nous permettent aussi de marcher parce qu'elles sont articulées. Quelles sont les parties rigides de nos membres ? Et comment sont faites les articulations ?

• Sur ton cahier de sciences, reproduis la jambe gauche en l'agrandissant.

• Dessine les organes qui se trouvent à l'intérieur de ce membre et qui lui permettent de se plier.

• Compare ton dessin avec celui de tes camarades.

Des recherches pour répondre...

1. Qu'est-ce qui assure la rigidité des membres ?

• Dessine un des membres inférieurs du document 2 (→ fiche « méthode » p. 7) et indique le nom des os et des articulations.

• En touchant ta cuisse, essaie de déterminer la longueur du fémur.

• Quel organe assure la rigidité de la cuisse ou de la jambe ?

Pour t'aider...

Va voir dans l'encyclopédie à <u>os</u>.

Pour faire cette radio, on a envoyé des rayons X sur les jambes. Ces rayons sont arrêtés par les os (qu'on voit en clair) et traversent les autres organes (qui sont presque invisibles).

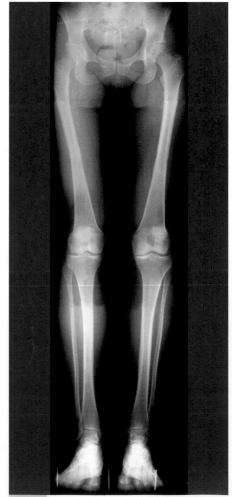

Doc 2 Radiographie des membres inférieurs.

2. Comment les os sont-ils attachés au niveau des articulations ?

• Observe le document 3. Que remarques-tu au niveau de l'épaule ? L'humérus semble-t-il accroché à l'omoplate ou à la clavicule ?

• Observe les documents 4 et 5. Comment l'os du bras et ceux de l'avant-bras sont-ils attachés au niveau du coude ?

• Qu'est-ce qui permet aux os de glisser les uns sur les autres, au niveau d'une articulation ?

• Explique pourquoi tu peux faire des mouvements amples au niveau de l'épaule et pas au niveau du coude.

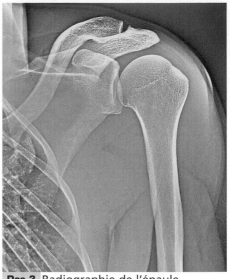

Doc 3 Radiographie de l'épaule.

Pour t'aider...
Va voir dans l'encyclopédie à <u>articulation</u>.

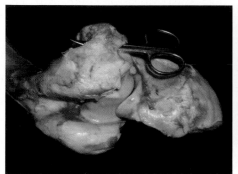

Doc 4 Coude de veau.

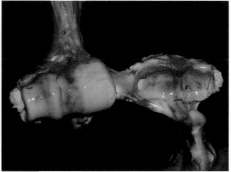

Doc 5 Coude après la section des ligaments.

3. Peut-on réparer des os cassés ?

Les documents 6 et 7 sont des radiographies d'une jambe faites après un accident :
– l'une juste à la suite de l'intervention du chirurgien ;
– l'autre 1 mois après.

• Quelle est la conséquence de cet accident ?

• Qu'a fait le chirurgien ?

• Que s'est-il produit en 1 mois ?

• À ton avis, les ligaments peuvent-ils être abîmés lors d'un choc ? Quel est cet accident ?

Pour t'aider...
Va voir dans l'encyclopédie à <u>accident corporel</u>.

Le sport est bon pour la santé, mais il faut savoir prendre des précautions.

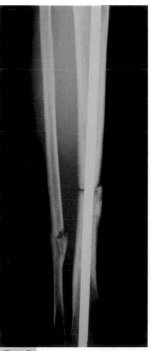

Doc 6

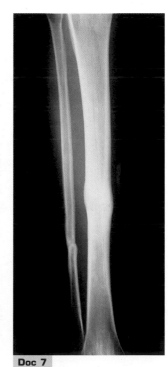

Doc 7

Pour aller plus loin

Quand tu manges du lapin ou du poulet, conserve les os et essaie de reconstituer les pattes.

Des bilans, des réponses : page 118

👁 Pour bien comprendre la question...

• Quel organe est particulièrement développé chez le sportif présenté dans le document 1 ?

• Reproduis la silhouette du bras droit et dessine à l'intérieur les organes qui lui permettent de se plier.

• À ton avis, quel est l'organe responsable du mouvement ?

> Faire du sport, c'est bien. À condition de ne pas se doper !

Doc 1

🔍 Des recherches pour répondre...

1. Comment le muscle est-il attaché à l'os ?

• Reproduis le document 2.

• Complète le schéma en reliant le <u>muscle</u> aux os.

• Observe le document 3. À quels os le muscle de la cuisse est-il attaché ? Comment est-il accroché aux <u>os</u> ?

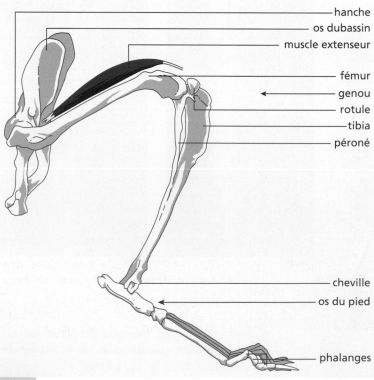

- hanche
- os dubassin
- muscle extenseur
- fémur
- genou
- rotule
- tibia
- péroné
- cheville
- os du pied
- phalanges

Doc 2

Doc 3 Patte postérieure disséquée d'un lapin, en extension.

2. Que fait le muscle ?

- Compare les documents 3 et 4. Décris la forme du <u>muscle</u> quand la patte est en flexion et en extension. Que constates-tu ?

- Lis le document 5. Que fait le muscle quand il se contracte ? Quelle est la conséquence pour le membre ?

Doc 5

> Quand le muscle se contracte, il diminue de longueur et tire sur l'os.
>
> Si le muscle extenseur (documents 3 et 4) se contracte, alors le membre se met en extension.
>
> Si un autre muscle (le fléchisseur, supprimé ici au cours de la dissection) se contracte, alors l'extenseur se relâche et le membre se met en flexion.

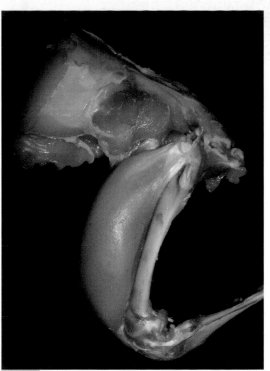

Doc 4 Patte postérieure disséquée d'un lapin, en flexion.

Pour être sûr d'avoir bien compris

- Observe les documents 6 et 7 qui montrent une maquette du membre postérieur (cuisse et jambe). Dessine, puis critique la maquette dans ton cahier de sciences : par quoi sont représentés les os ? les <u>ligaments</u> ? Sont-ils bien représentés ?

- Quels organes ne sont pas représentés ? Comment ou par quoi pourrais-tu les représenter ?

Pour t'aider...
Va voir dans l'encyclopédie à <u>muscle</u>.

N'oublie pas de t'échauffer avant de faire du sport.

Pour aller plus loin

Toi aussi, tu peux construire une maquette de ton membre inférieur. Réfléchis et dessine-la dans ton cahier de sciences. Réalise la construction, puis critique-la.

Doc 6

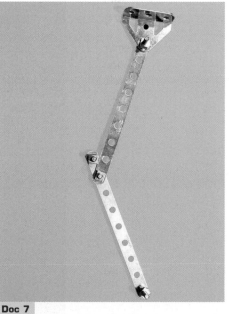

Doc 7

Des bilans, des réponses...

40 À quoi sert le sang ?

• Le sang est composé de **plasma**, un liquide qui contient des **globules rouges** et des **globules blancs**.

• Il apporte aux organes les **nutriments** et l'**oxygène** dont ils ont besoin. Il évacue aussi les déchets (notamment le gaz carbonique).

• Il circule dans les **vaisseaux sanguins**. Les **artères** emmènent le sang du cœur aux organes et les veines ramènent le sang au cœur. Les **capillaires sanguins** sont les lieux d'échanges entre le sang et les organes.

RÉPONSE

1. Le volume total de sang chez un individu de 70 kg est : 70 x 0,08 = 5,6 L.

41 Que se passe-t-il quand on court ?

• Le sang circule dans les vaisseaux sanguins grâce aux **contractions du cœur**.

• Lors d'un effort, le cœur bat plus vite et plus fort. Par ailleurs, le rythme respiratoire s'accélère. La circulation du sang est accélérée : ceci permet de mieux alimenter en nutriments et en oxygène les **muscles** qui travaillent.

RÉPONSE

Chez un homme adulte, le cœur bat environ 4 200 fois par heure ; 100 800 fois par jour ; 36 000 000 par an environ.

42 Comment nos jambes peuvent-elles se plier ?

• Nos membres supérieurs et inférieurs sont composés de segments rigides (bras et avant-bras par exemple). Chacune de ces parties est solide car elle contient au moins un **os long**.

• Nous pouvons plier ces segments rigides grâce aux **articulations** : les os y sont attachés par des **ligaments**. Les os glissent les uns sur les autres grâce au **cartilage** lisse et à la présence d'un **liquide huileux**. L'ampleur des mouvements dépend de la forme de l'articulation.

• L'os est un organe vivant qui grandit. Il peut se casser et se réparer.

43 Quel est l'organe responsable des mouvements ?

• L'organe responsable des mouvements est le **muscle**. Il est attaché à l'os par des tendons. Ainsi, les muscles du bras sont attachés sur les os de l'avant-bras.

• Quand le muscle **fléchisseur** du bras se contracte, il se raccourcit et tire sur les os de l'avant-bras : le membre se retrouve alors en flexion.

• Pour que le membre revienne en extension, le muscle **extenseur** se contracte pendant que le muscle fléchisseur se relâche.

Circulation sanguine et contraction des muscles

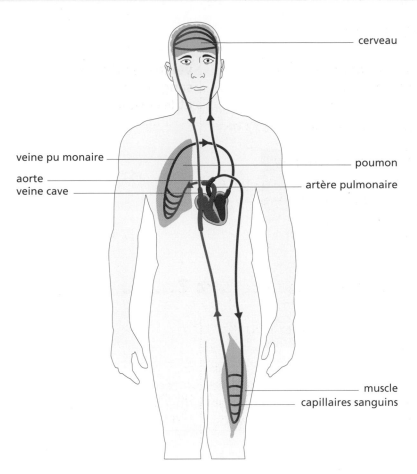

cerveau

veine pu monaire

poumon

aorte

veine cave

artère pulmonaire

muscle

capillaires sanguins

Extension

Flexion

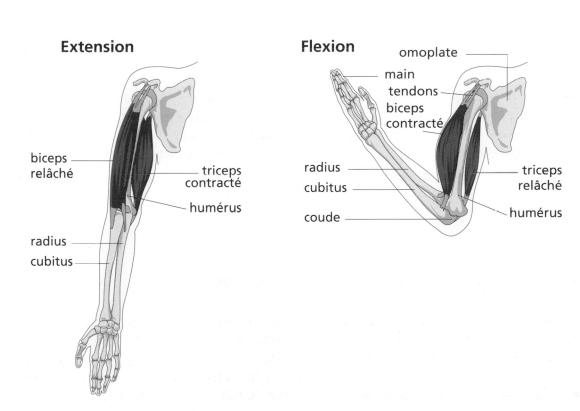

biceps
relâché

triceps
contracté

humérus

radius

cubitus

omoplate

main

tendons

biceps
contracté

radius

cubitus

coude

triceps
relâché

humérus

Qu'est-ce qui change dans ton corps ?

👁 Pour bien comprendre la question...

• Quelles différences observes-tu entre les jeunes de 10 ans (document 1) et ceux de 12-13 ans (document 2) ?

Doc 1

Doc 2

• Et toi, as-tu déjà perçu des modifications dans ton corps ? Constates-tu des changements dans ton allure physique ? dans ton humeur ? dans tes relations avec les autres ?

🔍 Des recherches pour répondre...

1. Quels sont les changements physiques qui surviennent à la puberté ?

📖 Lis les informations sur la <u>puberté</u> chez les filles et chez les garçons sur le document 3.

📖 Rédige un court résumé en y mettant tes observations.

Des poils apparaissent autour du sexe, sous les bras, aux joues, puis à la moustache.

De l'acné apparaît (visage).

Les seins se développent.

La voix devient grave, la « pomme d'Adam » se forme.

Les os du bassin s'élargissent et la taille s'affine.

Les muscles se développent.

Des poils apparaissent autour du sexe, sous les bras.

La croissance s'accélère (parfois plus de 10 cm par an).

La croissance s'accélère, un peu moins que chez le garçon.

De 12 à 18 ans.

De 11 à 17 ans.

Doc 3

2. Les règles, qu'est-ce que c'est ?

Doc 4

« L'arrivée des premières règles est un grand événement dans la vie de chaque femme. Une fois par mois, les ovaires expulsent un ovule (ovulation), l'utérus se prépare à l'accueillir en se tapissant d'une couche de tissu plein de vaisseaux sanguins et nutritif pour l'ovule (au cas où il serait fécondé par un spermatozoïde). Si l'ovule n'est pas fécondé, ce tissu devient inutile et il est évacué : ce sont les règles. Elles sont faites de sang et de résidu de ce tissu. »

Françoise Dolto, *Paroles pour adolescents ou Le Complexe du homard*, Paris, Hatier, 1989.

❖ Lis le document 4 et observe le document 5. Écris une phrase pour définir les <u>règles</u>.

❖ Compare ta définition à celle de l'encyclopédie.

❖ Que peut-il se produire lorsqu'une fille qui est réglée a un rapport sexuel sans méthode de <u>contraception</u> ?

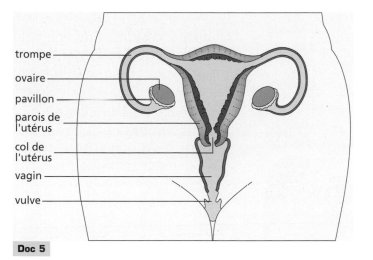

trompe
ovaire
pavillon
parois de l'utérus
col de l'utérus
vagin
vulve

Doc 5

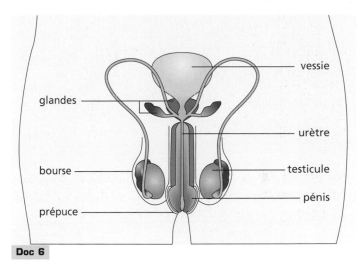

vessie
glandes
urètre
bourse
testicule
pénis
prépuce

Doc 6

3. L'éjaculation, qu'est-ce que c'est ?

❖ Observe le document 6. À ton avis, où sont produits les spermatozoïdes ?

❖ Comment peuvent-ils sortir et comment appelle-t-on ce phénomène ?

❖ Que peut-il se produire lorsqu'un garçon a un rapport sexuel sans <u>préservatif</u> ?

> Il ne faut pas s'inquiéter : tous ces changements sont normaux.

4. Quels sont les changements de comportement qui surviennent à la puberté ?

Le document 7 te présente les changements de comportement que peuvent connaître les adolescents lors de la puberté.

Doc 7

Un changement de ses centres d'intérêt se produit, avec souvent un grand appétit et un sommeil différent. Des difficultés pour accepter les changements de son corps peuvent survenir, allant parfois jusqu'à un refus de s'alimenter. Le besoin de se rassurer avec d'autres jeunes vivant les mêmes transformations se traduit par de plus grandes amitiés ou par l'envie de faire partie d'un groupe. On l'affiche alors par des signes extérieurs liés à la mode (coiffure, vêtements, bijoux…).

❖ Que penses-tu des informations données dans ce document ? Recopie une ou deux phrases de ton choix sur ton cahier.

👁 Pour bien comprendre la question...

Les savants ont depuis longtemps émis des hypothèses différentes sur la façon dont on faisait les bébés.

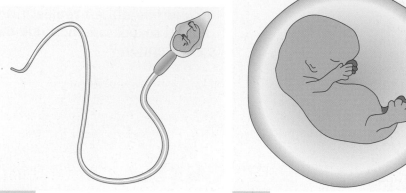

Doc 1 Hypothèse 1.

Doc 2 Hypothèse 2.

Certains pensent (comme Descartes au XVIIe siècle) que le père apporte l'essentiel du futur bébé grâce au <u>spermatozoïde</u> (document 1).

D'autres croient que c'est la mère qui apporte l'essentiel du futur bébé grâce à son <u>ovule</u> (document 2).

On a émis une troisième hypothèse : le futur bébé ne se forme qu'après la fusion d'un ovule et d'un spermatozoïde (document 3).

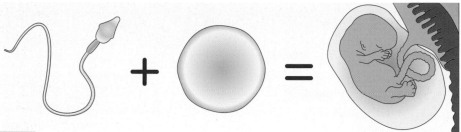

Doc 3 Hypothèse 3.

- Et toi, qu'en penses-tu ?
- Liste les arguments en faveur de ton hypothèse et discutes-en avec tes camarades.

🔍 Des recherches pour répondre...

1. Quelles sont les étapes des premiers moments de notre vie ?

Ces cinq photographies (documents 4 à 8) ont été prises à des moments différents de la grossesse.

- Observe ces images et décris l'évolution de l'embryon.
- Comment évolue sa taille ?
- À partir de quelle période de la grossesse y a-t-il le plus de changements ?

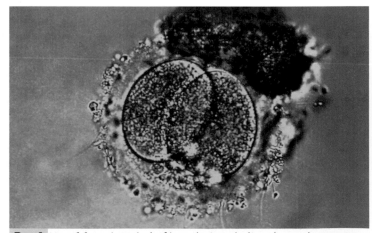

Doc 4 L'œuf formé après la fécondation de l'ovule par le spermatozoïde se divise en deux (taille : 0,1 mm).

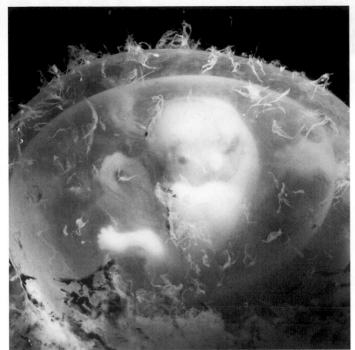

Doc 5 L'embryon 7 semaines après la fécondation (taille : 2 cm).

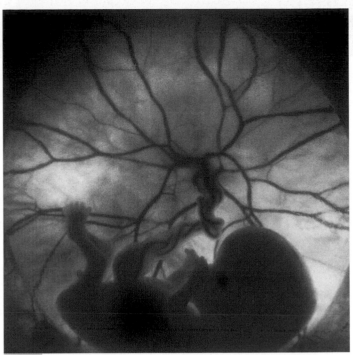

Doc 6 L'embryon à 11 semaines (taille : 7 cm).

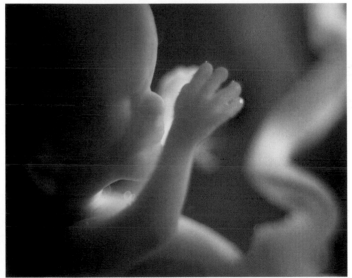

Doc 7 Le fœtus à 3 mois (taille : 9 cm).

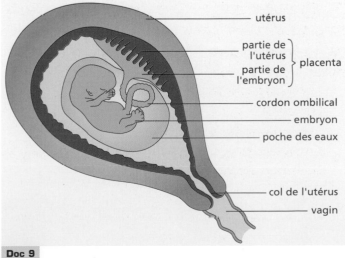

Doc 8 Le nouveau-né avec son cordon ombilical (taille : 40 cm).

2. Comment l'embryon se nourrit-il ?

• Parmi les documents 4 à 8, quelle photographie t'apporte le plus d'informations pour répondre à la question ?

• Après discussion avec tes camarades, décalque et légende la photographie choisie.

• Observe le document 9. Y a-t-il mélange entre le sang de l'enfant et celui de sa mère ? Consulte l'encyclopédie à <u>placenta</u> et va voir l'enquête 21.

• Pourquoi le tabac, l'alcool, les drogues et certains médicaments sont-ils dangereux pendant la grossesse ?

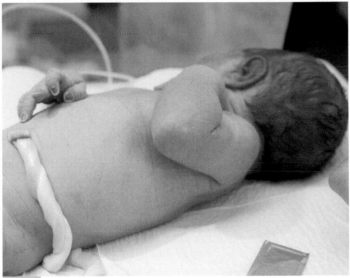

utérus

partie de l'utérus
} placenta
partie de l'embryon

cordon ombilical

embryon

poche des eaux

col de l'utérus

vagin

Doc 9

👁 Pour bien comprendre la question...

En 1900, on apprenait encore à l'école que les hommes étaient répartis en quatre <u>races</u>.

- Observe les visages du document 1 et essaie de les classer.

Doc 1

Comment savoir si on peut vraiment classer les hommes par races ?
Les recherches que tu vas faire t'aideront à répondre.

🔍 Des recherches pour répondre...

1. Es-tu unique ?

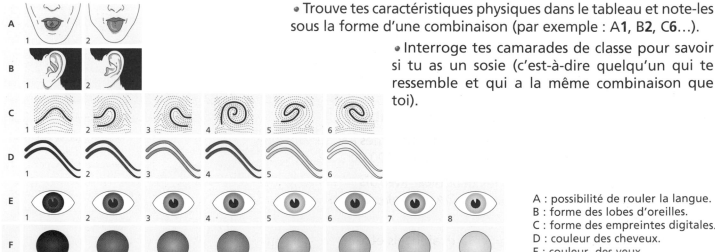

- Trouve tes caractéristiques physiques dans le tableau et note-les sous la forme d'une combinaison (par exemple : A**1**, B**2**, C**6**...).

- Interroge tes camarades de classe pour savoir si tu as un sosie (c'est-à-dire quelqu'un qui te ressemble et qui a la même combinaison que toi).

A : possibilité de rouler la langue.
B : forme des lobes d'oreilles.
C : forme des empreintes digitales.
D : couleur des cheveux.
E : couleur des yeux.
F : couleur de la peau.

2. Peut-on classer les êtres humains ?

⸱ Observe le document 2. Est-ce que tous les habitants de ce pays ont la même couleur de peau ? Comment serait le graphique si c'était le cas ?

⸱ Pourquoi ne peut-on pas classer les êtres humains des pays du document 3 en fonction de leur couleur de peau ?

Pour t'aider...

Pour comprendre un graphique, lis d'abord ce que représentent les deux axes. Ici, c'est le nombre de personnes qui ont telle ou telle couleur de peau.

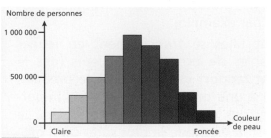

Doc 2 Nombre d'individus d'un pays ayant la même couleur de peau.

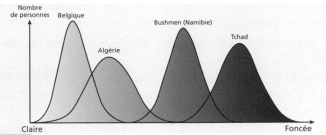

Doc 3 Couleur de peau de la population de quatre pays.

3. Pourquoi sommes-nous tous différents ?

Doc 4

« Chaque spermatozoïde, ou chaque ovule, résulte […] d'au moins 1 000 loteries successives. Le nombre d'ovules ou de spermatozoïdes différents que chacun de nous peut produire est donc obtenu en multipliant 2 par 2, 1 000 fois : 2, 4, 8, 16, 32, 64, 128… La millième fois, le nombre est si grand qu'il faut 300 chiffres pour l'écrire !

Pour comprendre que ce nombre est plus qu'« astronomique », il suffit d'imaginer qu'un homme veuille constituer la collection complète de chacun des types de spermatozoïdes qu'il pourrait produire. Ceux-ci sont si petits qu'un seul millimètre cube en contient 100 millions. […]

[…] Même si l'humanité durait des milliards d'années, jamais deux êtres humains ne seront génétiquement identiques (à l'exception des vrais jumeaux […]). »

Albert Jacquard, *Tous pareils, tous différents*, Paris, Nathan, 1991.

⸱ Lis le document 4.

⸱ Comment l'auteur explique-t-il pourquoi nous sommes tous différents ?

4. Quel est ton arbre généalogique ?

⸱ Dessine ton <u>arbre généalogique</u> sur ton cahier de sciences comme sur le document 5. Remonte le plus loin possible parmi tes ancêtres. Indique la ville et le pays de naissance de chacun.

⸱ Compare ton arbre généalogique avec ceux de quelques camarades, puis situe les origines de chacun sur un planisphère.

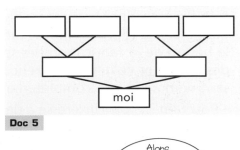

Doc 5

5. En quoi sommes-nous tous parents ?

Si tu as fait l'enquête 27, tu as vu que tous les hommes actuels ont sans doute des ancêtres communs qui ont vécu il y a 100 000 ans environ.

⸱ Calcule combien tu as d'ancêtres depuis l'époque de Charlemagne ? de Jésus-Christ ? (On compte 25 ans pour une génération.)

⸱ Les ancêtres de tes camarades pourraient-ils être les mêmes que les tiens ?

Alors, nous sommes tous différents mais tous parents !!!

⸱⸱⸱ **Des bilans, des réponses : page 126**

Des bilans, des réponses...

④④ Qu'est-ce qui change dans ton corps ? ....

• Entre 11 et 18 ans, des changements importants se produisent chez la fille et chez le garçon : c'est la **puberté**.

• Chez la **fille**, les **seins** se développent, les **poils** poussent au niveau du sexe et sous les bras, les **règles** surviennent.

• Chez le garçon, les **poils** poussent aussi autour du sexe (et plus tard sur le torse et le visage), la **voix** devient plus grave, la **musculature** se développe. Les premières émissions de sperme (**éjaculations** involontaires, souvent nocturnes) se produisent.

• Chez tous les adolescents, ces changements physiques sont accompagnés de modifications du comportement (nervosité ou sensibilité plus importantes par exemple).

• Garçons et filles se transforment en jeunes adultes capables de procréer. D'ailleurs, **dès la puberté, tout rapport sexuel, même le premier, peut aboutir à une grossesse**. Il est donc important d'utiliser des moyens de contraception. Le **préservatif** est la méthode la plus sûre, car il protège aussi des maladies sexuellement transmissibles (**MST**) comme le Sida et l'hépatite.

④⑤ Comment un bébé se « fabrique »-t-il ? ....

• Après la **fécondation** de l'ovule de la mère par un spermatozoïde du père, un **œuf** se forme et va se fixer dans l'utérus de la mère. L'**embryon** commence alors à grandir. Vers 2 mois, il est presque entièrement formé, avec des bras, des jambes et une tête.

• L'embryon se nourrit et respire grâce à sa mère. Les nutriments et l'oxygène dissous lui sont apportés par le sang maternel au niveau du **placenta**. Là, le sang provenant de l'embryon s'enrichit, puis lui revient en passant par le **cordon ombilical** (→ schéma p. 123).

• Si la mère consomme du tabac, de l'alcool, des drogues ou certains médicaments pendant la grossesse, ces produits traversent le placenta et peuvent provoquer des malformations graves chez le bébé, surtout les premiers mois.

④⑥ Sommes-nous tous pareils ou tous différents ? ....

• Il est facile de montrer que les hommes sont tous différents par leur aspect physique. Cela s'explique par la reproduction sexuée. En effet, c'est le hasard de la fabrication des spermatozoïdes et des ovules et celui de leur rencontre qui produisent un nouvel être complètement unique.

• Pourtant, si l'on s'intéresse à des caractéristiques physiques qui ne sont pas visibles (la forme des organes ou le sang par exemple), on s'aperçoit que les hommes sont tous semblables.

• D'ailleurs, l'histoire de nos origines (→ enquête 27) montre que nous sommes probablement issus d'un petit groupe d'*Homo sapiens* : nos ancêtres communs. Nous sommes donc tous cousins.

5. Nous avons tous deux parents, quatre grands-parents et huit arrière-grands-parents, etc. Pour connaître le nombre d'ancêtres depuis Charlemagne (il y a 1 200 ans), il faut faire le calcul suivant : 1 200 ans / 25 ans par génération = 48 générations. Il faut ensuite multiplier 2 x 2 x 2... 48 fois. On obtient 281 000 milliards d'ancêtres ! En faisant le même calcul depuis Jésus-Christ : c'est un nombre de 24 chiffres, c'est-à-dire bien plus grand que le nombre de grains de sable sur la Terre... Il est fort possible que les élèves de la classe, même s'ils ont des origines étrangères, aient beaucoup d'ancêtres en commun, puisqu'il y avait moins de 1 milliard d'habitants sur Terre au siècle dernier !

RÉPONSES

Comment se fait un bébé ?

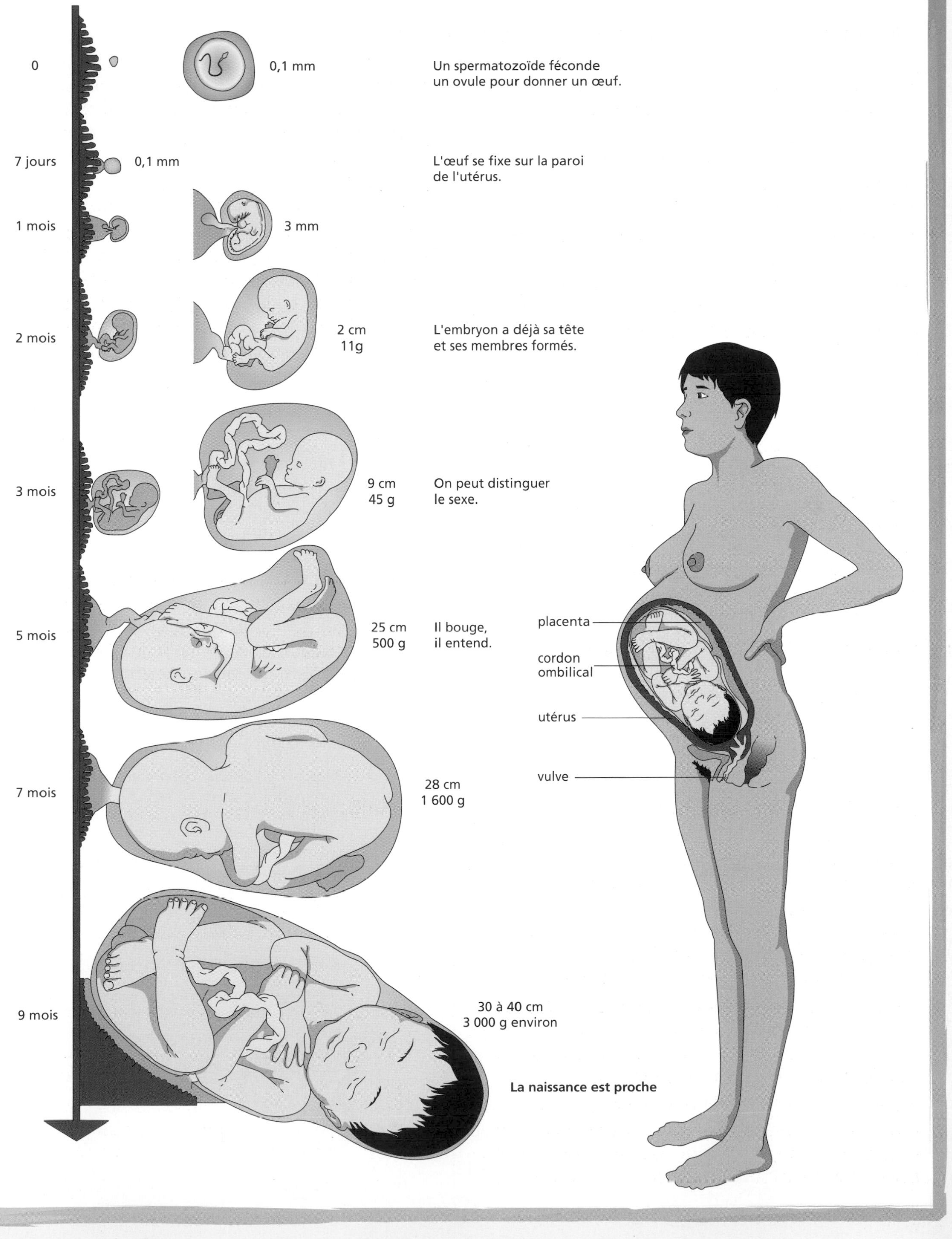

0	0,1 mm	Un spermatozoïde féconde un ovule pour donner un œuf.
7 jours	0,1 mm	L'œuf se fixe sur la paroi de l'utérus.
1 mois	3 mm	
2 mois	2 cm 11g	L'embryon a déjà sa tête et ses membres formés.
3 mois	9 cm 45 g	On peut distinguer le sexe.
5 mois	25 cm 500 g	Il bouge, il entend.
7 mois	28 cm 1 600 g	
9 mois	30 à 40 cm 3 000 g environ	**La naissance est proche**

placenta

cordon ombilical

utérus

vulve

Ai-je compris ? Ai-je retenu ?

ⓐ Je teste mes connaissances ....

Associe chaque organe à sa définition.

1. Bouche
2. Œsophage
3. Estomac
4. Intestin grêle
5. Gros intestin
6. Foie
7. Pancréas

a. Glande digestive, organe par lequel les aliments ne passent pas. Il déverse un suc digestif dans l'intestin grêle.

b. Long tuyau où les aliments sont digérés, transformés en nutriments qui passent dans le sang.

c. Les aliments y sont broyés par les dents et imbibés de salive.

d. Tuyau par lequel les déchets passent pour atteindre l'anus.

e. Organe par lequel les aliments ne passent pas. Il déverse la bile dans l'intestin grêle.

f. Tuyau par lequel les aliments broyés descendent rapidement pour rejoindre l'estomac.

g. Poche où les aliments sont brassés et imbibés de suc digestif.

ⓑ J'utilise mes connaissances pour expliquer des résultats ....

Réponds aux consignes suivantes après avoir lu le texte.

✔ Recopie le protocole (c'est-à-dire ce que l'on a fait) de cette expérience.

✔ Pourquoi le tube est-il maintenu à 38 °C ?

✔ Recopie les résultats (c'est-à-dire ce que l'on observe) de cette expérience.

✔ La viande placée dans le flacon a-t-elle été broyée ?

✔ Grâce à quoi a-t-elle été transformée en une sorte de petit-lait, c'est-à-dire digérée ?

Une expérience historique

En 1822, Alexis Saint-Martin, un jeune trappeur canadien, survit à une blessure par balle, mais garde une plaie qui fait communiquer l'intérieur de l'estomac avec l'extérieur.

William Beaumont, le médecin qui le soigne, comprend que cette blessure peut lui permettre d'étudier la digestion.

Il tente alors cette expérience : il prélève dans un flacon une petite quantité du liquide que contient l'estomac (le suc digestif gastrique). Il place un morceau de bœuf bouilli dans le flacon qu'il ferme hermétiquement. Il le met ensuite dans une casserole contenant de l'eau à 38 °C.

Neuf heures plus tard, il constate que la viande a disparu et que le mélange dans le flacon a l'aspect d'un liquide épais et laiteux.

ⓒ Je lis un schéma ....

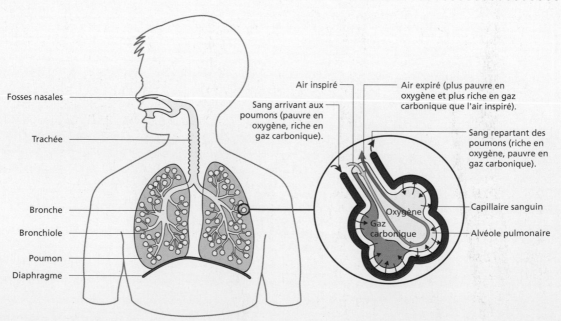

✔ Nomme les organes par où passe l'air depuis son entrée jusqu'à sa sortie du corps.

✔ Décris en deux phrases le trajet de l'oxygène, puis celui du gaz carbonique.

✔ Utilise les expressions « plus riche », « moins riche »

pour comparer les teneurs en oxygène et en gaz carbonique de l'air expiré avec celles de l'air inspiré.

✔ Utilise ces mêmes expressions pour comparer les teneurs en oxygène et en gaz carbonique du sang arrivant au poumon avec celles du sang sortant des poumons.

ⓓ Je teste mes connaissances ....

Associe chaque mot à sa définition.

1. Os
2. Ligament
3. Articulation
4. Muscle
5. Tendon

a. Partie du muscle qui rattache celui-ci à l'os.

b. Organe dur qui assure la rigidité des membres.

c. Organe qui assure la flexion ou l'extension des membres en tirant sur les os.

d. Zones de contact entre les os appartenant à deux segments différents d'un membre.

e. Élément solide qui attache deux os appartenant à deux segments différents d'un membre.

ⓔ Je vérifie une hypothèse par une observation ....

1. Recopie les phrases correctes, en t'aidant des schémas.

✔ Avant la naissance, l'enfant se nourrit :

du sang de la mère

du lait de la mère

d'aliments contenus dans le sang de la mère

✔ Avant la naissance, l'enfant respire :

grâce à l'oxygène apporté par ses poumons

grâce à ses narines

grâce à l'oxygène apporté par le sang de la mère

2. Décalque les schémas et complète-les sur ton cahier en ajoutant les légendes qui manquent.

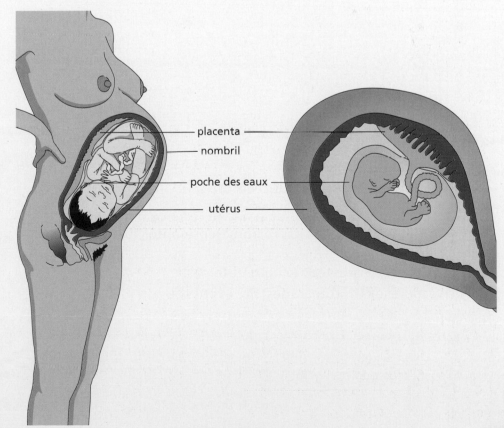

placenta

nombril

poche des eaux

utérus

Pour bien comprendre la question...

Cette enquête est la première d'un domaine des sciences qui s'appelle l'astronomie et qui étudie la Terre et les astres. Pour faire de l'astronomie, il est important de connaître la forme de la Terre. Nous savons tous, aujourd'hui, qu'elle est ronde. Mais ronde comment ?

Cherche, dans des livres ou sur Internet, comment le peintre Jérôme Bosch représentait la Terre dans son tableau *Le Jardin des délices*.

1. Que signifie la Terre est ronde ?

Voici deux dessins d'enfants ayant suivi cette consigne : « Dessine la Terre, le ciel, les étoiles, un bonhomme au pôle Nord et un autre au pôle Sud. Chaque personnage lâche une pierre bras tendu : représente son trajet par une flèche » (documents 1 et 2).

- À ton tour, dessine la Terre en suivant la même consigne.
- Indique si tu es d'accord ou non avec les documents 1 et 2. Explique pourquoi.

Doc 1

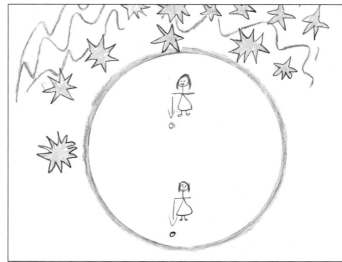

Doc 2

2. Où est le haut, où est le bas ?

- Sur ton cahier de sciences, dessine la Terre comme sur le document 3. Fais une croix pour représenter le spationaute.
- Indique où se trouvent le haut et le bas.
- Échange avec tes camarades. Êtes-vous tous du même avis ?

Pour t'aider...

Va voir dans l'encyclopédie à vertical.

Doc 3

Ce n'est pas facile d'imaginer que la Terre est ronde, alors que nous la voyons plate. Pourtant, certains hommes l'ont compris dès l'Antiquité en observant des phénomènes naturels.

La première mesure du rayon de la Terre a été faite deux siècles avant J.-C. par Ératosthène. Cherche sa méthode sur Internet.

1. Qu'ont remarqué les premiers navigateurs ?

Les premiers navigateurs savaient qu'en s'approchant des terres, ils voyaient le sommet des montagnes avant de voir la côte et que les marins qui guettaient en haut du mât voyaient la terre avant les autres. Comment expliquer cela ?

Doc 4

Imagine que la Terre est ronde, comme dans le document 4.

● Le marin en haut du mât voit-il le sommet de la montagne ? Voit-il le port ?

● Le marin resté sur le pont voit-il le sommet de la montagne ? Voit-il le port ?

Imagine maintenant que la Terre est plate…

● Fais un dessin et réponds aux mêmes questions. Qu'en déduis-tu sur la forme de la Terre ?

Pour t'aider…

Va voir dans l'encyclopédie à <u>lumière</u>.

2. Qu'ont remarqué les premiers astronomes ?

Les <u>éclipses</u> sont connues depuis plusieurs siècles avant J.-C. Lors d'une éclipse de Lune, l'<u>ombre</u> de la Terre se détache sur la Lune (→ documents 5 et 6, p. 146).

⁂ Réalise l'expérience du document 5 en prenant un disque pour représenter la Terre. Observe l'ombre qu'il projette sur la Lune. Tourne-le dans différentes positions. L'ombre a-t-elle toujours la forme d'un cercle ?

⁂ Réalise la même expérience en prenant une boule pour représenter la Terre. Fais-tu les mêmes observations ? Qu'en déduis-tu sur la forme de la Terre ?

La Terre — La Lune —

Doc 5

👁 Pour bien comprendre la question...

• Recopie dans ton cahier de sciences les passages du document 1 qui indiquent comment un <u>aimant</u> peut être utilisé pour s'orienter.

• Procure-toi un aimant, attache-le au bout d'un fil et vérifie cette propriété.

Doc 2

Doc 1

> ### Qu'est-ce qu'une boussole ?
>
> On sait depuis très longtemps que certaines pierres sont capables d'attirer des morceaux de fer. Ce sont des aimants naturels. Toutefois, les historiens ne savent pas vraiment à quelle époque on s'est aperçu qu'un aimant s'oriente toujours dans la même direction si on le laisse libre de pivoter.
>
> Selon certains d'entre eux, les Chinois s'en servaient déjà comme boussole plusieurs siècles avant J.-C. D'autres pensent que ce n'est que vers l'an 1100 que cet instrument est apparu.
>
> La boussole que tu connais aujourd'hui est constituée d'une aiguille aimantée qui pivote au-dessus d'une rose des vents indiquant les <u>points cardinaux</u>.

• Sais-tu dans quelle direction s'oriente l'aiguille d'une <u>boussole</u> (document 2) ?

Le document 1 nous apprend donc qu'une boussole est une aiguille aimantée. Les expériences qui suivent vont te permettre de mieux comprendre son fonctionnement et son utilisation.

Attention, un aimant peut détériorer certains objets : le disque dur d'un ordinateur, une cassette vidéo, une carte bancaire...

🔍 Des recherches pour répondre...

1. Quelles sont les propriétés des aimants ?

• Fais la liste des propriétés des aimants (document 3) que tu connais déjà. Complète-la en discutant avec tes camarades et en consultant l'encyclopédie.

• Réponds aux questions suivantes en expérimentant :

– Un aimant attire-t-il tous les matériaux ? Lesquels ?

– Un aimant est-il attiré par certains matériaux ? Lesquels ?

– Un aimant attire-t-il à travers un objet faisant écran (un petit cahier, une planchette de bois, un récipient en verre, etc.) ?

– Que se passe-t-il lorsqu'on approche deux aimants l'un de l'autre ?

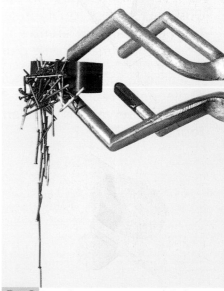

Doc 3 Des aimants comme celui-ci se trouvent dans les quincailleries.

2. Comment fabriquer une boussole ?

- Frotte le clou contre l'aimant : utilise toujours le même côté de l'aimant et du clou ; fais toujours ton geste dans le même sens.
- Fixe le clou sur le flotteur.
- Pose le flotteur sur l'eau et laisse-le s'immobiliser en veillant qu'il reste au centre du récipient (document 4).
- Vérifie la direction prise par la pointe à l'aide d'une véritable boussole.

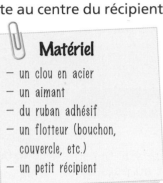

Matériel
- un clou en acier
- un aimant
- du ruban adhésif
- un flotteur (bouchon, couvercle, etc.)
- un petit récipient

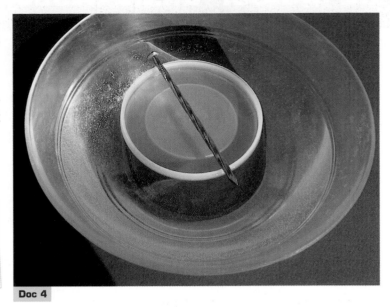

Doc 4

3. Comment prouver qu'une boussole est un aimant ?

- Dessine sur ton cahier de sciences les expériences que tu pourrais faire pour prouver qu'une boussole est un aimant.
- Réalise-les.
- Note ce que tu observes et rédige une conclusion.

Pour t'aider...

Si une boussole est un aimant, elle doit avoir les mêmes propriétés que lui.

Pour être sûr d'avoir bien compris

Pour qu'une boussole indique toujours la même direction, il y a des précautions à prendre.

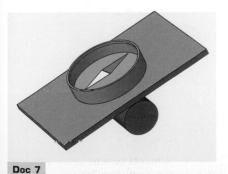

Doc 5

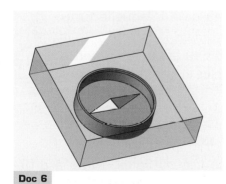

Doc 6

Doc 7

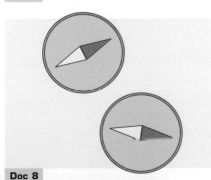

Doc 8

- Observe les documents 5 à 8.
- Ces boussoles sont-elles utilisées correctement ? Si ce n'est pas le cas, explique l'erreur commise.
- Expérimente pour vérifier tes hypothèses.

Des bilans, des réponses : page 138

👁 Pour bien comprendre la question...

La navigation existe depuis des siècles. Comment faisaient les marins pour s'orienter lorsque les appareils électroniques n'existaient pas ?

Tu vas réfléchir au moyen de trouver les <u>points cardinaux</u> à partir de l'observation du Soleil et des étoiles.

🔍 Des recherches pour répondre...

1. Quelle est la « course » du Soleil ?

Au cours d'une journée, le Soleil se déplace par rapport au paysage comme ici en Arctique (document 1). Pour étudier ce phénomène, tu vas le dessiner.

Pour t'aider...

Va voir l'enquête 50.

Doc 1 Assemblage de photos prises le même jour à différentes heures.

- Représente le paysage autour de ton école (document 2).
- Note la position du Soleil dans le ciel à différentes heures.
- Trace la <u>course du Soleil</u> et note la date à laquelle tu as mené l'observation.
- Cette courbe serait-t-elle identique si tu faisais l'expérience à une autre date ? Fais des hypothèses et vérifie-les par des observations régulières.

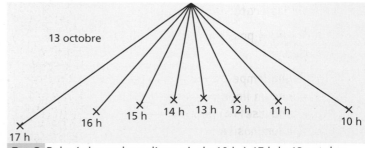

Doc 2 Dessin réalisé par une élève dans son école.

2. Comment enregistrer la course du Soleil ?

Pour compléter l'observation de la course du Soleil, trace, à différentes heures de la journée, l'ombre d'une vis posée verticalement sur une feuille horizontale : ce dispositif s'appelle un <u>gnomon</u> (document 3).

- Note la date et reporte sur ta feuille la direction nord-sud à l'aide d'une boussole.
- Le relevé serait-t-il identique si tu faisais l'expérience à un autre moment de l'année ? Fais des hypothèses et vérifie-les à différentes dates.
- Le Soleil peut-il être exactement à la verticale au-dessus de ton école ?

13 octobre

17 h 16 h 15 h 14 h 13 h 12 h 11 h 10 h

Doc 3 Relevé des ombres d'une vis de 10 h à 17 h le 13 octobre.

3. Comment trouver le Nord à partir des ombres que tu as tracées ?

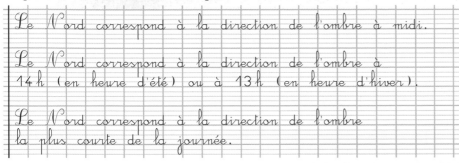

Le Nord correspond à la direction de l'ombre à midi.

Le Nord correspond à la direction de l'ombre à 14 h (en heure d'été) ou à 13 h (en heure d'hiver).

Le Nord correspond à la direction de l'ombre la plus courte de la journée.

❧ Voici des hypothèses. Une seule est bonne, à toi de la trouver ! Utilise pour cela les relevés que tu as effectués au cours de l'année.

Pour t'aider...

Va voir dans l'encyclopédie à <u>étoile</u>.

4. Comment trouver le Nord à partir des étoiles ?

Les documents 4, 5 et 6 sont des reproductions simplifiées du ciel étoilé que tu pourrais observer à trois instants différents d'une même nuit, si tu regardais vers le Nord.

❧ Découpe trois feuilles de papier calque de la même dimension que les documents.

❧ Sur chaque calque, repère par un point la position des étoiles.

❧ Superpose les trois calques obtenus et repère l'étoile qui ne se déplace pas au cours de la nuit. C'est l'étoile Polaire, elle indique le Nord.

❧ Est-il possible, en tournant les calques, de superposer les étoiles ?

Pour observer le ciel de nuit

● Procure-toi une revue d'astronomie. Recherche ce qu'il y a d'intéressant à observer (Lune, planètes).

● Pour observer les étoiles ou les planètes, choisis une date où la Lune n'est pas trop lumineuse.

● Pour observer la Lune, choisis une date où elle n'est pas pleine pour mieux voir les cratères.

● Procure-toi, si possible, une paire de jumelles.

● Prépare une lampe de poche, mais glisse-la dans un linge rouge (écharpe, chaussette) pour en atténuer la luminosité.

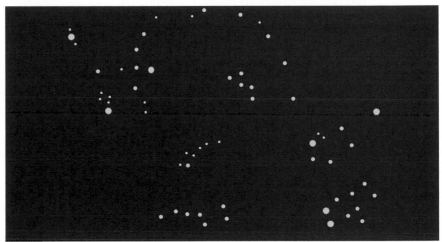

Doc 4

Doc 5

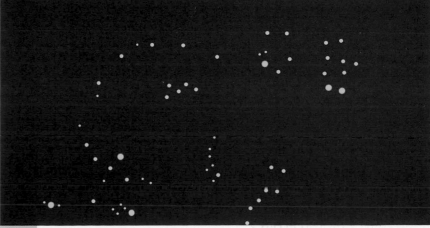

Doc 6

Pour bien comprendre la question...

Les hommes préhistoriques ont été longtemps nomades : ils se déplaçaient à la recherche de nourriture (chasse et cueillette). Lorsqu'ils sont devenus sédentaires, ils ont développé l'agriculture. Pour semer à la bonne période, ils ont eu besoin de prévoir sans erreur le retour des saisons : il leur a fallu un calendrier.

Pour comprendre le calendrier scientifique actuel, tu vas étudier deux phénomènes :

– la course du Soleil et la façon dont elle varie au cours des saisons ;

– la durée de la journée, celle de la nuit, et la manière dont elles varient au cours de l'année.

Le début de l'agriculture correspond à la transition entre deux périodes préhistoriques : le paléolithique et le néolithique. Tu peux étudier ton livre d'histoire pour en savoir plus.

Des recherches pour répondre...

1. Comment varie la « course » du Soleil au fil de l'année ?

Si tu as fait l'enquête 49, tu as déjà tracé la course du Soleil plusieurs fois dans l'année. Tu peux alors faire le travail proposé avec tes propres dessins.

Sinon, utilise les documents 1 à 4. Ils représentent la course du Soleil à différentes dates : le 23 septembre, le 20 décembre, le 23 mars et le 21 juin (documents 1 à 4).

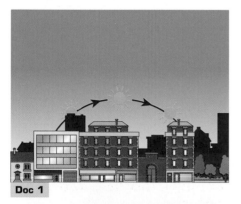

Doc 1

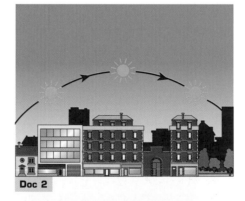

Doc 2

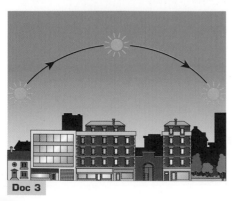

Doc 3

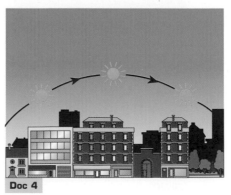

Doc 4

● Retrouve la date qui correspond à chaque dessin.

● Penses-tu que la course du Soleil peut être plus petite à d'autres dates ? Lesquelles ?

● Penses-tu qu'elle peut être plus grande à d'autres dates ? Lesquelles ?

● Reproduis ce paysage et trace la course du Soleil telle que tu l'imagines le 25 juillet.

Garde tes hypothèses : tu les reprendras à la fin de l'enquête.

2. Comment varie la durée des journées au fil de l'année?

a. Quelles sont tes hypothèses?

- En hiver, les journées sont-elles plus courtes ou plus longues que les nuits?
- En été, les journées allongent-elles ou diminuent-elles?
- Quelle est la date de la journée la plus courte de l'année?
- Y a-t-il une date où la journée dure aussi longtemps que la nuit?

Ne confonds pas jour et journée!

Matériel
- une frise de la journée
- des bandes de papier de 1 cm de large
- un calendrier de la Poste

b. Construis un diagramme pour les vérifier

- Découpe des bandes de papier pour représenter la durée de la journée à certaines dates.

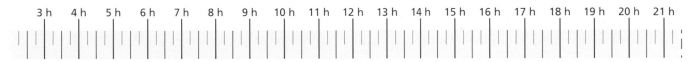

- Cherche dans le calendrier : le 23 septembre par exemple, le Soleil se lève à 5 heures 40 et se couche à 17 heures 45.
- Aligne l'extrémité d'une bande de papier sur la frise au niveau de 5 heures 40, puis coupe l'autre extrémité au niveau de 17 heures 45 (document 5).

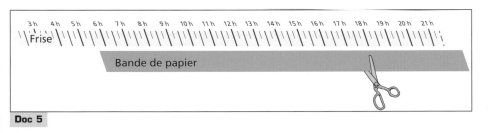

Doc 5

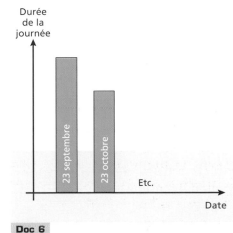

Doc 6

- Avec cette même méthode, découpe une bande correspondant au 23 de chaque mois ; réalise un graphique (document 6).

🔍 Pour être sûr d'avoir bien compris

	ÉQUINOXE D'AUTOMNE	SOLSTICE D'HIVER	ÉQUINOXE DE PRINTEMPS	SOLSTICE D'ÉTÉ
Journée la plus longue				
Journée la plus courte				
Journée = nuit				
Course du Soleil la plus grande				
Course du Soleil la plus petite				

- Reproduis ce tableau en mettant une croix dans la case qui convient.
- Quelle différence y a-t-il entre équinoxe d'automne et automne? entre solstice d'hiver et hiver?
- Vérifie les hypothèses que tu as rédigées aux paragraphes 1 et 2.

Pour t'aider...

Va voir dans l'encyclopédie les mots <u>équinoxe</u> et <u>solstice</u>.

Des bilans, des réponses...

47 **Comment sait-on que la Terre est ronde ?** ··

• La **Terre est ronde**, non comme un disque ou une galette, mais **comme une boule**.

• Les hommes savent depuis l'Antiquité que pour voir un objet, il faut pouvoir tracer une **ligne droite** entre l'œil et cet objet. C'est ainsi que les navigateurs se sont aperçus que la Terre ne pouvait pas être plate.

• Depuis cette époque, ils savent aussi que lors d'une éclipse de Lune, la forme ronde de la Terre se projette sur la Lune.

48 **Comment fabriquer et utiliser une boussole ?** ····························

• **Une boussole est une aiguille aimantée.** Elle a donc toutes les propriétés des aimants.

• À la surface de la Terre, elle s'immobilise toujours dans la **direction nord-sud**. C'est pour cela qu'on l'utilise pour s'orienter.

• Mais on peut la faire dévier en approchant un objet en fer ou un autre aimant. C'est pour cela qu'il faut prendre des précautions lorsqu'on l'utilise.

RÉPONSES

1. Deux aimants s'attirent ou se repoussent selon la manière dont on les approche.
La seule boussole utilisée correctement est celle du document 6.

49 **Comment s'orienter à partir du Soleil et des étoiles ?** ·················

• Pour s'orienter, on peut se repérer grâce au Soleil ou aux étoiles.

• **Lorsque le Soleil est au plus haut** de sa course journalière, **il est exactement au-dessus du Sud.** C'est toujours vrai dans l'hémisphère Nord, quelle que soit la saison.

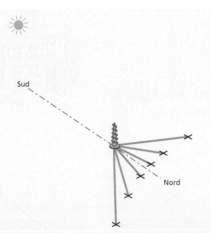

• On peut aussi trouver le Nord à partir de l'observation des étoiles. Au fil de la nuit, elles tournent toutes autour de l'**étoile Polaire** qui reste toujours à la même place : **juste au-dessus du Nord.**

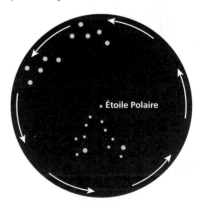

Étoile Polaire

50 **Comment le calendrier fonctionne-t-il ?** ·······························

• La **course du Soleil** évolue au fil de l'année : elle est **la plus grande** à la date du début de l'été (**solstice d'été**) et la plus petite à la date du début de l'hiver (**solstice d'hiver**).

• La durée des journées varie aussi tout au long de l'année. C'est **à la date du début de l'été** que la **journée est la plus longue de l'année.** Et c'est à la **date du début de l'hiver** qu'elle est **la plus courte.**

• À la date du début du printemps (**équinoxe de printemps**) et du début de l'automne (**équinoxe d'automne**), **les journées durent aussi longtemps que les nuits.**

RÉPONSE

1. Le doc 1 correspond au 20 décembre et le doc 3 au 21 juin. Il est impossible de fixer la date des documents 2 et 4 (ils sont identiques).

La durée des journées au fil des saisons

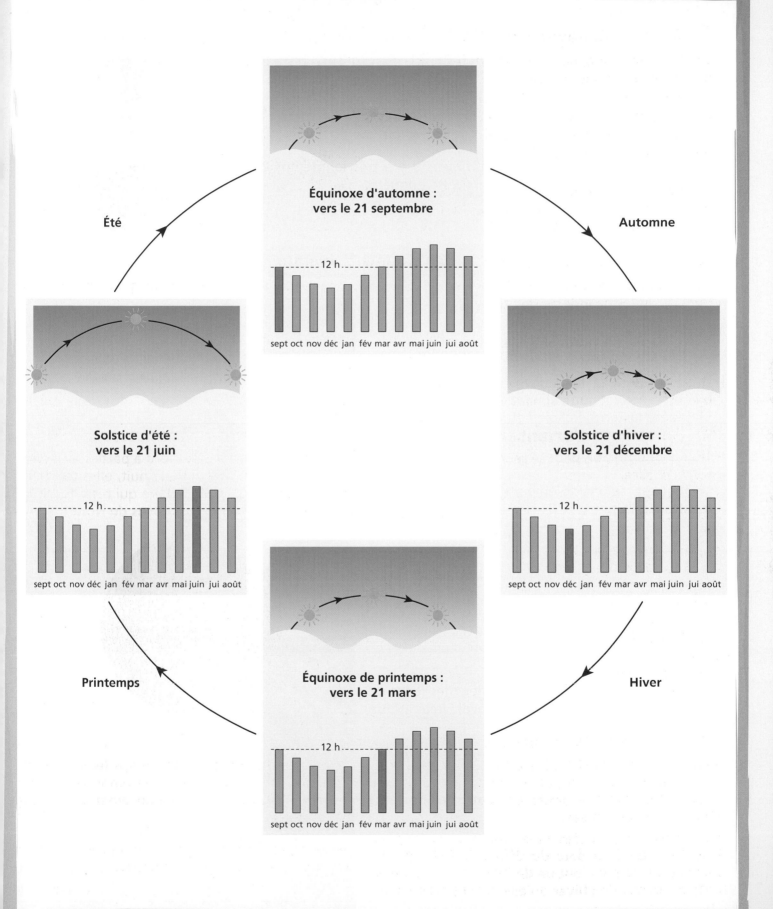

Équinoxe d'automne :
vers le 21 septembre

Été

Automne

Solstice d'été :
vers le 21 juin

Solstice d'hiver :
vers le 21 décembre

Printemps

Hiver

Équinoxe de printemps :
vers le 21 mars

👁 Pour bien comprendre la question...

Tu sais peut-être que la <u>Terre</u> tourne sur elle-même en 24 heures et autour du Soleil en 1 an. Mais les hommes n'ont pas toujours eu ces connaissances.

Sais-tu comment ils s'imaginaient l'Univers il y a très longtemps ? C'est ce que tu vas découvrir à travers cette enquête.

Les photographies qui suivent sont de vrais documents historiques. Tu découvriras plus de détails avec une loupe.

🔍 Des recherches pour répondre...

1. Comment Ptolémée imaginait-il le monde ?

Le document 1 montre comment Claude Ptolémée, qui a vécu deux siècles après J.-C., imaginait le monde. On parle du système de Ptolémée.

§ Repère la Terre, le Soleil et la Lune.

§ Essaie également de repérer quelques planètes (leurs noms sont écrits en latin).

§ Quel est, selon Ptolémée, l'astre qui occupe le centre de l'Univers ? Quel est le mouvement des autres astres ?

Doc 1

2. Quelles étaient les idées de Copernic ?

Le document 2 montre quelles étaient les idées de Nicolas Copernic (1473-1543), qui avait imaginé un autre système.

§ Comme précédemment, repère la Terre, le Soleil, la Lune et quelques planètes.

§ Quel est l'astre qui occupe le centre de l'Univers ? Quel est le mouvement des autres astres ?

§ Rédige un texte court qui explique les différences entre le système de Ptolémée et celui de Copernic.

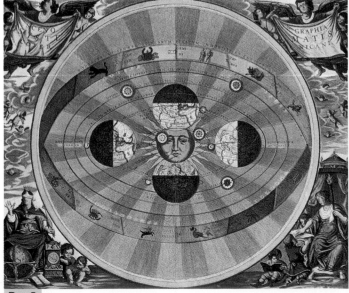

Doc 2

3. Comment expliquer l'alternance des journées et des nuits ?

Le système de Ptolémée et celui de Copernic permettent-ils d'expliquer l'alternance des journées et des nuits ? Pour le savoir, tu vas les tester en utilisant deux méthodes (documents 3 et 4).

a. Première méthode

❧ Avec tes camarades, teste l'hypothèse de Ptolémée : les élèves qui font la Terre sont immobiles ; l'élève qui fait le Soleil tourne autour de la ronde.

❧ Teste ensuite l'hypothèse de Copernic : l'élève qui fait le Soleil est immobile ; la ronde des élèves qui font la Terre tourne sur elle-même (pour simplifier, il vaut mieux ne pas la faire tourner autour de l'élève qui fait le Soleil).

Soleil

Doc 3

b. Seconde méthode

❧ Teste l'hypothèse de Ptolémée : la boule qui représente la Terre est immobile ; la lampe qui représente le Soleil tourne autour de la boule.

❧ Teste ensuite l'hypothèse de Copernic : la lampe qui représente le Soleil est immobile ; la boule qui représente la Terre tourne sur elle-même.

❧ Fais le bilan des deux activités : le système de Ptolémée et celui de Copernic expliquent-ils la succession des journées et des nuits ?

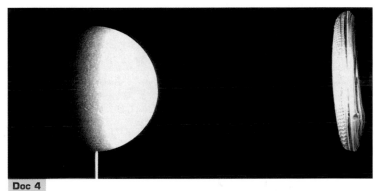

Doc 4

Pour t'aider...
Va voir dans l'encyclopédie à système solaire.

4. Quelles étaient les idées de Galilée ?

Galilée a vécu en Italie de 1564 à 1642. Il a perfectionné la lunette astronomique et, grâce à elle, il a observé les cratères de la Lune, découvert les satellites de Jupiter et les phases de Vénus.

À cause de ses idées, il a été jugé en 1633 par l'Inquisition, un tribunal chargé de faire respecter les idées de la religion catholique (document 5). L'Inquisition n'hésitait pas à torturer et à faire brûler vifs ceux qui n'avaient pas les mêmes idées.

Doc 5

« La proposition que le Soleil soit le centre du monde et immobile [...] est absurde et fausse [...], et formellement hérétique*.
La proposition que la Terre n'est pas le centre du monde ni immobile, mais qu'elle se meut**, [...] est également une proposition absurde et fausse.
Nous disons [...] que toi Galilée, [...] tu t'es rendu [...] suspect d'hérésie. »

Jean-Pierre Maury, *Galilée, le messager des étoiles*, Paris, Gallimard, 1986.

(*) Contraire à ce qui est écrit dans la Bible.
(**) Se mouvoir signifie : se déplacer.

Renseigne-toi sur la vie de Galilée.

❧ Quel était le système du monde auquel croyait Galilée ? Était-ce celui de Ptolémée ou celui de Copernic ?

❧ Quel était le système du monde qui était considéré comme vrai par l'Inquisition ?

👁 Pour bien comprendre la question...

Le navigateur du document 1 désire se rendre sur l'île figurant sur sa carte.

- Dans quelle direction doit-il naviguer s'il est dans la position 1 ?

- Dans quelle direction doit-il naviguer s'il est dans la position 2 ?

Comment savoir dans quelle direction naviguer s'il ne connaît pas sa position ? C'est ce que tu vas comprendre grâce aux activités qui suivent. Pour simplifier, nous allons supposer qu'il se déplace toujours sur l'équateur.

Doc 1

🔍 Des recherches pour répondre...

1. Qui est l'ami qui téléphone ?

Alice habite en France. Elle a plusieurs amis qui vivent à l'étranger :
– Bob est aux États-Unis, à la Nouvelle-Orléans ;
– Chandra réside en Inde, à Calcutta ;
– Douglas habite en Nouvelle-Zélande, à Auckland.

- Situe ces lieux sur un planisphère.

- D'après le document 2, qui téléphone à Alice ?

Pour t'aider...

Va voir au dos du livre la carte des <u>fuseaux horaires</u> et étudie les deux paragraphes suivants.

Oh, je te réveille ! Il est minuit chez toi ! Chez moi, il est 18 heures. Le soleil se couche.

Doc 2

2. Une maquette pour t'aider...

- Réalise la maquette du document 3.

- Prépare deux étiquettes indiquant 6 heures et 18 heures et place-les sur la feuille.

- Pique les drapeaux A, B, C et D.

- Reprends, avec cette maquette, la question précédente : qui téléphone à Alice ?

Pour t'aider...

Midi et minuit ont été placés, ainsi que le pays d'Alice (A).

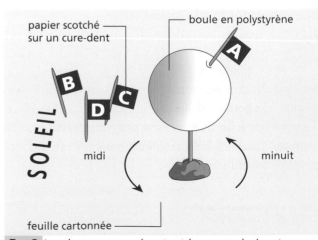

Doc 3 Les drapeaux représentent les pays où vivent Alice (A), Bob (B), Chandra (C) et Douglas (D).

3. Une ronde peut remplacer la maquette ...

Tu as déjà réalisé cette ronde (document 4) pour représenter la rotation de la Terre sur elle-même (→ enquête 51).

Tu vas maintenant t'en servir pour connaître l'heure dans les pays A, B, C et D.

Doc 4

🔹 Quatre élèves prennent les rôles d'Alice et ses amis.

🔹 En plaçant la ronde comme il convient, tu peux, avec tes camarades, chercher la réponse à l'énigme du paragraphe 1.

4. Où est le navigateur ?

Pour déterminer sa position, le navigateur a besoin de deux instruments et d'une carte (document 5) :

– une horloge réglée au moment du départ à l'heure de Paris ;

– un cadran solaire pour connaître l'heure à l'endroit où il se trouve ;

– une carte des <u>fuseaux horaires</u>.

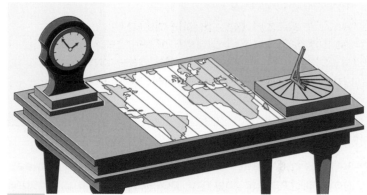

Doc 5

🔹 Son cadran solaire indique 19 heures alors qu'au même moment, l'horloge réglée sur l'heure de Paris indique midi : où est le navigateur (→ carte des <u>fuseaux horaires</u>) ?

🔹 Le cadran solaire indique 9 heures et l'horloge réglée à Paris indique 5 heures : où est-il ?

🔹 Il est 10 heures d'après le cadran solaire, alors qu'il est minuit à Paris : où est-il ?

Rappelle-toi : pour simplifier, nous supposons qu'il navigue sur l'équateur.

5. De dramatiques naufrages !

En 1707, des navires britanniques se déchirent sur des rochers et coulent au large de l'Angleterre.

Les instruments de l'époque n'étaient pas assez précis pour déterminer correctement la position d'un bateau. Une récompense est offerte à celui qui trouvera le moyen de se repérer en mer avec précision (document 6).

Doc 6

« En mer, impossible d'utiliser l'horloge à pendule. Les mouvements du bateau l'empêchent de fonctionner. Pourtant, l'utilité d'une horloge portative est ici très grande. Elle permet, si elle est suffisamment précise, de connaître la longitude* du bateau. C'est John Harrison qui fabrique le premier chronomètre de marine suffisamment précis en 1761. Il gagne, grâce à cet exploit, les 20 000 livres** offertes par le parlement britannique. »

Robert Pince, *Copain des sciences*, Paris, Milan, 1998.

(*) La longitude est un nombre qui mesure la position par rapport au méridien de Greenwich (ville anglaise près de Londres).
(**) La livre est la monnaie anglaise.

🔹 Relis les questions du paragraphe précédent.

🔹 Imagine que l'horloge retarde de 1 heure. Indique dans chaque cas où se trouve le navigateur.

Des bilans, des réponses : page 150

 ## Pour bien comprendre la question...

Tu as sûrement constaté que la <u>Lune</u> change de forme. Les astronomes disent qu'elle se présente sous différentes <u>phases</u> (documents 1 à 3).

Doc 1

Doc 2

Doc 3

- Dans ton cahier de sciences, prépare un tableau dans lequel tu noteras chaque fois que possible : la date, l'heure et la forme de la Lune.

- Combien de temps faut-il pour que la Lune retrouve la même forme ?

Voici ce que des élèves ont écrit pour expliquer la forme de la Lune.

Avant de faire les activités qui suivent, il est nécessaire que tu observes la Lune régulièrement.

> Les nuages passent devant la Lune. Ça fait des formes différentes.
>
> À mon avis, c'est la Terre qui projette son ombre sur la Lune.
>
> C'est parce que la Lune tourne autour de la Terre.

- Et toi, qu'en penses-tu ? Discutes-en avec tes camarades et note tes hypothèses sur ton cahier de sciences.

Des recherches pour répondre...

1. La forme de la Lune est-elle due aux nuages ?

Doc 4

Doc 5

- Penses-tu que des nuages comme ceux des documents 4 et 5 peuvent expliquer les différentes formes de la Lune ?

- Écris sur ton cahier de sciences ce que tu penses de l'hypothèse testée.

2. La forme de la Lune est-elle due à l'ombre de la Terre ?

• Réalise l'expérience du document 6 avec un spot, une grosse boule qui représente la Terre et une petite pour faire la Lune.

• Déplace la petite boule dans l'ombre de la grosse. Peux-tu, de cette façon, reproduire toutes les phases de la Lune dans l'ordre où tu les as observées ?

• Indique, sur ton cahier de sciences, si cette hypothèse est acceptable pour expliquer les phases de la Lune.

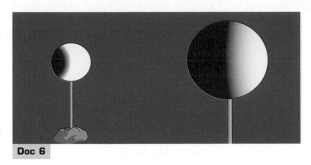

Doc 6

3. La forme de la Lune est-elle due à sa rotation autour de la Terre ?

Dans la situation du document 7, l'élève qui tient la Lune tourne autour des élèves qui font la Terre. Elle fait attention à ce qu'elle reste éclairée par le projecteur. Lorsqu'ils sont tournés du bon côté, les élèves qui représentent la Terre (au centre) voient donc la Lune.

• Observe la Lune depuis le centre. La vois-tu sous différentes phases ?

• Cette hypothèse est-elle acceptable pour expliquer la succession des phases de la Lune ?

• Dans quel sens la Lune se déplace-t-elle autour de la Terre ?

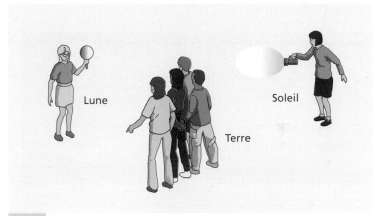

Doc 7

4. D'où vient la lumière du Soleil ?

• Reproduis le document 8 sur ton cahier de sciences.

• Indique par une légende la partie de la Lune éclairée et celle qui se trouve dans l'ombre.

• Le Soleil, invisible, est au-dessous de l'horizon. Mais est-il plutôt sur la gauche ou plutôt sur la droite du dessin ?

Doc 8

🔎 Pour être sûr d'avoir bien compris

Ces schémas (documents 9 et 10) représentent la position du Soleil, de la Terre et de la Lune.

⦂ Recopie-les sur ton cahier de sciences.

⦂ Sous chacun d'entre eux, dessine la phase de la Lune.

⦂ Réalise ainsi d'autres schémas et joue avec tes camarades.

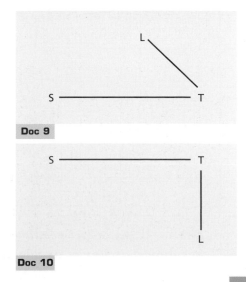

Doc 9

Doc 10

☀ **Des bilans, des réponses : page 150**

Qu'est-ce qu'une éclipse ?

Pour bien comprendre la question...

1. À quoi ressemble une éclipse de Soleil ?

Ne regarde jamais le Soleil directement : tu te brûlerais définitivement les yeux ! Pour observer une éclipse, il faut des lunettes spéciales.

Il arrive parfois, très rarement, qu'une <u>éclipse</u> totale de Soleil se produise. En France, la dernière a eu lieu le 11 août 1999 et la prochaine ne se manifestera pas avant 2081.

Les documents 1 à 4 présentent quatre étapes d'une éclipse de Soleil, telles que tu pourrais les observer à travers des lunettes spéciales. Il s'est écoulé plus de 1 heure entre la première et la dernière photographie. Le moment où le Soleil est complètement masqué (document 4) dure environ 2 minutes.

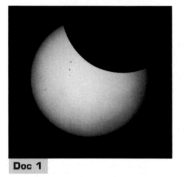

Doc 1

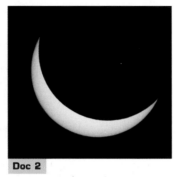

Doc 2

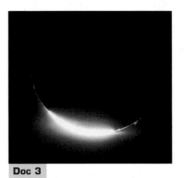

Doc 3

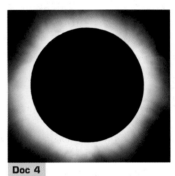

Doc 4

2. À quoi ressemble une éclipse de Lune ?

Il existe aussi des éclipses de Lune (documents 5 et 6). Elles sont beaucoup moins rares que les éclipses de Soleil. Le document 6 présente une éclipse totale de Lune.

3. Qu'est-ce qu'une éclipse de Soleil ?
Qu'est-ce qu'une éclipse de Lune ?

Un maître a posé ces deux questions à ses élèves. Voici ce que certains d'entre eux ont écrit et dessiné :

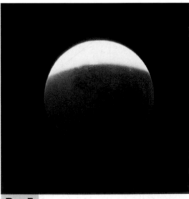

Doc 5

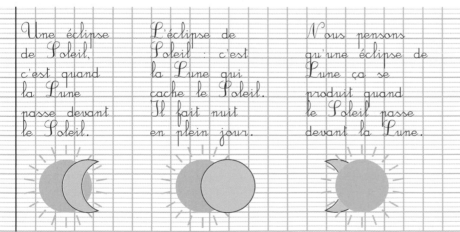

> Une éclipse de Soleil, c'est quand la Lune passe devant le Soleil.
>
> L'éclipse de Soleil : c'est la Lune qui cache le Soleil. Il fait nuit en plein jour.
>
> Nous pensons qu'une éclipse de Lune ça se produit quand le Soleil passe devant la Lune.

• Et toi qu'aurais-tu répondu à ces deux questions ? Note-le sur ton cahier de sciences et fais un dessin.

Doc 6

1. Une boule peut-elle cacher une lampe de poche ?

• Observe les documents 7, 8 et 9. L'élève peut-il voir la lampe de poche ? Qu'est-ce qui permet de le dire ?

• Dessine dans ton cahier de sciences ce qu'il peut voir dans chacun de ces trois cas.

Pour t'aider...

Va voir dans l'encyclopédie à <u>lumière</u> et à <u>ombre</u>.

Doc 7

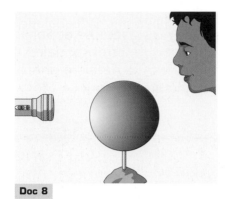

Doc 8

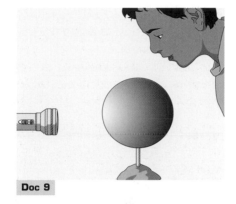

Doc 9

2. La Lune peut-elle cacher le Soleil ?

• Mets en place l'expérience du document 10 et fais tourner la Lune autour de la Terre.

• Est-il possible qu'un petit bonhomme placé sur le globe ne voit pas le Soleil ? Si c'est le cas, dessine sur ton cahier de sciences le Soleil, la Terre et la Lune au moment où cela se produit. Colorie où se trouve le bonhomme.

Doc 10

3. La Terre peut-elle projeter son ombre sur la Lune ?

• Mets en place l'expérience du document 11 et fais tourner la Lune autour de la Terre.

• Est-il possible qu'un petit bonhomme placé sur le globe voit l'ombre de la Terre se projeter sur la Lune ? Si c'est le cas, dessine sur ton cahier de sciences, le Soleil, la Terre et la Lune au moment où cela se produit et colorie où se trouve le bonhomme.

• Au même moment, des spationautes sont en train de travailler sur la Lune. Voient-ils une éclipse ? Rédige une explication sur ton cahier de sciences.

Doc 11

Pour t'aider...

Cherche dans l'encyclopédie à <u>système solaire</u> et à <u>Lune</u> des informations sur les distances entre la Terre, le Soleil et la Lune.

🔍 Pour être sûr d'avoir bien compris

• Relis les trois hypothèses faites par les élèves et indique, pour chacune d'elles, si elle est acceptable ou non. Justifie ta réponse.

Pour bien comprendre la question...

Les montres à quartz que tu connais n'ont pas toujours existé. Dans l'Antiquité, on mesurait le temps avec des horloges à eau, des clepsydres (document 1) et des sabliers (document 2). Les horloges ont été inventées au Moyen Âge, mais elles étaient très imprécises. Ce problème n'a été réglé qu'au XVIIe siècle, avec l'invention du balancier qu'on voit encore dans les horloges comtoises (document 3).

Doc 1 Une clepsydre égyptienne.

Doc 2 Un sablier.

Doc 3 Une horloge comtoise.

Tu vas étudier le fonctionnement des instruments les plus anciens (la clepsydre, le sablier) et le principe des horloges comtoises à balancier.

Des recherches pour répondre...

1. Comment construire une clepsydre ?

- Perce une bouteille en plastique transparent à 2 cm du fond (utilise un clou chauffé, sous la surveillance de ton maître), puis bouche le trou avec de la pâte adhésive.
- Place deux règles sur une cuvette et pose la bouteille dessus (document 4).
- Remplis la bouteille d'eau jusqu'au goulot.
- Enlève la pâte adhésive et fais un trait au feutre ineffaçable sur la bouteille toutes les 10 s pour marquer le niveau de l'eau.
- D'après toi, de quoi dépend la vitesse d'écoulement de l'eau ? Note tes hypothèses sur ton cahier de sciences et vérifie-les en fabriquant d'autres clepsydres.
- Utilise ta clepsydre pour faire une mesure : par exemple celle qui s'écoule entre deux instants indiqués par ton maître. Compare ton résultat à celui des autres groupes. Que penses-tu de la précision de la clepsydre ?

La bouteille te sert d'instrument de mesure. En y traçant des graduations, on dit, dans le langage scientifique, que tu as « étalonné » ton instrument.

Doc 4

2. Comment construire un sablier ?

• Élabore toi-même ta construction en t'aidant du document 2 et de la liste de matériel que tu peux compléter.

• Rédige la fiche de fabrication de ton sablier sur ton cahier de sciences (→ fiche « méthode » sur le rabat droit de ton livre).

Matériel
– deux bouteilles en plastique
– du sable sec
– un clou
– un feutre ineffaçable

3. Comment fonctionnent les balanciers ?

a. Comment compter dix allers-retours du balancier ?

Des élèves ont reproduit le système du balancier en attachant une masse à une ficelle.

Doc 5

• Observe les trois séquences du document 5. La première image représente le moment où un élève lâche le balancier. À partir de cet instant, il se met à compter dix allers-retours.

• Dans quel cas l'enfant compte-t-il correctement ?

• Entraîne-toi à mesurer la durée de dix allers-retours avant de faire l'activité suivante.

b. De quoi dépend la durée des dix allers-retours ?

Des élèves ont fait des hypothèses.

> Si on écarte beaucoup le balancier, il va mettre plus longtemps pour faire dix allers-retours.
>
> Avec une ficelle plus longue, le balancier va mettre plus de temps.
>
> Si le balancier est plus lourd, il va se balancer plus doucement. Il va mettre plus de temps.

• Que penses-tu de chaque hypothèse ?

• Fabrique à ton tour un balancier.

• Teste chaque hypothèse. Note tes résultats dans un tableau comme celui-ci.

• Rédige une conclusion.

• Propose une solution pour régler une horloge comtoise qui avance.

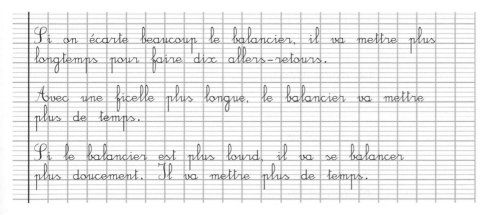

	L'ÉCART VARIE		LA LONGUEUR VARIE		LA MASSE VARIE	
			30 cm	60 cm	100 g	500 g
Durée de dix allers-retours						

Des bilans, des réponses...

(51) Pourquoi a-t-on fait un procès à Galilée ? ....

• Autrefois, on pensait comme Ptolémée que la Terre était le centre du monde. Copernic, puis d'autres savants comme Galilée, ont affirmé que **c'est le Soleil qui occupe le centre de l'Univers. La Terre, elle, tourne autour du Soleil** comme toutes les autres planètes du système solaire.

• On sait maintenant que Copernic et Galilée avaient raison. Mais il est très difficile de le prouver. **Aucune expérience simple ne permet de dire que l'hypothèse de Ptolémée est fausse et que celle de Copernic est juste.**

(52) Comment un explorateur connaît-il sa position sur Terre ? ....

• Pour connaître sa position, l'explorateur peut comparer l'heure du lieu où il se trouve (indiquée par un cadran solaire) à celle fournie par une horloge réglée à l'heure de Paris.

• En effet, **plus il s'éloigne vers l'Est ou vers l'Ouest, plus l'écart entre le cadran et l'horloge augmente.**

• En regardant une carte des **fuseaux horaires**, il peut savoir où il se trouve.

4. Le navigateur est : en Malaisie ; dans l'océan Indien ; en Nouvelle-Guinée.

1. C'est Bob qui téléphone.

RÉPONSES

(53) Pourquoi la Lune change-t-elle de forme ? ....

• Le Soleil éclaire toujours la moitié de la Lune.
• **Cette partie éclairée prend différentes formes (ou phases) parce que la Lune tourne autour de la Terre.**

10. ☽

Phase de la Lune qui correspond au doc 9 : ☾ ; au doc

4. Le Soleil est dans la direction de la partie éclairée de la Lune.

RÉPONSES

(54) Qu'est-ce qu'une éclipse ? ....

Il y a deux sortes d'éclipses.

• Au cours d'une **éclipse de Soleil**, la Lune s'intercale exactement entre la Terre et le Soleil. **L'ombre de la Lune se projette sur une petite région de la Terre.** Seuls les gens qui se trouvent dans cette région peuvent voir l'éclipse. Pour eux, c'est la nuit en pleine journée.

• Au cours d'une **éclipse de Lune**, la Lune passe **dans l'ombre de la Terre.** Tous les gens qui se trou-

vent dans la bonne moitié de la Terre peuvent voir l'éclipse. La Lune reste visible, mais prend une couleur rouge sombre.

celui-ci.

3. Des spationautes travaillant sur la Lune verraient une éclipse de Soleil due au passage de la Terre devant

thèse 1 est juste, mais pas le dessin.

Seule l'hypothèse 2 est acceptable. Le texte de l'hypo-

RÉPONSES

(55) Comment mesurer des durées ? ....

• Avec une clepsydre, **c'est l'écoulement de l'eau qui permet de repérer l'écoulement du temps.** La vitesse à laquelle s'écoule l'eau n'est pas la même du début à la fin : **les graduations sont plus espacées au début.** Elle dépend aussi de la **dimension du trou**.

• Un sablier sert à indiquer une durée. Du sable sec s'écoule d'un récipient vers un autre à travers un trou. **La durée de l'écoulement est toujours la même.**

• **La durée de dix allers-retours d'un balancier dépend de la longueur de la ficelle** et non de la masse qui y est accrochée. L'écartement qu'on donne à la ficelle n'a presque pas d'influence.

la longueur du balancier.

3b. Pour régler une horloge qui avance, on augmente

3a. C'est la séquence B qui est la bonne.

RÉPONSES

Fuseaux horaires ; cycle de la Lune

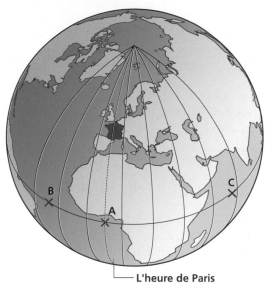

— L'heure de Paris

Le navigateur se déplace sur l'équateur.

- Si son cadran solaire indique l'heure de Paris, c'est qu'il est en A.
- Si son cadran solaire indique 2 heures de moins qu'à Paris, c'est qu'il est en B.
- Si son cadran solaire indique 4 heures de plus qu'à Paris, c'est qu'il est en C.

SOLEIL (TRÈS LOIN)

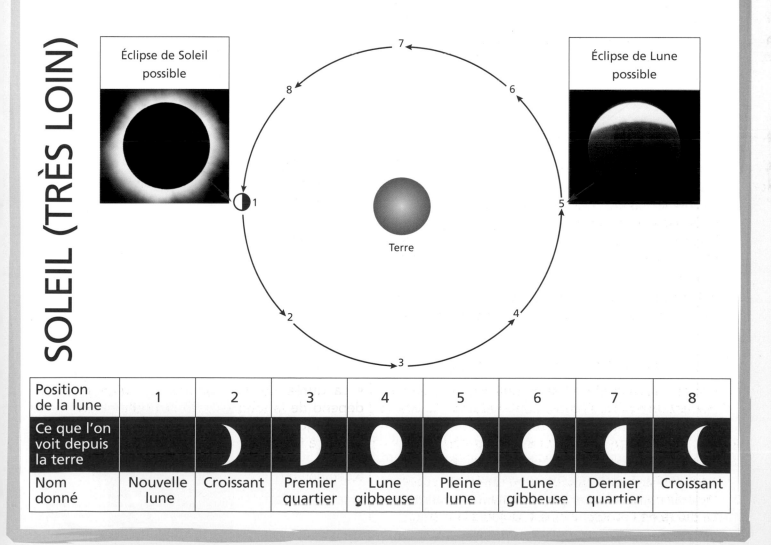

Éclipse de Soleil possible

Éclipse de Lune possible

Terre

Position de la lune	1	2	3	4	5	6	7	8
Ce que l'on voit depuis la terre								
Nom donné	Nouvelle lune	Croissant	Premier quartier	Lune gibbeuse	Pleine lune	Lune gibbeuse	Dernier quartier	Croissant

Pourquoi la terre tremble-t-elle ?

👁 Pour bien comprendre la question...

Le document 1 présente les principaux tremblements de terre (ou séismes) qui ont eu lieu entre 1993 et 2003.

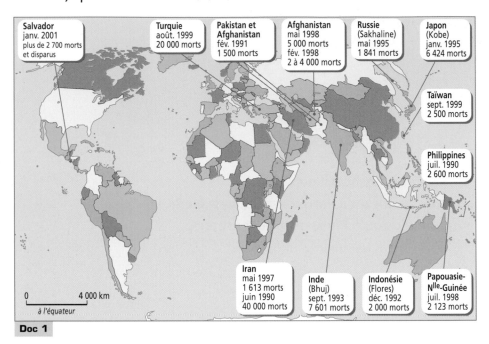

Salvador
janv. 2001
plus de 2 700 morts
et disparus

Turquie
août. 1999
20 000 morts

Pakistan et Afghanistan
fév. 1991
1 500 morts

Afghanistan
mai 1998
5 000 morts
fév. 1998
2 à 4 000 morts

Russie
(Sakhaline)
mai 1995
1 841 morts

Japon
(Kobe)
janv. 1995
6 424 morts

Taïwan
sept. 1999
2 500 morts

Philippines
juil. 1990
2 600 morts

Iran
mai 1997
1 613 morts
juin 1990
40 000 morts

Inde
(Bhuj)
sept. 1993
7 601 morts

Indonésie
(Flores)
déc. 1992
2 000 morts

Papouasie-Nlle-Guinée
juil. 1998
2 123 morts

0   4 000 km
à l'équateur

Doc 1

• Renseigne-toi sur ces tremblements de terre en consultant des magazines ou Internet.

• À ton avis, pourquoi certains séismes font-ils plus de victimes que d'autres ?

🔍 Des recherches pour répondre...

1. Que se passe-t-il lors d'un séisme ?

Étudions le cas du tremblement de terre au Salvador en 2001.

• Lis le document 2 et observe le document 3.

Doc 2

Le 13 janvier 2001, un tremblement de terre a touché le Salvador et a été ressenti, sans faire de dégâts, jusqu'au Mexique et en Colombie.

Les secousses ont duré une trentaine de secondes. Le bilan définitif fait état de 2 700 tués, 4 723 blessés, 108 226 maisons détruites et 150 000 immeubles endommagés. Ce séisme a eu une <u>magnitude</u> de 7,7 sur l'échelle de Richter et l'<u>intensité</u> des dégâts à San Salvador a été évaluée à 9 sur l'échelle MSK.

• Réponds aux questions suivantes dans ton cahier de sciences :

– situe ce tremblement de terre sur le document 2, page 156 ;

– quelle est la durée de ce séisme ?

– pourquoi a-t-on attribué la valeur 9 à l'intensité du séisme à San Salvador ?

– quelle valeur donnes-tu à l'intensité de ce séisme à Mexico ?

Pour t'aider...
Va voir dans l'encyclopédie à <u>intensité d'un tremblement de terre</u>.

Doc 3 Tremblement de terre au Salvador.

2. Quelles sont les causes profondes des séismes ?

● Lis le document 4 et observe le document 5.

Doc 4

Le 17 octobre 1989, un violent séisme (6,9 sur l'échelle de Richter) a fait de gros dégâts et 63 morts à San Francisco. Ce séisme est dû à l'activité de la <u>faille</u> de San Andreas, une cassure qui sépare la plaque américaine à l'Est et la plaque Pacifique à l'Ouest.

Quand un brusque déplacement des deux <u>plaques lithosphériques</u> se produit, cela engendre des cassures en profondeur. À partir de ce point, appelé le foyer, des ondes se propagent dans toutes les directions.

Doc 5 Carte de la Californie.

Doc 6 La faille de San Andreas.

● Pose un calque sur le document 6 : dessine la faille de San Andreas et la rivière.

● Indique avec des flèches le sens dans lequel les blocs ont bougé l'un par rapport à l'autre.

● À quoi sont dus les séismes ?

● Pourquoi les dégâts sont-ils plus importants dans la zone de l'épicentre ?

Pour être sûr d'avoir bien compris

● Empile trois couches de pâtes à modeler de couleurs différentes pour former un seul bloc.

● Coupe ce bloc en deux avec un couteau et fais glisser les deux morceaux l'un par rapport à l'autre.

● Représente le résultat de ta manipulation par un schéma sur ton cahier et compare-le avec ton dessin de la faille de San Andreas.

Pour t'aider...
Va voir dans l'encyclopédie à <u>épicentre</u>.

Fais attention à ne pas déformer le bloc de pâte à modeler en le coupant.

Pour aller plus loin

Sais-tu comment on essaie de limiter les dégâts dus aux séismes ? Consulte l'encyclopédie à <u>prévention des risques sismiques</u>.

Que se passe-t-il lors d'une éruption volcanique ?

👁 Pour bien comprendre la question...

En 1902, une terrible éruption volcanique s'est produite à la Martinique, aux Antilles (document 1).

Doc 1

Le 8 mai 1902, vers 8 heures, une formidable explosion se produit et une nuée ardente (c'est-à-dire une énorme masse de gaz, de cendres et de blocs de roche chauffés à 800 °C) dévale la pente de la montagne Pelée à 500 km/h. La ville de Saint-Pierre est complètement anéantie (document 2) et près de 28 000 personnes sont tuées.

Malgré des signes qui annonçaient l'éruption (émission de fumée et petites explosions), le gouverneur de la ville n'avait pas fait évacuer la population.

Doc 2

- Situe les Antilles et la Martinique sur le document 3 page 157.
- D'après le document 1, quels sont les événements et les produits émis au cours de l'éruption ?

La ville de Saint-Pierre et ses habitants ont été anéantis. Mais toutes les éruptions volcaniques sont-elles aussi dangereuses et meurtrières ? Peut-on surveiller les <u>volcans</u> et prévoir les éruptions ?

Tu vas le découvrir grâce aux activités qui suivent.

🔍 Des recherches pour répondre...

1. Qu'est-ce qu'une éruption explosive ?

- Lis le document 3.

Doc 3

Montserrat, petite île des Antilles, a connu en juillet 1995 une éruption volcanique. Une violente explosion a projeté à plusieurs kilomètres d'altitude des panaches de gaz, de cendres et de blocs rocheux (document 4). Des nuées ardentes ont dévalé la pente du volcan, détruisant tout sur leur passage. Un dôme s'est mis en place dans l'ancien cratère, à partir d'une lave épaisse, visqueuse.

Plymouth, la capitale qui fut évacuée à temps, a été recouverte de cendres.

Tu comprends l'intérêt de surveiller les volcans...

- Recopie ce tableau et remplis-le grâce aux informations du texte.

NOM DU VOLCAN	ÉVÉNEMENTS	PRODUITS ÉMIS	TYPE D'ÉRUPTION

Doc 4 Panaches lors de l'éruption de Montserrat.

- Quels faits donnent une idée de la puissance de l'explosion ?
- Compare cette éruption avec celle de la montagne Pelée. Te paraissent-elles très différentes ou plutôt semblables ?
- Pourquoi n'y a-t-il pas eu de morts lors de cette éruption ?

Pour t'aider...

Va voir dans l'encyclopédie à <u>magma</u>.

2. Qu'est-ce qu'une éruption effusive ?

- Lis le document 5.

Doc 5

Le Piton de la Fournaise, dans l'île de la Réunion, est l'un des volcans les plus actifs au monde.

Le 20 mars 1986, une fissure longue de 700 mètres s'est ouverte au sommet du volcan : des fontaines de lave ont jailli (document 6). Deux coulées ont dévalé la pente pour finir par traverser la route nationale. Une troisième coulée a atteint la mer.

- Situe l'île de La Réunion sur le document 3 page 157.
- Reprends ton tableau. Complète-le avec les données du document 5.
- La lave émise est-elle visqueuse ou fluide ?
- Cette éruption te semble-t-elle aussi dangereuse que celle de Montserrat ?
- À ton avis, comment peut-on surveiller les volcans ?

Pour t'aider...

Va voir dans l'encyclopédie à <u>surveillance des volcans</u>.

Pour aller plus loin

Pour avoir une description précise d'une des nombreuses éruptions volcaniques du Piton de la Fournaise, consulte le site Internet de la maison des volcans : <u>www.reunionmuseo.com</u>.

Doc 6 Le Piton de la Fournaise en 1986.

👁 Pour bien comprendre la question...

En 1967, Arette, un village des Pyrénées, a été presque entièrement détruit par un séisme de magnitude 5,7.

• Cite les régions de France où les risques sont moyens, voire importants (document 1).

Pourquoi certaines régions présentent-elles plus de risques sismiques que d'autres ?

C'est ce que tu vas apprendre grâce aux activités qui suivent.

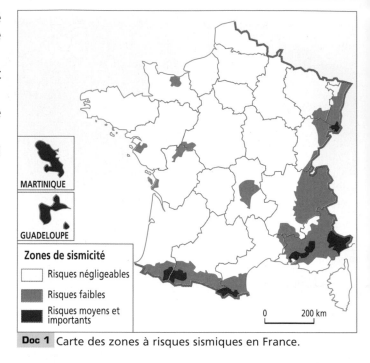

MARTINIQUE

GUADELOUPE

Zones de sismicité
  ☐ Risques négligeables
  ▦ Risques faibles
  ■ Risques moyens et importants

0   200 km

Doc 1 Carte des zones à risques sismiques en France.

🔍 Des recherches pour répondre...

1. Comment sont répartis les séismes dans le monde ?

Doc 2 Carte des principaux séismes dans le monde.

//// Principales zones sismiques

0   4 000 km
à l'équateur

• Décalque la carte des séismes (document 2).

• Écris le nom des continents et des océans.

• Place sur ce calque les séismes que tu as vus dans l'enquête 56 (San Salvador et San Francisco).

• Décris la répartition géographique des principaux séismes.

Pour t'aider...

Va voir dans l'encyclopédie à structure de la terre.

2. Comment sont répartis les principaux volcans dans le monde ?

Doc 3 Carte de répartition des volcans dans le monde.

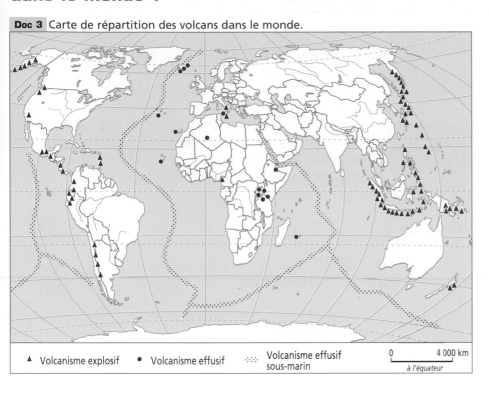

▲ Volcanisme explosif   ● Volcanisme effusif   ⋯⋯ Volcanisme effusif sous-marin

0   4 000 km
à l'équateur

- Place le calque que tu as réalisé sur la carte des volcans (document 3).
- Indique en rouge la répartition des principaux volcans actifs.
- Situe la montagne Pelée, l'île de Montserrat et le Piton de la Fournaise.
- Décris la répartition géographique des volcans actifs.
- Compare la répartition des séismes avec celle des volcans.

3. Que nous apprend la comparaison des deux cartes ?

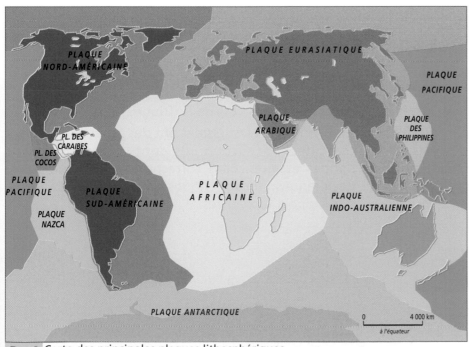

Doc 4 Carte des principales plaques lithosphériques.

- Superpose ton calque sur la carte des principales <u>plaques lithosphériques</u> (document 4).
- Où se situe la majorité des volcans et des séismes ?

Pour t'aider...

Va voir dans l'encyclopédie les mots <u>structure de la Terre</u> et <u>tectonique des plaques</u>.

On connaît les zones à risque, mais on ne peut pas prévoir quand va survenir un séisme.

🔍 Pour être sûr d'avoir bien compris

- Explique pourquoi le Sud de la France est une zone à risque.

Des bilans, des réponses...

56 **Pourquoi la terre tremble-t-elle ?** ....

• Un tremblement de terre (ou **séisme**) se traduit par des secousses plus ou moins violentes, relativement brèves, mais qui provoquent parfois de gros dégâts.

• On évalue l'**intensité** des tremblements de terre en fonction de l'importance de ces dégâts. On utilise aussi les enregistrements fournis par les **sismographes**.

• Les tremblements de terre sont dus à des cassures dans les roches situées dans les profondeurs de la Terre : c'est ce qu'on appelle le **foyer du séisme**. La région située à la verticale du foyer est celle qui est la plus touchée : c'est l'**épicentre du séisme**. La cassure des roches au niveau du foyer est due aux mouvements de rapprochement ou d'écartement des plaques lithosphériques.

57 **Que se passe-t-il lors d'une éruption volcanique ?** ....

• Les éruptions volcaniques sont provoquées par le magma (un mélange de gaz et de roche en fusion) qui remonte par des fissures depuis les profondeurs de la Terre (environ 100 km) jusqu'à la surface.

• Lors d'une **éruption effusive**, le magma remonte sans difficulté vers le sommet du volcan car il est fluide. Une lave fluide, elle aussi, s'écoule ensuite le long des pentes.

• Lors d'une **éruption explosive**, le magma remonte avec difficulté car il est visqueux. De violentes explosions se produisent : elles projettent vers le ciel des gaz, des fragments de lave, des cendres et des blocs de roche.

58 **Y a-t-il des zones à risques ?** ....

• Les foyers des séismes sont répartis dans le monde en trois grandes zones : la côte du Pacifique, les Antilles, la limite des continents eurasiatique et africain.

• La plupart des volcans explosifs sont situés sur le pourtour du Pacifique et dans les Antilles. Les volcans effusifs, eux, sont principalement situés au fond des océans, mais on retrouve le même type de volcans dans l'Est de l'Afrique.

• Les volcans et les séismes ont des répartitions qui coïncident beaucoup. Ils sont situés sur des bandes étroites. Elles correspondent aux limites des plaques lithosphériques qui bougent les unes par rapport aux autres.

Volcans et séismes

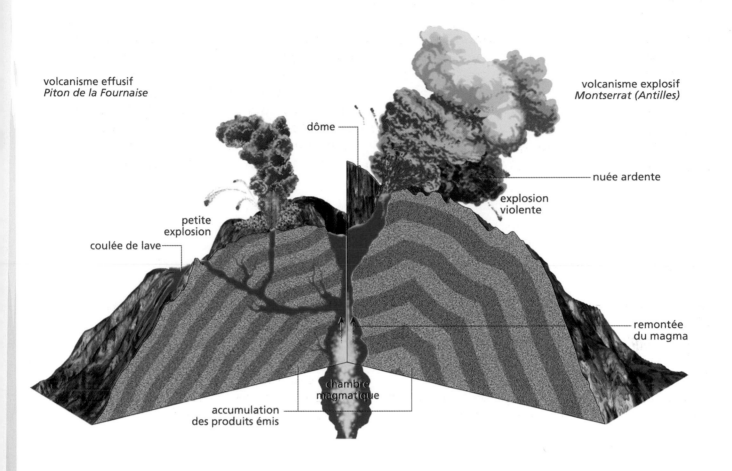

volcanisme effusif
Piton de la Fournaise

volcanisme explosif
Montserrat (Antilles)

dôme

nuée ardente

explosion
violente

petite
explosion

coulée de lave

remontée
du magma

chambre
magmatique

accumulation
des produits émis

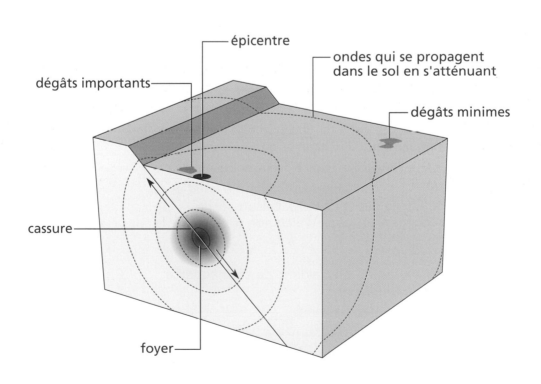

épicentre

ondes qui se propagent
dans le sol en s'atténuant

dégâts importants

dégâts minimes

cassure

foyer

Ai-je compris ? Ai-je retenu ?

(a) J'utilise mes connaissances ....

1. Observe ce dessin.

✔ Trouve les deux erreurs qu'il comporte.

✔ Recopie-le en le corrigeant sur ton cahier de sciences.

✔ Indique sur ton dessin où sera le Soleil et où sera la Lune 2 heures plus tard.

2. Un élève a représenté la « course du Soleil » à des dates différentes, mais sur le même dessin.

– Il a noté les dates : 2 décembre, 12 mars et 29 mai.

– Il a noté les heures auxquelles le Soleil apparaît le matin : 7 heures 45, 8 heures 55, 6 heures 30.

– Il a aussi noté les heures auxquelles le Soleil disparaît en fin d'après-midi : 21 heures 10, 16 heures 35, 18 heures 20. Ces dates et ces heures sont ici données dans le désordre.

✔ Mets-les en ordre dans un tableau comme celui-ci.

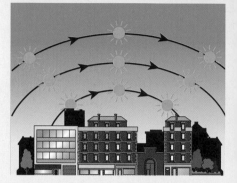

« COURSE DU SOLEIL »	DATE	HEURE OÙ LE SOLEIL APPARAÎT	HEURE OÙ LE SOLEIL DISPARAÎT
A			
B			
C			

(b) J'utilise une maquette pour raisonner ....

1. Fabrique une maquette comme celle du dessin. Utilise une boule de polystyrène ou, tout simplement, une orange ou une mandarine.

✔ Place Paris (ou n'importe quelle ville de France métropolitaine).

✔ Place approximativement les villes suivantes, en t'aidant d'un atlas ou d'un planisphère : Saint-Louis (ville des États-Unis), Calcutta (ville d'Inde), Lomé (capitale du Togo, en Afrique), Wellington (capitale de la Nouvelle-Zélande).

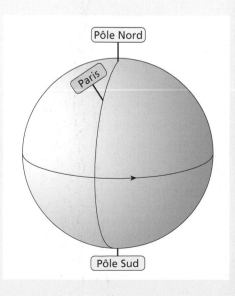

2. Réponds par « vrai » ou « faux » en t'aidant de ta maquette. Corrige les phrases qui sont fausses.

✔ Lorsqu'il est midi à Paris, c'est le matin à Lomé.

✔ Lorsque c'est la nuit à Saint-Louis, c'est la journée à Calcutta.

✔ Lorsque le Soleil se lève à Wellington, il est midi à Paris.

✔ Lorsque le Soleil se lève à Calcutta, c'est minuit à Wellington.

✔ Lorsqu'il est midi à Lomé, le Soleil se couche à Saint-Louis.

✔ Lorsqu'il fait jour dans l'hémisphère Nord, il fait nuit dans l'hémisphère Sud.

ⓒ J'exploite un graphique ....

Un élève a fabriqué une clepsydre en graduant une bouteille tous les 5 cm. Il a ensuite mis de l'eau et a débouché le trou de la clepsydre.
Il a pu ainsi tracer le graphique suivant.

✔ Quelle hauteur d'eau l'élève a-t-il mis avant de déboucher le trou ?

✔ Quelle est la hauteur d'eau au bout de : 15 secondes ? 30 secondes ? 1 minute ? 1 minute 30 ?

✔ Au bout de combien de temps la courbe ne descend-elle plus ? Pour quelle raison ?

✔ À quelle hauteur le trou a-t-il été percé ?

✔ Reproduis le graphique dans ton cahier. La courbe serait-elle différente si le trou était plus petit ? Dessine ce que tu prévois en utilisant une autre couleur.

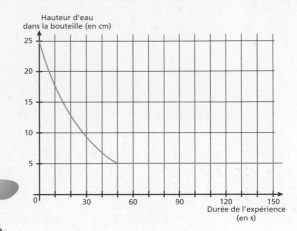

ⓓ J'utilise mes connaissances ....

Recopie ces événements dans l'ordre chronologique.

✔ Une cassure brusque se produit dans la roche.

✔ Des ondes sismiques naissent et se propagent dans le sol.

✔ Des forces s'exercent sur les roches.

✔ Des immeubles, des maisons s'effondrent.

ⓔ Je comprends le sens d'un texte documentaire ....

Réponds aux questions suivantes après avoir lu le texte.

✔ Situe le volcan sur une carte.

✔ Indique les différents événements et les produits émis.

✔ Précise le type de cette éruption volcanique (effusive ou explosive).

L'éruption du mont Saint-Helens

Localisation : États-Unis d'Amérique, côte ouest.

Altitude : 2 550 m (2 950 m avant l'éruption).

Dès mars 1980, après 123 ans d'inactivité, le mont Saint-Helens présente les signes d'un réveil : de petits tremblements de terre se succèdent, suivis d'une faible explosion le 27 mars.

Le 18 mai, après un violent séisme, tout le flanc nord du volcan s'écroule, formant une avalanche de débris qui dévale la pente. Deux violentes explosions retentissent alors : un panache monte dans le ciel jusqu'à 25 km d'altitude et un second apparaît sur le flanc du volcan. Cette nuée, chauffée à 260 °C, se déplace à 1 100 km/h et dévaste tout jusqu'à 25 km de sa zone d'émission.

Après cette éruption, le volcan a perdu 400 m de hauteur et présente un cratère de 700 m de profondeur. Plus tard, un dôme se met en place.

L'éruption a fait 60 morts, détruit 300 km de routes, pulvérisé des milliers d'arbres, tué 6 500 cerfs, 200 ours noirs et de nombreux oiseaux.

Comment prévenir par un témoin lumineux qu'un réservoir se vide ?

Pour bien comprendre la question...

Tu as sûrement remarqué qu'une sonnerie retentit lorsque la cuisson d'un plat au four à micro-ondes est terminée ou encore qu'un témoin lumineux est allumé lorsque le poste de télévision est en veille.

Le document 1 représente le tableau de bord d'une voiture. Il comporte un voyant lumineux qui s'allume lorsque le réservoir d'essence est presque vide.

En faisant les activités qui suivent, tu vas comprendre comment une ampoule peut s'allumer lorsqu'un réservoir se vide.

voyant lumineux

Doc 1

Des recherches pour répondre...

Pour résoudre ce problème, il faut savoir réaliser un <u>circuit électrique</u>. C'est facile et tu l'as peut-être déjà fait au cycle 2.

1. Comment éteindre et allumer l'ampoule ?

Un élève se souvient d'un montage qu'il a réalisé au cycle 2 pour remplacer un interrupteur. Il comporte deux rectangles découpés dans du carton et entourés de papier d'aluminium (document 2).

- Réalise ce montage.
- Dessine-le dans ton cahier (→ fiche « méthode » p. 165) lorsque l'ampoule est allumée. Repasse en rouge le circuit électrique, c'est-à-dire la boucle par laquelle l'électricité circule.
- Le système fonctionnerait-il si le carton n'avait pas été recouvert d'aluminium ?

Tu comprendras mieux le rôle de l'aluminium lorsque tu auras fait l'enquête 61.

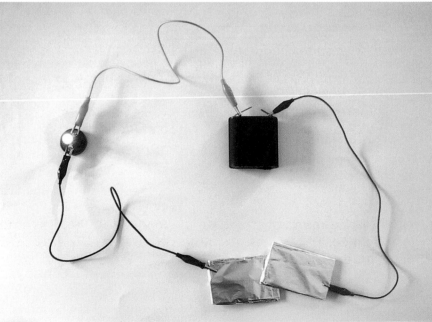

Doc 2

2. Comment imagines-tu le circuit du réservoir d'essence ?

Pour faire le réservoir, utilise une bouteille en plastique dont le fond a été découpé par ton maître. Pour la vider, il suffit de dévisser lentement le bouchon au-dessus d'une cuvette.

- Commence par réfléchir : en échangeant avec quelques camarades, tu vas peut-être trouver un montage qui convient.
- Dessine le circuit que tu as imaginé.

N'utilise surtout pas d'essence ! Prends de l'eau à la place.

3. Que penses-tu de ces montages ?

Voici les montages imaginés par trois groupes d'élèves (documents 3 à 5).

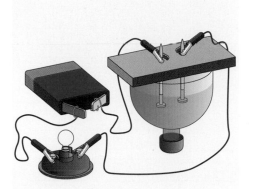

Doc 3 Montage du groupe 1.

Doc 4 Montage du groupe 2.

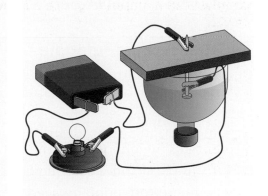

Doc 5 Montage du groupe 3.

- Observe chacun de ces montages.
- Recopie le tableau suivant sur ton cahier et indique si l'ampoule est allumée ou éteinte.

	MONTAGE DU GROUPE 1	MONTAGE DU GROUPE 2	MONTAGE DU GROUPE 3
Récipient plein			
Récipient vide			

- Réalise ensuite chaque montage pour vérifier tes prévisions.
- Indique quel est celui qui permet d'allumer l'ampoule lorsque le récipient se vide.
- Compare ce montage avec le circuit que tu avais imaginé : avais-tu oublié des choses ou fait des erreurs ? Lesquelles ?

Fais cette activité avec un petit groupe de camarades.

Pour être sûr d'avoir bien compris

- Dessine le montage correct dans ton cahier lorsque l'ampoule est allumée. Repasse en rouge la boucle qui constitue le circuit électrique.

Pour aller plus loin

Invente une alarme qui prévient lorsqu'un récipient va déborder. Pour cela, utilise un <u>vibreur</u>.

Des bilans, des réponses : page 170

👁 Pour bien comprendre la question...

Dans une voiture, lorsque le conducteur veut allumer ses phares, il actionne une manette : tous les feux s'allument alors en même temps. Lorsqu'il veut les éteindre, il actionne la même manette.

Pour comprendre comment cela fonctionne, tu vas construire une maquette de voiture. Les ampoules devront s'allumer ou s'éteindre en même temps lorsque tu actionneras un interrupteur.

Pour simplifier, ta maquette ne comportera que les deux phares avant.

🔍 Des recherches pour répondre...

1. Quel circuit imagines-tu pour ta maquette ?

Dans une vraie voiture, il n'y a qu'une batterie pour alimenter toutes les ampoules. Dans ta maquette, tu n'utiliseras donc qu'une seule pile. Tu disposes aussi du matériel suivant.

- Imagine un <u>circuit électrique</u> pour que deux ampoules s'allument et s'éteignent en même temps. Dessine-le dans ton cahier.
- Réalise le circuit électrique que tu as imaginé. Convient-il ?
- Compare ton montage avec ceux de tes camarades.

Matériel

- deux ampoules
- deux douilles
- un interrupteur
- des fils de connexion

2. Ces montages conviendraient-ils pour la maquette ?

- Observe les montages proposés par des élèves (documents 1 à 4).

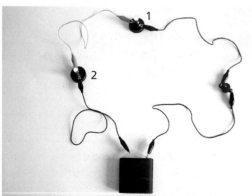

Doc 1 Montage du groupe 1.

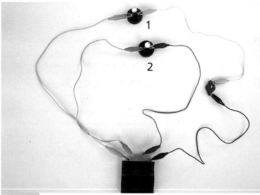

Doc 2 Montage du groupe 2.

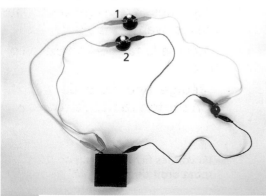

Doc 3 Montage du groupe 3.

Doc 4 Montage du groupe 4.

• Recopie le tableau suivant sur ton cahier et indique ce qui se passe pour chaque ampoule.

	MONTAGE 1	MONTAGE 2	MONTAGE 3	MONTAGE 4
L'ampoule n° 1 peut-elle s'allumer et s'éteindre si on actionne l'interrupteur ?				
L'ampoule n° 2 peut-elle s'allumer et s'éteindre si on actionne l'interrupteur ?				
Le montage convient-il pour la maquette ?				

• Réalise ensuite chaque montage pour vérifier tes prévisions.

3. La solution approche !

Voici ce que dit un élève : « Dans une voiture, lorsqu'une ampoule grille, l'autre ne s'éteint pas, heureusement ! ».

• Pour trouver le circuit qui convient, dévisse une ampoule pour faire comme si elle grillait.

• Dessine le montage correct sur ton cahier de sciences (→ fiche « méthode »).

• Compare-le à ton hypothèse : avais-tu fait des erreurs ? Corrige-les sur ton cahier.

Pour t'aider...

Va voir dans l'encyclopédie à circuit électrique.

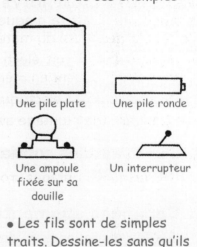

Pour dessiner un circuit électrique

• Ne représente pas tous les détails, mais seulement l'allure générale et les parties importantes.

• Aide-toi de ces exemples :

Une pile plate   Une pile ronde

Une ampoule fixée sur sa douille   Un interrupteur

• Les fils sont de simples traits. Dessine-les sans qu'ils se croisent.

4. Pour construire la voiture

Tu sais maintenant quel est le circuit électrique qui convient pour ta maquette de voiture. Tu vas la construire en observant ce modèle (document 5).

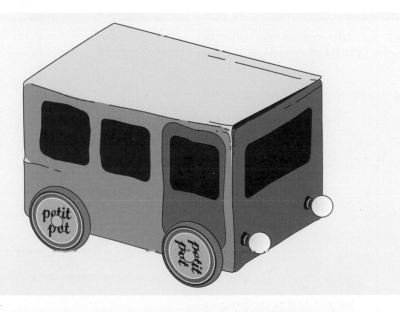

Doc 5

La voiture est en carton et possède quatre roues. Le toit s'ouvre pour qu'on puisse accéder au circuit électrique caché à l'intérieur. Les deux ampoules représentant les phares avant sont visibles.

• Réalise la fabrication de la voiture.

• Rédige une fiche de fabrication sur ton cahier de sciences.

Pour t'aider...

Va voir les fiches « méthode » sur le rabat droit de ton manuel.

Des bilans, des réponses : page 170

👁 Pour bien comprendre la question...

Lors d'une électrocution, l'électricité traverse le corps, ce qui peut entraîner la mort si le <u>voltage</u> est important.

Le tableau suivant te donne quelques indications sur les dangers liés au voltage.

> Ne touche jamais un fil électrique s'il n'est pas entouré d'une gaine en plastique. En France, il y a **180 morts** par électrocution chaque année ! Beaucoup sont des enfants.

	VOLTAGE	DANGERS ÉVENTUELS EN CAS DE CONTACT
Piles du commerce	1,5 V - 4,5 V - 9 V	Sans danger, sauf si elles chauffent ou si elles coulent
24 V est la limite pour la sécurité. Au-delà de 24 V : DANGER		
Prises et fils électriques dans les maisons	230 V	DANGER DE MORT
Fils électriques au sommet des poteaux ou des pylônes	5 000 V à 400 000 V	DANGER DE MORT

Comment ne pas risquer d'accident avec l'électricité ? Fais les activités qui suivent pour le comprendre.

🔍 Des recherches pour répondre...

1. Comment augmenter un voltage trop faible ?

• Réalise l'expérience du document 1 avec une pile ronde de 1,5 V. Tu constates que l'ampoule ne brille que très faiblement.

• Comment faire briller cette ampoule normalement ? Fais des hypothèses avec tes camarades.

Voici deux idées que des élèves ont proposées (documents 2 et 3).

• Fais le dessin des deux montages sur ton cahier de sciences (→ fiche «méthode» p. 165), puis indique si tu es d'accord ou non avec ces hypothèses.

• Réalise les expériences et compare avec tes prévisions.

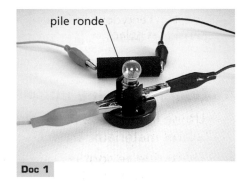

pile ronde

Doc 1

Doc 2 Prendre une pile ronde plus grosse.

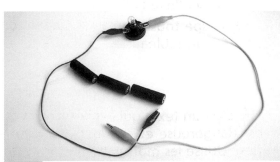

Doc 3 Utiliser plusieurs piles rondes à la fois.

2. Quels sont les effets d'un voltage trop élevé ?

- Observe le document 4 qui présente un montage réalisé avec deux piles plates de 4,5 V.
- Combien de volts au total l'ampoule subit-elle ?
- Que va-t-il se passer si tu augmentes le nombre de piles ? Note ton hypothèse sur ton cahier puis demande à ton maître de faire l'expérience.
- Quel rapport y a-t-il entre cette expérience et le tableau ? Rédige une explication sur ton cahier de sciences.

Pour t'aider...

Tu as sûrement remarqué avec l'activité précédente que les voltages s'additionnent :
1,5 V + 1,5 V + 1,5 V = 4,5 V.

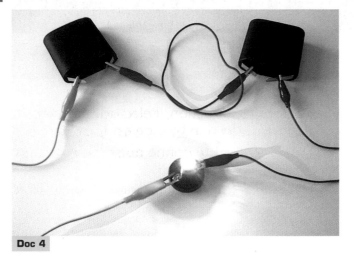

Doc 4

3. À quoi sert la gaine autour des fils électriques ?

Tu as déjà allumé et éteint de nombreuses fois un appareil électrique fonctionnant sous 230 V (par exemple ta lampe de bureau ou un ordinateur). Seuls les fils entourés d'une gaine en plastique sont sans danger. Tu vas comprendre pourquoi.

- Réalise l'expérience du document 5.
- Que prouve-t-elle ? Rédige ta réponse sur ton cahier de sciences.

Pour t'aider...

Va voir dans l'encyclopédie les mots <u>conducteur</u> et <u>isolant</u>.

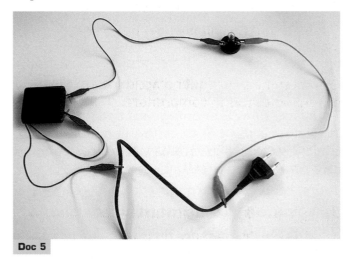

Doc 5

4. Quels sont les conducteurs et les isolants ?

- Utilise le montage du document 5 pour tester d'autres objets et d'autres matériaux. Travaille en groupe avec quelques camarades.
- Est-ce que ce sont les objets ou bien les matières qui les constituent qui sont conducteurs ou isolants ? Explique ta réponse sur ton cahier de sciences.
- Où classer l'eau et l'air : dans les conducteurs ou dans les isolants ?
- Regroupe tous tes résultats dans ton cahier de sciences sous la forme d'un tableau.

Es-tu surpris par le résultat du test de l'eau ? Va faire l'enquête 62.

🔍 Pour être sûr d'avoir bien compris

- Rédige un texte qui explique dans quelles conditions l'électricité est dangereuse et comment on peut se protéger de l'électrocution. Utilise les mots <u>voltage</u>, <u>conducteur</u> et <u>isolant</u>.

Des bilans, des réponses : page 170

👁 Pour bien comprendre la question...

• Qu'apprend-on, en lisant le document 1, sur les dangers de l'électricité en présence d'eau ?

Doc 1

N'utilisez pas d'appareils électriques, même le téléphone, les mains mouillées ou les pieds dans l'eau.

À plus forte raison lorsque vous êtes dans votre bain ou sous la douche !

L'eau est conductrice.

S'il y a un défaut électrique dans l'appareil utilisé, vous courrez le risque d'être électrocuté. De même, mouillé, ne touchez pas à un poste de radio branché sur le secteur* et, lorsque vous êtes dans votre bain, ne posez pas le radiateur sur le bord de la baignoire : il risque de tomber dans l'eau et de vous électrocuter.

L'électricité chez vous en toute sécurité, ©Promotelec, 2000.

(*) Sur une prise de courant.

D'après le document 1, l'eau est conductrice.

Pourtant, dans le montage du document 2, l'ampoule ne s'allume pas ! Si tu as fait l'enquête 61, tu as déjà réalisé cette expérience et vérifié que l'ampoule et la pile sont en bon état.

Alors, l'eau est-elle <u>conductrice</u> ou <u>isolante</u> ?

Se pourrait-il qu'elle soit moins conductrice que les métaux et que l'ampoule ne soit pas un détecteur assez sensible ?

C'est ce que tu vas déterminer en utilisant d'autres dispositifs, plus sensibles.

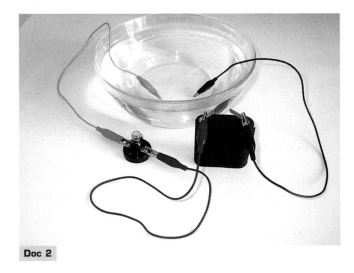

Doc 2

🔍 Des recherches pour répondre...

1. Comment rendre le circuit plus sensible ?

• Cherche des idées pour rendre le montage du document 2 plus sensible. Échange avec tes camarades.

• Dessine les circuits que tu as imaginés sur ton cahier de sciences (→ fiche « méthode » p. 165).

• Montre-les à ton maître avant de les réaliser pour t'assurer qu'ils ne sont pas dangereux.

> Tu peux plonger l'extrémité des fils électriques dans l'eau, mais pas les piles ni les composants électriques.

Trois groupes d'élèves ont imaginé des circuits.

Le groupe 1 a voulu augmenter le voltage en utilisant plusieurs piles (document 3). Si tu ne comprends pas son idée, va voir l'enquête 61.

Le groupe 2 a utilisé un <u>vibreur</u> car il pense que ce composant est plus sensible qu'une ampoule (document 4).

Le groupe 3 a pensé que les fils électriques étaient trop fins pour que le courant passe facilement. Il a donc utilisé un vibreur et deux planchettes de bois recouvertes de papier d'aluminium (document 5).

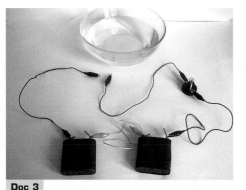
Doc 3

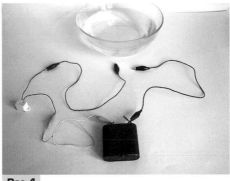
Doc 4

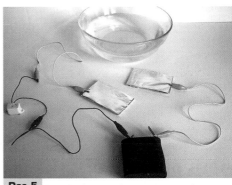
Doc 5

- Fais le dessin de chaque circuit dans ton cahier de sciences.
- Réalise chacun de ces montages avec quelques camarades et indique si l'ampoule ou le vibreur fonctionne lorsque tu places les fils ou les planchettes recouvertes d'aluminium dans l'eau.
- Rédige une conclusion.

2. Quel détecteur serait encore plus sensible que l'ampoule ?

Certains matériaux sont très peu conducteurs. Pour montrer qu'ils sont quand même parcourus par un courant électrique, on peut utiliser une <u>diode électroluminescente</u> (ou DEL). Ce composant détecte le courant, même s'il est très faible. Mais attention, la DEL est un composant fragile : elle doit toujours être montée en série avec une ampoule.

Comme toutes les DEL, j'ai un sens de branchement : en suivant le circuit du côté de la grande « patte », on doit aboutir à la borne + de la pile.

- Réalise le montage du document 6 avec un groupe de camarades.
- Observe ce qui se passe lorsque tu relies les fils avec un matériau conducteur, puis avec un matériau isolant.
- Que se passe-t-il avec l'eau ? Est-elle conductrice ? et l'eau salée ?
- Utilise le même montage pour savoir si ton corps est conducteur. Réalise l'expérience les mains sèches et les mains mouillées.
- Rédige tes conclusions en utilisant les expressions « <u>conducteur</u> », « <u>isolant</u> » et « mauvais conducteur ».

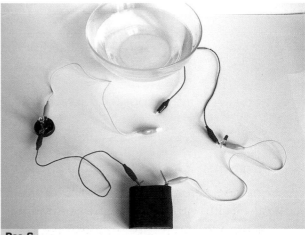
Doc 6

☀ **Des bilans, des réponses : page 170**

Des bilans, des réponses...

(59) Comment prévenir par un témoin lumineux qu'un réservoir se vide ?...

• Tant que le bouchon n'est pas en contact avec le papier d'aluminium, l'électricité ne peut pas circuler. On dit que le **circuit électrique est ouvert**.

• Lorsque le niveau de l'eau descend, le bouchon entouré de papier d'aluminium finit par faire contact avec la feuille d'aluminium. On dit que le **circuit électrique est fermé**.

(60) Comment installer l'électricité dans une maquette de voiture ?........

• Les deux ampoules sont en **dérivation** : une partie de l'électricité passe dans l'une, une partie de l'électricité passe dans l'autre.

• Mais l'interrupteur est en **série** avec les ampoules : l'électricité passe obligatoirement par l'interrupteur, qui peut donc commander les deux ampoules en même temps.

(61) Quels sont les dangers de l'électricité ?......................................

• **L'électricité est dangereuse dès que son voltage atteint 24 V.** Les piles ont un voltage qui va de 1,5 V à 9 V ; elles peuvent donc être manipulées sans danger.

• En revanche, à la maison ou à l'école, le voltage des prises ou des appareils électriques est de 230 V : une personne qui touche des fils électriques dénudés est en **danger de mort**.

• Toutefois, des substances comme **le plastique ou l'air ne conduisent pas l'électricité**. Ce sont des **isolants**. Il n'est donc pas dangereux de toucher un fil correctement isolé.

RÉPONSES

1. C'est l'idée du document 3 qui est la bonne.

2. L'ampoule subit un voltage de 9 V. En l'augmentant encore, on peut la faire griller. En effet, le filament de l'ampoule, comme le corps humain, peut être brûlé sous l'effet d'un voltage trop fort.

4. En utilisant le montage du document 5, l'eau et l'air doivent être classés dans la catégorie des isolants.

(62) L'eau est-elle conductrice de l'électricité ?......................................

• L'eau n'est pas un bon conducteur de l'électricité. C'est pour cela qu'elle est classée parmi les isolants dans l'enquête 61. Elle n'**est** que **légèrement conductrice**. Pour le montrer, il faut utiliser un détecteur plus sensible, comme la DEL.

• Lorsque le voltage est important, **la présence d'eau augmente les risques. Ne manipule jamais un appareil électrique lorsque tu es mouillé, même s'il semble en bon état !**

RÉPONSES

1. Dans l'expérience du document 5, le vibreur peut sonner si les planchettes sont assez enfoncées et rapprochées.

2. Avec ce montage, tu peux constater que l'eau est conductrice, mais également le corps humain, surtout s'il est mouillé.

Caractéristiques d'un circuit électrique

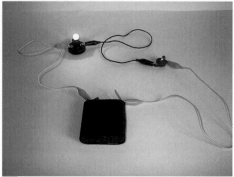

Il peut être **ouvert** ou **fermé** grâce à un **interrupteur**.

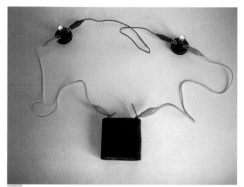

Il comporte une pile et une **chaîne de conducteurs** en **série**.

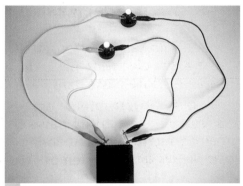

Plusieurs circuits peuvent être en **dérivation** sur une même pile.

Circuit électrique

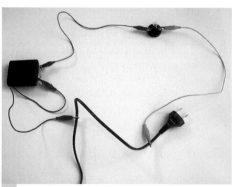

Certains matériaux sont **conducteurs**, d'autres sont **isolants**.

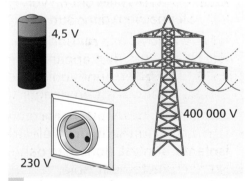

4,5 V

400 000 V

230 V

L'électricité est fournie avec un **voltage** plus ou moins grand.

L'eau est légèrement conductrice.
Elle augmente les dangers de l'électricité.

👁 Pour bien comprendre la question...

Pour construire des monuments comme ceux des documents 1 et 2, il a fallu déplacer et soulever des pierres de plusieurs tonnes.

Doc 1 La pyramide du roi Djoser, en Égypte, a été bâtie il y a 4 800 ans.

Comment les hommes s'y prenaient-ils pour déplacer de telles charges ? Quelles machines avaient-ils inventées à cette époque ? Comment fonctionnaient-elles ? C'est ce que tu vas étudier sur quelques exemples.

En premier lieu, tu vas mettre au point une méthode pour mesurer l'importance d'un effort.

Doc 2 Le pont du Gard est un aqueduc romain construit il y a près de 2 000 ans. Il est encore en parfait état.

🔍 Des recherches pour répondre...

1. Comment mesurer l'importance d'un effort ?

● Observe les documents 3 et 4. L'une des deux boîtes contient quelques cailloux : peux-tu dire laquelle ? Explique pourquoi.

● Procure-toi un élastique assez souple et réalise l'expérience pour mieux te rendre compte.

Tu connais maintenant une méthode pour comparer deux efforts.

Doc 3 **Doc 4**

2. Une machine utilisée au temps des Égyptiens

Les Égyptiens construisaient d'immenses <u>plans inclinés</u> avec des briques et de la terre (document 5) sur lesquels ils faisaient glisser d'énormes pierres. Ils les démontaient une fois la construction achevée.

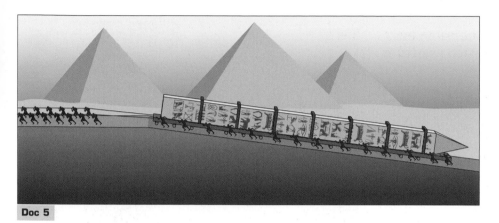

Doc 5

• En utilisant la méthode que tu as mise au point, compare l'effort à exercer pour soulever une charge verticalement, puis le long d'une petite planche inclinée.

• Recommence en plaçant des rouleaux sous la boîte (par exemple des crayons-feutres).

• Ces expériences confirment-elles la méthode des Égyptiens ?

3. Une machine utilisée au temps des Romains

Les Romains ont aussi été de grands bâtisseurs. Ils utilisaient des treuils en bois (document 6) pour élever leurs temples ou leurs fortifications.

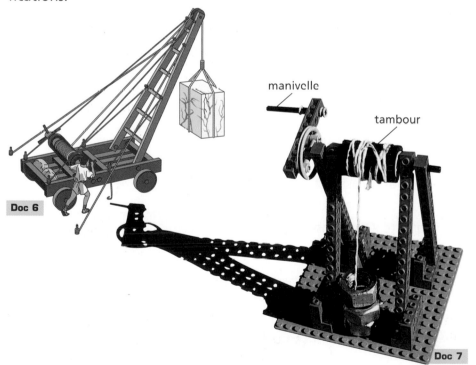

manivelle

tambour

Doc 6

Doc 7

Construis un treuil en utilisant le matériel dont tu disposes dans ton école. Aide-toi du document 7.

Compare l'effort que tu dois accomplir pour soulever trois écrous en tirant directement sur le fil, puis en utilisant le treuil.

Comment modifierais-tu le treuil pour réduire l'effort le plus possible ? Choisirais-tu une petite ou une grande manivelle ? un petit ou un gros tambour ?

Réalise les expériences, puis écris tes conclusions dans ton cahier de sciences.

🔍 Pour être sûr d'avoir bien compris

Fais le dessin en coupe du treuil (→ fiche « méthode » p. 11).

Indique par une flèche l'endroit où l'on doit appuyer pour que l'effort soit le plus faible possible.

Pour t'aider...
Va voir dans l'encyclopédie à <u>levier</u>.

À quoi les roues dentées servent-elles ?

👁 Pour bien comprendre la question...

Dans l'enquête 63, tu as vu comment les hommes s'y prenaient autrefois pour soulever des charges très lourdes.

Ils ont très vite compris qu'ils se fatigueraient moins en faisant travailler les animaux ou en utilisant des machines (document 1). Celles qu'ils ont inventées fonctionnaient notamment grâce à des roues dentées, ou <u>engrenage</u> (document 2).

Doc 1 Une noria est une machine actionnée par des animaux qui sert à remonter l'eau d'un puits.

Pour mieux comprendre comment fonctionne une noria, va faire l'exercice ⓔ page 179.

Tu vas comprendre leur rôle en faisant les activités qui suivent.

🔍 Des recherches pour répondre...

1. Pourquoi les roues dentées n'ont-elles pas la même taille ?

Le document 2 représente une grue utilisée dans un port. Elle comporte des roues dentées différentes : l'une est plus grosse et possède plus de dents que l'autre. Que se passerait-il si les deux roues étaient inversées ?

- Pour répondre à cette question, réalise les constructions des documents 3 et 4.

- Soulève la même charge avec chaque maquette. Que constates-tu ?

- Réponds à la question du paragraphe.

Doc 2

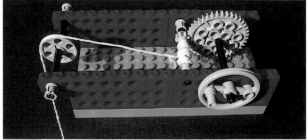

Doc 3 Dans cette maquette, c'est la grande roue qui entraîne la petite roue.

Doc 4 Dans celle-ci, c'est la petite roue qui entraîne la grande roue.

2. Comment choisir ses vitesses en bicyclette ?

Lorsque tu fais de la bicyclette, le mouvement que tu communiques aux pédales se transmet jusqu'à la roue arrière grâce à deux roues dentées et à une chaîne (documents 5 à 7). Le changement de vitesse permet de choisir entre plusieurs roues dentées à l'avant comme à l'arrière.

Doc 5 À l'arrière, les roues dentées s'appellent des pignons.

Doc 6

Doc 7 À l'avant, les roues dentées s'appellent des plateaux.

Pour comprendre quel plateau et quel pignon choisir, compare la bicyclette aux maquettes que tu viens d'étudier (documents 3 et 4).

❧ Reproduis le tableau suivant dans ton cahier et complète-le avec les mots « petit » (ou « petite ») et « grand » (ou « grande »).

	ORDRE DANS LEQUEL ON PLACE LES ROUES DENTÉES	EFFORT À EXERCER	VITESSE OBTENUE
Maquette	La grande roue dentée entraîne la petite…		
	La petite roue dentée entraîne la grande…		
Bicyclette	Le grand plateau entraîne un petit pignon…		
	Le petit plateau entraîne un grand pignon…		

❧ D'après ce tableau, quel plateau et quel pignon vaut-il mieux choisir pour monter une côte très raide ? et pour rouler rapidement sur le plat ou en descente ?

Pour être sûr d'avoir bien compris

En associant une petite et une grosse roue dentée, on modifie l'effort à exercer et la vitesse.

❧ Dans quel ordre doit-on les mettre pour diminuer l'effort ?

❧ Dans quel ordre doit-on les mettre pour augmenter la vitesse ?

❧ Y a-t-il un ordre permettant de diminuer l'effort tout en augmentant la vitesse ?

Pour aller plus loin

Recherche des objets utilisant des roues dentées (ustensiles de cuisine, outils, machines…).
Fais une recherche documentaire sur l'histoire de la bicyclette.
Repère, sur chaque modèle, la manière dont le mouvement est communiqué de l'homme jusqu'aux roues.

Des bilans, des réponses...

(63) Comment soulevait-on des charges autrefois ? ....

• Il y a très longtemps, les hommes ont inventé des **machines** pour soulever des charges extrêmement lourdes. Grâce à elles, ils ont bâti de nombreux monuments.

• Pour élever une charge, il est plus facile de la faire glisser le long d'un **plan incliné** que de la soulever verticalement. **Plus la pente est faible, plus l'effort est réduit.**

• Le **treuil** est une autre machine qui permet de réduire l'effort. Pour que son efficacité soit la meilleure, il doit avoir une grande manivelle et un petit tambour ; l'effort doit être exercé au bout de la manivelle.

1. Plus l'élastique s'allonge, plus l'effort est important.

RÉPONSE

(64) À quoi servent les roues dentées ? ....

• Les roues dentées servent à rendre un **mouvement plus facile** ou **plus rapide**.

• Dans un **engrenage**, les deux roues n'ont pas le même nombre de dents. C'est en utilisant des roues plus ou moins grandes qu'on réussit ainsi à transformer le mouvement :

– avec une petite roue sur une grande roue, **on diminue l'effort**, mais aussi la vitesse ;

– avec une grande roue sur une petite roue, **on augmente la vitesse**, mais aussi l'effort ;

– il n'est pas possible de réduire l'effort tout en augmentant la vitesse.

2. À bicyclette, il vaut mieux choisir un petit plateau et un gros pignon en côte, un grand plateau et un petit pignon en descente.

1. C'est avec la maquette du document 4 qu'il est plus facile de soulever la charge.

RÉPONSES

Différentes solutions pour modifier l'effort

Le plan incliné

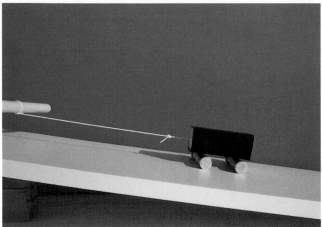
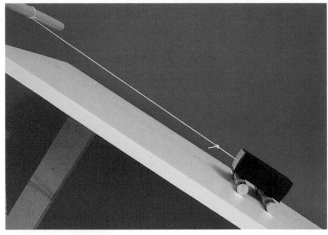

Le treuil simple

Les roues dentées ou engrenage

Avec ce treuil, c'est facile !

Oui, mais qu'est-ce que c'est lent !

Et avec celui-là, c'est difficile !

Oui, mais qu'est-ce que ça va vite !

Ai-je compris ? Ai-je retenu ?

(a) Je vérifie mes connaissances ....

Des élèves ont construit des maquettes de maisons et sont en train d'installer l'électricité.

✔ Recopie les documents 1 et 2 sur ton cahier de sciences et complète-les en traçant les fils électriques.

Doc 1

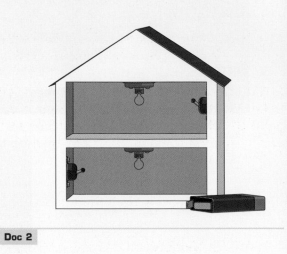

Doc 2

(b) J'utilise mes connaissances ....

Un enfant veut installer une alarme sonore (un vibreur) dans son placard. Il a imaginé un montage utilisant une lame de scie à métaux, souple et conductrice.

– Lorsque la porte du placard est ouverte, la lame est en contact avec le clou A.

– Lorsque la porte est fermée, une cale fixée sur celle-ci la repousse : la lame fait contact avec le clou B.

✔ Observe les circuits électriques des documents 3 à 5.

✔ Explique ce qui se passe dans chacun des cas et indique celui qui répond au projet de cet enfant.

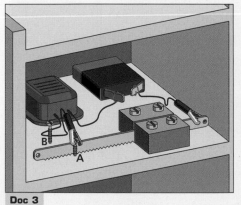

Doc 3

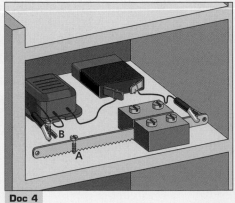

Doc 4

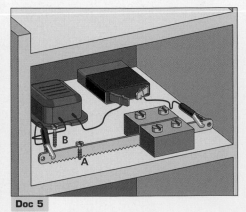

Doc 5

c) Je réalise un montage pour vérifier une hypothèse ....

1. Un papa et son enfant veulent faire de la balançoire dans un jardin public (document 6).

✔ Ils s'assoient tous les deux sur les sièges prévus. Que va-t-il se passer ? Explique pourquoi ils ne vont pas réussir à se balancer correctement.

✔ L'un des deux décide de s'asseoir directement sur la poutre pour se rapprocher de l'axe. Faut-il que ce soit le papa ou l'enfant ?

2. En utilisant une règle et un crayon (pour représenter la balançoire), un gros écrou et un petit écrou (pour faire le papa et l'enfant), réalise un montage et vérifie la réponse que tu as donnée à la première question.

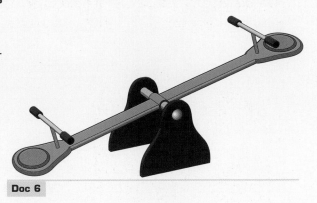

Doc 6

d) Je comprends le sens d'un texte documentaire ....

« **Premiers secours en cas d'électrocution**

Le corps humain est très conducteur : après avoir coupé le courant, il faut écarter la victime de la source électrique ; lorsque cela est impossible, la repousser plus loin à l'aide d'un manche en bois en prenant garde d'avoir mis un objet sec sous ses propres pieds. »

Petit Larousse de la médecine, Paris, Larousse/Bordas, 2001.

1. Le texte affirme que « Le corps humain est très conducteur ».

✔ Dessine, puis réalise une expérience pour savoir si le corps humain est aussi conducteur qu'un métal.

✔ Dessine, puis réalise une expérience pour savoir si le corps humain est aussi conducteur que l'eau.

2. Le texte explique les précautions à prendre lorsque le courant n'est pas coupé.

✔ Pourquoi faut-il utiliser un manche en bois ?

✔ Pourquoi doit-on mettre un objet sec sous ses pieds ?

e) Je comprends le fonctionnement d'une machine ....

Cette maquette, que tu peux construire, te permet de mieux comprendre le mécanisme d'une noria (→ document 1, p. 174).

✔ La roue dentée n° 2 tourne-t-elle plus vite, moins vite ou aussi vite que la roue n° 1 ? Justifie ta réponse.

✔ Où doit-on attacher les animaux pour que leur effort soit le plus petit possible ?

Encyclopédie

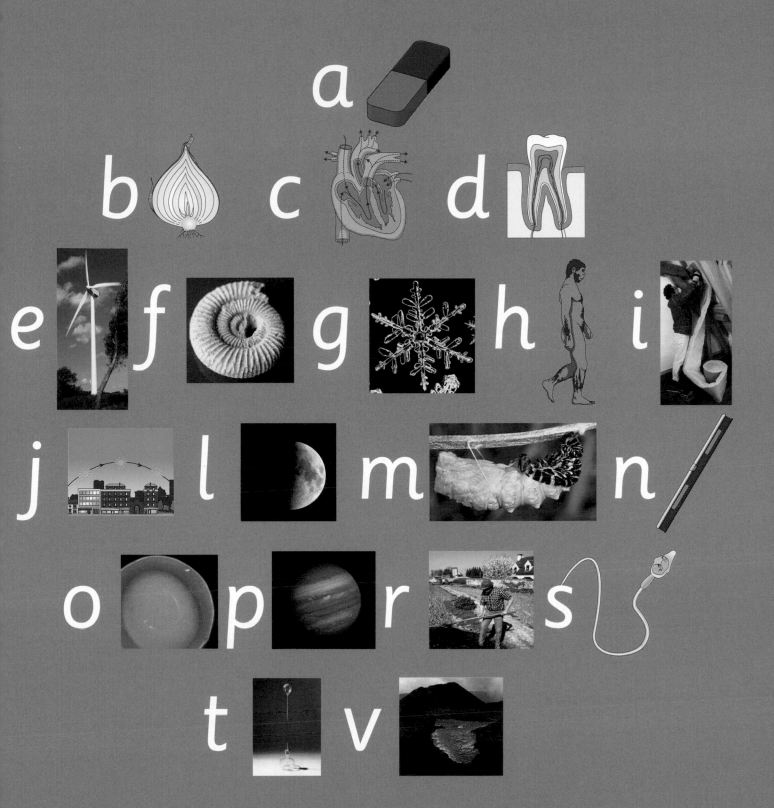

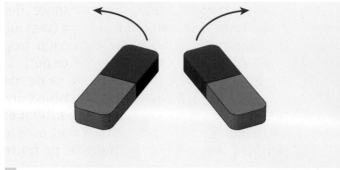

Deux aimants s'attirent ou se repoussent selon la manière dont on les approche l'un de l'autre.

Absorption intestinale

Au cours de l'absorption intestinale, les nutriments, c'est-à-dire les plus petites parties des aliments résultant de la digestion, traversent la paroi de l'intestin grêle. Ils passent dans le sang circulant dans les vaisseaux sanguins.

Accident corporel

Les accidents corporels touchent les organes du mouvement. On distingue :
– les **claquages** : à la suite d'un effort violent, on peut ressentir une vive douleur au niveau d'un muscle. C'est un claquage, c'est-à-dire la rupture de quelques fibres musculaires. La guérison nécessite la mise au repos de la région touchée ;
– les **entorses** : à la suite d'un accident, on peut ressentir une vive douleur au niveau d'une articulation. C'est une entorse, c'est-à-dire que les ligaments se sont distendus ou arrachés de l'os. Dans les cas les plus graves, on pose un plâtre pour immobiliser l'articulation ou bien on opère pour réparer ou remplacer les ligaments ;
– les **fractures** : à la suite d'un choc, un os peut se casser. C'est une fracture.

Aimant

Un aimant attire **le fer** (une matière qui entre dans la composition des clous, des trombones, etc.). Il attire aussi d'autres matières moins courantes (par exemple le nickel qu'on trouve notamment dans certaines pièces de monnaie).
Un aimant attire **à distance** (un aimant de placard attire, par exemple, des petits objets en fer à environ 10 cm).
Il attire même **à travers un objet** (pas trop épais) faisant écran : planchette de bois, carton…

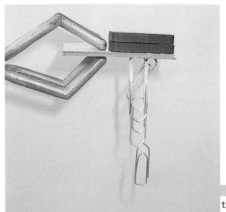

Un aimant attire des trombones à travers un objet faisant écran.

Air

L'air est de la matière. Donc, comme toute matière, il occupe de l'espace, il se déplace et il est pesant.

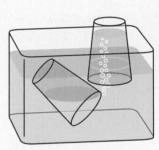

Il y a de l'air dans le verre : l'eau ne peut pas y entrer.

On peut transvaser de l'air entre deux récipients.

L'air enveloppe la terre jusqu'à une altitude de plusieurs dizaines de kilomètres : c'est l'**atmosphère**.

L'air contient :
– une grande quantité d'**eau**, parfois visible (les nuages) et parfois invisible (la vapeur d'eau) ;
– de l'**oxygène**, indispensable à la vie, qui permet la respiration des végétaux et des animaux ;
– une très petite quantité de **gaz carbonique**, qui joue pourtant un rôle très important.

Il est en effet indispensable à la croissance des végétaux et il retient la chaleur de la Terre (sans lui, notre planète serait invivable, car beaucoup trop froide). Cette quantité a augmenté depuis la révolution industrielle du XIXe siècle à cause de l'augmentation considérable des combustions produites par les usines. La plupart des scientifiques pensent qu'elle devient trop importante et qu'elle est la principale cause du réchauffement de notre planète.

Alimentation

L'alimentation doit être suffisante en quantité et en qualité. Il y a trois sortes d'aliments :
– les **aliments bâtisseurs**, qui permettent à notre corps de fabriquer sa propre matière (peau, muscles…). Ils sont très importants pour les enfants quand ils grandissent ;
– les **aliments énergétiques**, qui permettent le maintien de la température de notre corps à environ 37 °C, mais aussi nos déplacements, nos mouvements et nos efforts ;
– les **aliments protecteurs**, qui permettent à nos organes de bien fonctionner.
Les produits sucrés ne sont pas nécessaires. En revanche, l'eau est la seule boisson indispensable.

ALIMENTS	APPORTS
Viandes, poissons, œufs	Protides indispensables à la construction du corps
Produits laitiers	Protides et calcium assurant la croissance et la solidité des os
Féculents et matières grasses	Énergie essentielle au fonctionnement de l'organisme
Fruits et légumes	Vitamines, sels minéraux et fibres nécessaires pour rester en bonne santé

Alvéole pulmonaire

Situées dans les poumons, les alvéoles pulmonaires sont de minuscules « sacs » où débouchent les bronches les plus petites (bronchioles). Leur paroi est riche en vaisseaux sanguins. C'est au niveau des alvéoles pulmonaires qu'ont lieu les échanges entre l'air et le sang.
→ Respiration

Antiseptique

C'est un produit utilisé **pour désinfecter une plaie**, car il tue les microbes sans abîmer la peau.

Appareil cardiovasculaire

Il est composé du cœur et de l'ensemble des vaisseaux sanguins (artères, veines et capillaires sanguins) dans lesquels circule le sang.
→ Circulation sanguine

Appareil digestif

Il est constitué du tube digestif, ainsi que des glandes salivaires, du pancréas et du foie.
→ Digestion

Appareil génital (d'un mammifère)

L'appareil génital **mâle** est composé de deux testicules et d'un pénis (→ schéma p. 121). Les testicules produisent les **spermatozoïdes**.
L'appareil génital **femelle** est composé de deux ovaires, des trompes, de l'utérus et du vagin (→ schéma p. 121).
Les ovaires produisent des **ovules**, les trompes sont le lieu où se passe la fécondation, l'utérus est l'organe où se développe l'embryon.
Lors de l'accouplement, le pénis pénètre dans le vagin et y déverse les spermatozoïdes. Un spermatozoïde peut aller féconder un ovule dans la trompe.
→ Reproduction sexuée et fécondation

Appareil respiratoire

Il est composé de deux poumons reliés au nez et à la bouche par la trachée artère. La trachée artère se divise en deux bronches qui se ramifient en des tuyaux de plus en plus nombreux et de plus en plus petits. Les plus fins sont les bronchioles qui débouchent dans les alvéoles pulmonaires.
→ Respiration

Arbre de classification

Dans un arbre de classification, chaque branche regroupe des éléments ayant des points communs (→ arbre au dos de la couverture).

Arbre généalogique

Un arbre généalogique montre les liens qui unissent tous les membres d'une famille sur plusieurs générations.

On peut procéder de deux façons différentes :

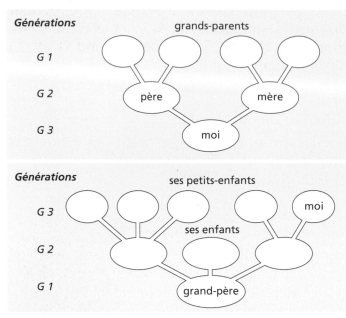

Articulation

L'articulation est la zone de contact entre deux os appartenant à deux segments différents. Ces deux os, attachés l'un à l'autre par des ligaments, peuvent glisser grâce au cartilage lisse enduit d'un liquide huileux.

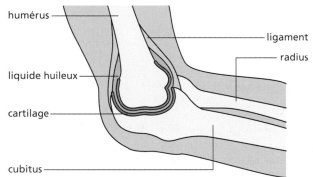

Le genou, le coude (→ schéma ci-dessus) sont des **articulations à charnière** : elles ne permettent des mouvements que dans une seule direction.
L'épaule, la hanche sont des **articulations à rotule** : elles autorisent des mouvements dans plusieurs directions.

Australopithèque

Les australopithèques sont des ancêtres éloignés de l'homme. Ce groupe, qui comprend Lucy, a duré de – 5 à – 1 million d'années.
Les scientifiques ont pu déterminer à quoi ils ressemblaient : mâchoire peu avancée, canines peu développées (comme nous), mais crâne plus petit que le nôtre.

Biodégradable

Une matière biodégradable est une matière produite par les hommes ou les végétaux qui peut être décomposée et **transformée naturellement en engrais** par des êtres vivants (petits animaux, microbes…). Les épluchures de légumes, le papier essuie-tout, l'herbe tondue sont biodégradables.
Le verre, les métaux et la plupart des plastiques ne sont pas biodégradables.
→ Décomposeurs

Bourgeon

Un bourgeon est un petit organe présent sur les tiges. Il peut se développer pour donner de nouvelles tiges ou des fleurs.

Boussole

C'est une aiguille aimantée fixée sur un pivot afin qu'elle puisse tourner librement sur elle-même. Lorsque la boussole est éloignée de tout objet contenant du fer, une des pointes de l'aiguille s'oriente en **direction du Nord**, l'autre en direction du Sud.
→ Aimant

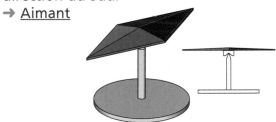

Branchie

Les branchies sont des lamelles qui permettent aux animaux aquatiques de **respirer dans l'eau**. Elles possèdent de nombreux vaisseaux sanguins. Ainsi l'oxygène dissous qui existe dans l'eau peut passer dans le sang.

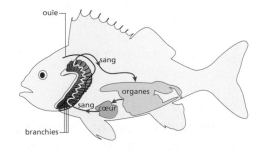

Bulbe

Un bulbe, comme celui de l'oignon, contient un ou plusieurs bourgeons entourés de réserves qui lui permettent de bien pousser au printemps.

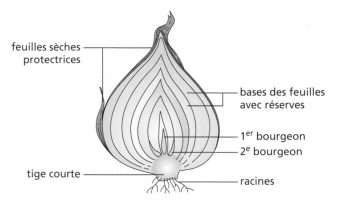

feuilles sèches protectrices

bases des feuilles avec réserves

1er bourgeon

2e bourgeon

tige courte

racines

Un bulbe se reproduit de manière **asexuée**, c'est-à-dire sans qu'il y ait rencontre entre un ovule et un grain de pollen. L'individu auquel il donne naissance lui est **identique**.

→ Reproduction asexuée

Caractère génétique

Certaines **particularités physiques** des êtres vivants, comme la couleur des cheveux, celle des yeux ou le groupe sanguin, viennent du père ou de la mère. Ce sont des caractères génétiques. Ils sont déterminés par l'ovule de la mère et par le spermatozoïde du père lors de la fécondation.

Caractère sexuel

Les caractères sexuels permettent de faire la différence entre un mâle et une femelle :
– les appareils génitaux ne sont pas les mêmes (→ schéma p. 121) ;
– la femelle a, chez les mammifères, des glandes mammaires.
Par ailleurs, il existe d'autres différences : la musculature, les poils, la voix… On les appelle les **caractères sexuels secondaires**, car ils ne participent pas directement à la reproduction.

Centrale électrique

C'est une usine qui produit de l'électricité. Une centrale électrique comporte toujours une **turbine** (une sorte de grosse hélice) qui, en tournant, entraîne un **alternateur**. Ce dernier produit l'électricité. Il y a plusieurs façons de faire tourner la turbine. Elles dépendent de la source d'énergie utilisée.

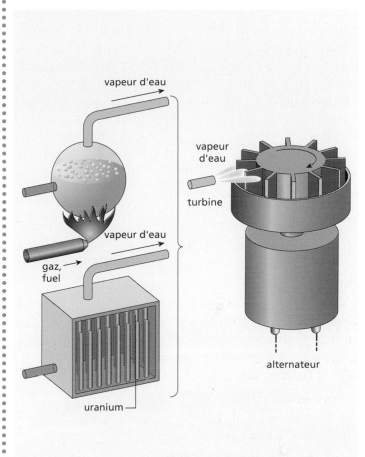

vapeur d'eau

vapeur d'eau

turbine

vapeur d'eau

gaz, fuel

uranium

alternateur

Principe de fonctionnement des centrales thermiques.

TYPE DE CENTRALE	POUR BIEN COMPRENDRE
Hydroélectrique *Source d'énergie :* l'eau	La turbine est directement entraînée par le courant d'eau ou par le vent.
Marémotrice *Source d'énergie :* les marées	
Aérogénérateur *Source d'énergie :* le vent	
Thermique classique *Source d'énergie :* une matière combustible (gaz, fuel…)	La chaleur produite par la combustion ou par la réaction nucléaire vaporise de l'eau. La vapeur d'eau entraîne la turbine.
Thermique nucléaire *Source d'énergie :* l'uranium	
Solaire *Source d'énergie :* le Soleil	Les rayons du Soleil sont renvoyés vers une chaudière par de nombreux miroirs qui s'orientent automatiquement. La chaleur produite sert à vaporiser de l'eau qui est envoyée dans la turbine.

Chaîne alimentaire

Voilà une chaîne alimentaire typique où chacun des êtres vivants de la chaîne est mangé par le suivant. Le premier maillon est toujours un végétal. En effet, sans les végétaux, aucun animal ne peut vivre. En réalité, de nombreuses chaînes s'entrecroisent et forment un réseau alimentaire : la feuille morte, par exemple, est aussi mangée par des limaces et pourrit sous l'attaque de microbes décomposeurs, ces microbes faisant eux-mêmes le régal de cloportes et de bien d'autres animaux…

Changement d'état

L'eau du robinet est liquide. Dans le langage scientifique, on dit que c'est de l'eau à l'**état liquide**.
La glace est de l'eau à l'**état solide**. La vapeur d'eau est de l'eau à l'**état gazeux**. Elle est invisible.

Lorsque l'eau passe de l'état liquide à l'état solide ou à l'état gazeux, on dit, dans le langage scientifique, qu'elle subit un changement d'état.
→ Fusion, évaporation, solidification et condensation

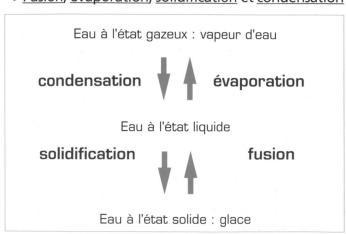

Eau à l'état gazeux : vapeur d'eau

condensation ⬇ ⬆ **évaporation**

Eau à l'état liquide

solidification ⬇ ⬆ **fusion**

Eau à l'état solide : glace

Chrysalide

La chrysalide se transforme en un papillon adulte lors de la métamorphose.

Circuit électrique

Un circuit électrique est constitué d'une boucle fermée comportant une pile (ou un autre dispositif pouvant produire du courant électrique) reliée par des fils conducteurs à des **composants électriques** (comme une ampoule ou un vibreur). Pour que l'électricité puisse circuler, la boucle ne doit pas s'interrompre : on dit que le circuit est **fermé**. Si la boucle comporte une interruption (un fil débranché ou le filament d'une ampoule grillé), l'électricité ne peut plus circuler : on dit que le circuit est **ouvert**. Un interrupteur sert à ouvrir et à fermer un circuit électrique.
Les composants ont généralement **deux bornes**. Ils ont une utilité précise dans un circuit électrique. Par exemple, l'ampoule sert à éclairer et le vibreur à avertir en produisant un son.

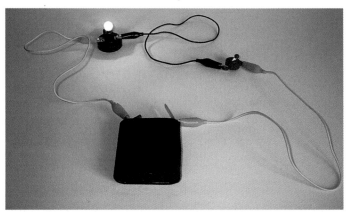

On peut brancher plusieurs composants sur une même pile :
– s'ils forment une seule boucle, on dit que le circuit est en **série**. Lorsque deux ampoules sont en série, si l'une grille, l'autre cesse de fonctionner. En grillant, l'ampoule ouvre le circuit ;

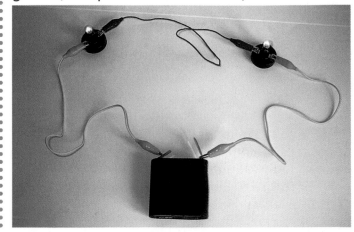

– s'ils forment plusieurs boucles, on dit qu'ils sont en **dérivation**. Lorsque deux ampoules sont en dérivation, si l'une grille, l'autre continue de fonctionner normalement. C'est pour cette raison que dans une maison ou dans une voiture, tous les circuits électriques sont en dérivation.

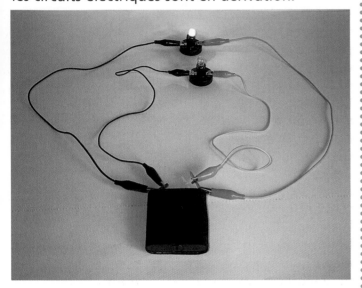

Circulation sanguine

C'est le trajet du sang dans l'organisme.

Une goutte de sang qui se trouve dans le ventricule droit est éjectée dans l'**artère pulmonaire** qui l'amène aux poumons. Elle circule dans un des nombreux **capillaires sanguins** qui tapissent la paroi des <u>alvéoles pulmonaires</u> : elle s'enrichit en oxygène et s'appauvrit en gaz carbonique.

Elle repart par une **veine pulmonaire**, arrive dans l'oreillette gauche, puis dans le ventricule gauche. La contraction du ventricule gauche chasse cette goutte de sang dans l'**aorte** qui l'amène à l'un de nos organes (hormis les poumons). Là, elle circule dans un des capillaires sanguins où elle cède l'oxygène et s'enrichit en gaz carbonique produit par cet organe.

Elle revient à l'oreillette droite par la **veine cave**, puis passe dans le ventricule droit.

→ <u>Cœur</u>

Cœur

Le cœur est un <u>**muscle**</u> qui fonctionne comme une double pompe. En effet, le « cœur gauche » et le « cœur droit » sont constitués chacun d'une oreillette et d'un **ventricule** (→ photographie p. 112).

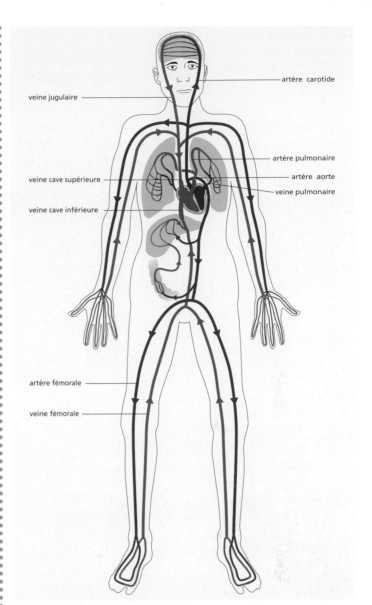

veine jugulaire

artère carotide

artère pulmonaire

veine cave supérieure

artère aorte

veine pulmonaire

veine cave inférieure

artère fémorale

veine fémorale

Lorsque ce muscle se contracte, le sang est chassé de l'oreillette dans le ventricule, puis du ventricule dans l'artère. Le sang qui revient au cœur arrive dans les oreillettes, puis passe dans les ventricules.

Chez un homme, le rythme cardiaque est d'environ 70 battements par minute.

Condensation

C'est le **passage de l'état gazeux à l'état liquide** qui se produit généralement sous l'action d'un refroidissement. La condensation est un <u>changement d'état</u>.

Lorsque de la <u>vapeur d'eau</u> rencontre une paroi froide (par exemple une vitre), il arrive qu'elle se transforme en **buée** (petites gouttes d'eau à l'état liquide qui se déposent sur la paroi).

Lorsque de la vapeur d'eau rencontre de l'air froid, il arrive qu'elle se transforme en **brouillard** (minuscules gouttelettes d'eau à l'état liquide qui restent en suspension dans l'air).

Dans ces deux cas, la vapeur d'eau a subi une condensation.

> VAPEUR D'EAU
> (état gazeux) — **condensation** → EAU
> (état liquide)

Conducteur

En électricité, un conducteur est un **matériau qui laisse passer le courant électrique** (contraire : isolant). Le fer, l'aluminium sont de bons conducteurs de l'électricité. L'eau est également conductrice, mais beaucoup moins que les métaux. Le corps humain, lui aussi, est légèrement conducteur : c'est pour cela qu'on risque de s'électrocuter lorsqu'on touche un fil dénudé à plus de 24 V.
Un conducteur est aussi un **matériau qui laisse passer la chaleur**. Les métaux sont de bons conducteurs de la chaleur.

cuillère en bois

Le bois n'est pas un bon conducteur : il ne conduit pas la chaleur.

cuillère en acier

L'acier est un bon conducteur : il conduit la chaleur.

Contraception

La contraception est un moyen d'éviter une grossesse. Le garçon peut mettre un préservatif. La fille peut utiliser, après consultation chez un médecin, la pilule contraceptive.
Seul le préservatif peut protéger des maladies sexuellement transmissibles (MST) comme le virus du Sida ou celui de l'hépatite.
→ Préservatif

Course du Soleil

C'est la trajectoire que le Soleil décrit au cours d'une journée dans le ciel. La course du Soleil change régulièrement au fil de l'année.

Contrairement à ce que pensent certains, le Soleil ne se « lève » pas toujours à l'Est et ne se « couche » pas toujours à l'Ouest.
En France métropolitaine, il ne passe jamais exactement au-dessus de nos têtes.

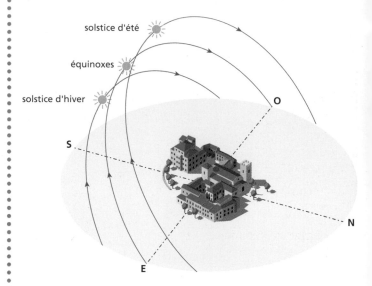

Couvaison

Elle apporte la chaleur nécessaire au développement de l'embryon dans l'œuf. Selon les espèces, c'est la femelle, le mâle ou les deux qui couvent. La durée de couvaison dépend de l'espèce.

ESPÈCE	DURÉE DE COUVAISON	NOMBRES D'ŒUFS	ALLURE DES JEUNES
Pigeon biset	17 jours	2	Aveugles, nourris 1 mois dans un nid
Poule	20, 21 jours	environ 10	Recouverts de duvet, quittent le nid en quelques heures
Chouette effraie	30, 31 jours	2 à 8	Aveugles, doivent être nourris
Autruche	39 à 42 jours	10 à 15	Pas de nid
Manchot empereur	64 jours	1	Doivent être nourris

Cycle de l'eau

Va voir le schéma ci-contre.

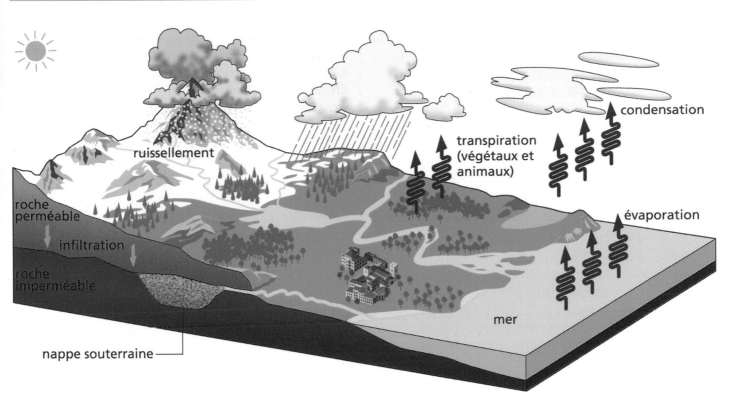

 D

Datation

La datation des fossiles ou des roches d'un terrain peut être faite de deux manières.

Il est par exemple possible de situer les couches les unes par rapport aux autres : la plus profonde est la plus âgée.

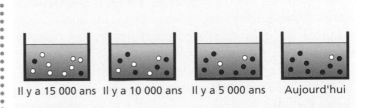

Il y a 15 000 ans   Il y a 10 000 ans   Il y a 5 000 ans   Aujourd'hui

Datation par la radioactivité.

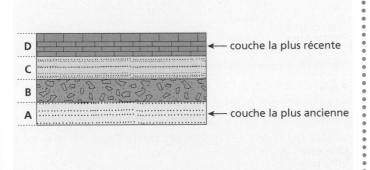

D ← couche la plus récente
C
B
A ← couche la plus ancienne

Datation par couches.

Il est également possible de leur donner un âge grâce à une méthode scientifique utilisant la radioactivité. La **datation par la radioactivité** repose sur la présence d'atomes radioactifs dans tout ce qui nous entoure. Ceux-ci ont la particularité de se transformer avec le temps en atomes non radioactifs. Ainsi, plus une roche est vieille, moins elle émet de radioactivité.

Décantation

La décantation est l'opération qui consiste à laisser reposer un <u>mélange</u>. En effet, lorsque de l'eau est mélangée à des débris de terre ou de végétaux et qu'on la laisse reposer plusieurs heures, on constate que les débris les plus denses se déposent au fond du récipient.

Eau boueuse avant décantation.

La même eau, après décantation.

Dans les marais salants, la décantation est la première étape : elle sert à éliminer les débris de sable, d'algues ou de coquillages.

Décomposeur

Les décomposeurs sont des **êtres vivants** (vers de terre, microbes, champignons…) qui digèrent et transforment les animaux et les végétaux morts en engrais.

Ces engrais sont réutilisés par les végétaux. C'est un recyclage naturel.

→ Chaîne alimentaire

Dent

Un adulte peut avoir au maximum **32 dents**. Il y a les **incisives**, les **canines**, les **prémolaires** et les **molaires**.

Une dent peut se carier. La **carie** est due à l'action de bactéries qui consomment les sucres et produisent un acide qui attaque la dent.

Pour éviter les caries, il faut impérativement :

– se laver les dents matin et soir et, si possible, après le déjeuner ;

– éviter de grignoter des produits sucrés comme les bonbons et les pâtisseries ;

– éviter de consommer des boissons sucrées.

Tous les enfants devraient prendre du fluor au cours de leurs premières années, car ce traitement limite les caries.

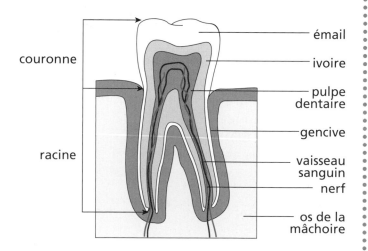

Digestion

La digestion commence dans la bouche : les aliments sont broyés par les dents et ils subissent l'action de la **salive**.

Elle continue dans l'estomac qui se contracte et où agit le **suc gastrique**. Elle se termine dans l'intestin grêle où interviennent d'autres sucs digestifs (suc intestinal, bile et suc pancréatique). C'est donc un **processus mécanique** et **chimique**. La digestion complète d'un repas peut durer 18 heures !

→ Absorption intestinale

Dilution

La grenadine concentrée est très sucrée ; la grenadine avec de l'eau l'est moins. Pour faire une dilution, il suffit donc d'ajouter de l'eau.

2 gouttes dans un verre de 100 mL donne une dilution de 1 000 fois.

Diode électroluminescente

La diode électroluminescente (ou DEL) est un composant électrique qui émet de la lumière lorsqu'il est parcouru par un courant électrique, même très faible. Une DEL est très sensible, plus qu'une ampoule. On l'utilise pour montrer que l'eau est conductrice.

Dissolution

La dissolution est l'opération qui consiste à dissoudre une substance dans un liquide.

Si l'on mélange un peu de sel dans de l'eau et qu'on remue quelques minutes, l'eau redevient parfaitement transparente. Le sel s'est dissous : on dit qu'il est en solution dans l'eau. Il n'a pas disparu car :

– on peut sentir son goût ;

– on peut le retrouver en laissant l'eau s'évaporer (→ évaporation et photographie ci-contre) ;

– on peut aussi vérifier qu'il n'a pas disparu en pesant l'eau salée (→ schéma ci-contre).

On ne peut pas dissoudre n'importe quelle quantité de sel dans l'eau. Au-delà d'une certaine limite, il reste visible même après avoir longtemps remué. Dans les derniers bassins des marais salants, la quantité de sel est si importante qu'il se dépose : on peut ainsi le racler.

Cristaux de sel après évaporation.

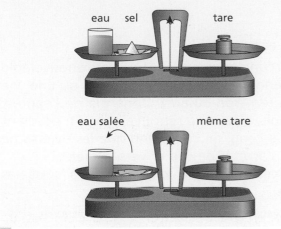

Masse de l'eau + masse du sel = masse de l'eau salée.

L'eau peut dissoudre de nombreuses substances : des **solides** comme le sucre, mais aussi des **liquides** comme l'alcool et des **gaz** comme l'air. Ainsi, c'est grâce à l'air dissous dans l'eau que les animaux aquatiques peuvent respirer dans l'eau.

Ébullition

Lorsqu'on chauffe de l'eau, il arrive un moment où elle se met à bouillir. De grosses bulles se forment et remontent à la surface. Ce sont des bulles de vapeur d'eau.

L'ébullition est une évaporation rapide qui se produit à l'intérieur du liquide.

La température de l'eau en train de bouillir est proche de 100 °C (un peu moins dans les régions situées en altitude). Tant que l'eau bout, la température conserve cette valeur, même si l'on chauffe plus ou moins fort.

Attention à ne pas confondre les premières bulles (qui s'échappent vers 40 °C et qui sont des bulles d'air) avec les bulles de vapeur d'eau. Ce n'est pas encore l'ébullition (→ enquête 30).

Échelle de temps

Une échelle de temps permet de **représenter une durée** sur un segment de droite gradué. Il faut choisir la longueur des graduations qui convient en fonction de cette durée.

Ainsi, quand on représente les événements d'une période historique de 6 000 ans sur un segment de 15 cm, 1 cm correspond à 400 ans. En revanche, si l'on utilise le même segment de 15 cm pour représenter l'histoire de la Terre (soit 4,5 milliards d'années), 1 cm équivaut à 300 millions d'années (→ schéma ci-dessous).

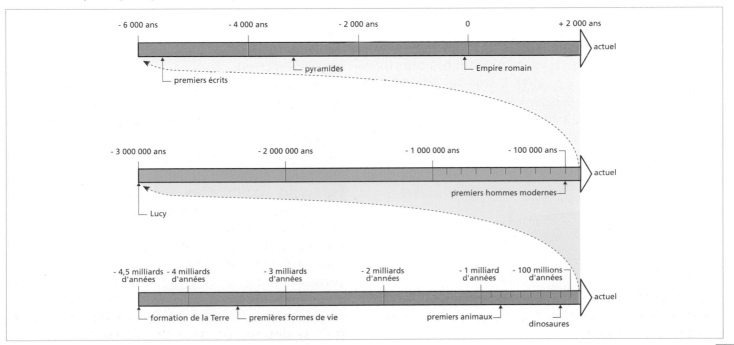

Éclipse

Une **éclipse de Soleil** se produit lorsque la <u>Lune</u> s'intercale exactement entre la <u>Terre</u> et le <u>Soleil</u>. C'est un phénomène très rare, car la zone d'ombre qui se projette sur la Terre est très peu étendue. Une éclipse de Soleil se produit toujours lors d'une nouvelle lune (→ p. 151). En France, les prochaines auront lieu le 3 septembre 2081 et le 23 septembre 2090.

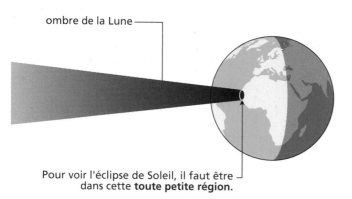

ombre de la Lune

Pour voir l'éclipse de Soleil, il faut être dans cette **toute petite région**.

PRINCIPALES ÉCLIPSES TOTALES DE SOLEIL	PAYS DANS LESQUELS ELLES SONT OBSERVABLES
31 mai 2003	Nord de l'Écosse, Islande, Groenland
3 octobre 2005	Portugal, Espagne et une grande partie de l'Afrique
29 mars 2006	Afrique, Méditerranée, Turquie, Russie
22 septembre 2006	Guyane
1er août 2008	Grand Nord canadien et européen, Mongolie, Chine
22 juillet 2009	Inde, Chine
15 janvier 2010	Zaïre, Kenya, Sud de l'Inde, Sri Lanka, Chine

Une **éclipse de Lune** se produit lorsque la Lune passe dans l'ombre de la Terre. C'est un phénomène assez fréquent, car tous les gens qui se trouvent dans la bonne moitié de la Terre peuvent la voir. Une éclipse de Lune se produit toujours lors d'une pleine lune (→ p. 151). Dates des éclipses de Lune, en France: 8-9 novembre 2003, 28 octobre 2004, 3 mars 2007, 21 février 2008.

→ <u>Phase</u>

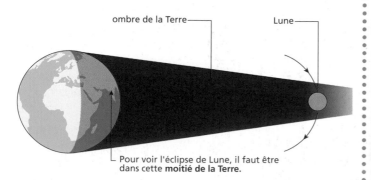

ombre de la Terre — Lune —

Pour voir l'éclipse de Lune, il faut être dans cette **moitié de la Terre**.

Embryon

On appelle embryon le jeune qui se forme petit à petit dans le ventre de la mère chez les <u>vivipares</u> ou dans l'œuf chez les <u>ovipares</u>.

On l'appelle **fœtus** lorsqu'il est bien formé, c'est-à-dire après le 3e mois de grossesse chez la femme.

Empreinte

Une empreinte se forme lorsqu'on presse quelque chose contre une surface et que cela y laisse une **marque** de couleur ou en creux. Les plus courantes sont les empreintes de pas.

Énergie renouvelable

On dit qu'une <u>source d'énergie</u> est renouvelable si son renouvellement dure moins qu'une vie humaine (environ 50 ans). L'énergie de l'eau est un exemple d'énergie renouvelable. En étudiant le <u>cycle de l'eau</u>, on comprend que les rivières ne vont pas s'arrêter de couler vers la mer.

Les sources d'énergie renouvelables sont les suivantes.

CELLES QUI PROVIENNENT DU SOLEIL	CELLES QUI PROVIENNENT DE LA TERRE
Énergie **solaire** (utilisée par exemple dans le chauffage solaire)	Énergie des sources souterraines d'**eau chaude** (appelée énergie **géothermique**)
Énergie de l'**eau** (rivières, marées, barrages)	
Énergie du **vent**	
Énergie de la **biomasse**, c'est-à-dire qui est tirée de la **matière vivante** (par exemple le bois, le gaz provenant de la décomposition des végétaux et des déchets animaux)	

En utilisant au maximum les sources d'énergie renouvelables, on économise les <u>ressources de la planète</u>.

Un aérogénérateur produit de l'électricité à partir de l'énergie du vent.

Une éolienne artisanale.

Engrais

Ce sont des produits utilisés pour améliorer la fertilité des terres. Ils sont composés de **sels minéraux** produits industriellement ou de compost.

Le **compost** résulte de la décomposition incomplète de matières vivantes végétales. Aussi appelé « terreau », il est souvent de couleur noire ou foncée.

Le **fumier** (excréments des animaux de la ferme mélangés à de la paille) et le **lisier** (excréments sans paille, plus liquide) sont aussi des engrais naturels.

Engrenage

C'est un système constitué de **deux roues dentées** dont l'une entraîne l'autre. Les engrenages sont utilisés dans de nombreuses machines.

Épicentre

L'épicentre d'un tremblement de terre (ou séisme) est l'endroit situé à la surface de la Terre où les secousses sont les plus importantes. Il est situé à la <u>verticale</u> du point d'origine du séisme (appelé **foyer**).

Les foyers naissent de cassures dans les roches. Ils sont situés à des profondeurs qui s'échelonnent de 1 à 700 km.

Équinoxe

C'**est la date qui marque le début du printemps** (équinoxe de printemps) ou le **début de l'automne** (équinoxe d'automne).

Dans l'hémisphère Nord, l'équinoxe de printemps se situe aux environs du 21, 22 ou 23 mars, l'équinoxe d'automne aux alentours du 21, 22 ou 23 septembre. La date change légèrement d'une année sur l'autre.

À la date des équinoxes, la durée de la <u>journée</u> est égale à la durée de la nuit.

Étoile

Une étoile, comme le <u>Soleil</u>, est une gigantesque boule de matière dont la <u>température</u> est extrêmement élevée. Contrairement aux <u>planètes</u> ou à la <u>Lune</u>, les étoiles émettent leur propre lumière. De nombreuses étoiles sont beaucoup plus grosses que le Soleil.

Depuis la Terre, on voit les étoiles comme des points lumineux parce qu'elles sont très éloignées de notre <u>système solaire</u>.

S'il était possible de voyager dans l'Univers à la vitesse de 300 000 km/s, nous mettrions 8 minutes pour parvenir au Soleil, plus de 4 ans pour atteindre l'étoile la plus proche et plus de 2 000 ans pour parvenir à certaines étoiles pourtant visibles à l'œil nu !

Mais en voyageant à la vitesse des fusées actuelles, il faudrait 1 an pour atteindre le Soleil, plus de 60 000 ans pour parvenir à l'étoile la plus proche et plusieurs millions d'années pour aborder la plupart de celles que nous admirons au cours d'une nuit étoilée.

Au cours de la nuit, les étoiles se déplacent d'un mouvement d'ensemble dû à la rotation de la Terre sur elle-même. Seule l'étoile Polaire reste à peu près immobile, car elle est située presque exactement dans le prolongement de l'axe de rotation de la Terre. C'est pour cette raison qu'elle indique le Nord.

En laissant la lumière des étoiles pénétrer dans l'appareil photographique pendant plusieurs heures, on peut voir leur mouvement.

Évaporation

L'évaporation est le **passage de l'état liquide à l'état gazeux** qui s'effectue généralement sous l'action d'un réchauffement.

L'évaporation est un changement d'état qui, à l'inverse de l'ébullition, se produit lentement et à la surface du liquide.

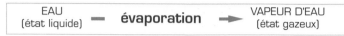

| EAU (état liquide) | — **évaporation** → | VAPEUR D'EAU (état gazeux) |

La vapeur d'eau qui se forme au cours d'une évaporation se mélange à l'air.

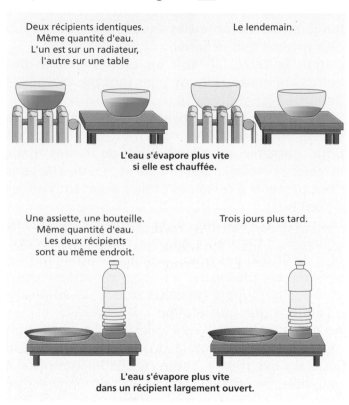

Deux récipients identiques. Même quantité d'eau. L'un est sur un radiateur, l'autre sur une table.

Le lendemain.

L'eau s'évapore plus vite si elle est chauffée.

Une assiette, une bouteille. Même quantité d'eau. Les deux récipients sont au même endroit.

Trois jours plus tard.

L'eau s'évapore plus vite dans un récipient largement ouvert.

Évolution

Des transformations peuvent se transmettre de génération en génération. Sur une longue période, elles peuvent aboutir à d'importants changements et à la formation de **nouvelles espèces**.

La théorie de l'évolution des espèces a été proposée par Darwin en 1859 et a été largement confirmée depuis. Selon cette théorie, seuls les êtres vivants les mieux adaptés survivent à des modifications importantes de leur milieu et laissent des descendants. C'est ce qu'on appelle la « sélection naturelle ». Elle explique l'apparition d'animaux de plus en plus rapides ou volant de mieux en mieux.

Expiration

→ Mouvements respiratoires

Faille

C'est la rupture qui apparaît dans une roche qui est soumise à une compression ou à un étirement. Les deux blocs de roche situés de part et d'autre de la faille vont se déplacer l'un par rapport à l'autre.

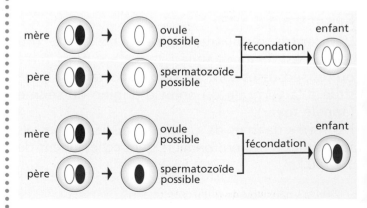

Fécondation

Chez les animaux, la fécondation est l'**union entre un ovule et un spermatozoïde** qui donne un œuf. Elle peut se faire dans l'eau (c'est la **fécondation externe**) ou dans l'appareil génital de la femelle (c'est la **fécondation interne**).

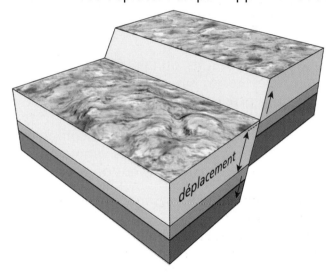

Chez les végétaux, il y a également fécondation. Chez les plantes à fleurs par exemple, la fécondation se fait à partir des grains de pollen produits par les étamines et des ovules contenus dans le pistil.

Fil à plomb

C'est un outil constitué d'une masse suspendue à un fil.

Il permet de contrôler si un mur ou un poteau est <u>vertical</u>.

Ce poteau est parallèle au fil à plomb, donc il est vertical.

Ce poteau n'est pas parallèle au fil à plomb, donc il n'est pas vertical.

Filtration

Un filtre, comme une passoire, est une espèce de grille. Lorsqu'un <u>liquide</u> contenant des débris <u>solides</u> passe à travers un filtre, les morceaux plus gros que les trous sont retenus. Le liquide est filtré. Voici quelques exemples de filtres :
– la grille d'une station d'épuration filtre les plus gros déchets ;
– les filtres à café retiennent les particules dépassant 0,05 mm environ ;
– les masques anti-poussière filtrent les particules dépassant 0,01 mm.

L'eau boueuse filtrée devient plus claire.

Fleur

Les fleurs présentent, en général, des **sépales**, des **pétales**, des étamines et un pistil.

Les **étamines** produisent les grains de <u>pollen</u>. Le **pistil** (dont l'extrémité s'appelle le stigmate) contient des <u>ovules</u>. Le pollen, disséminé par le vent ou les insectes, se dépose sur le pistil : c'est la **pollinisation**. Elle permet la <u>fécondation</u>.

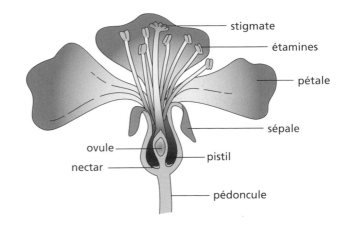

stigmate
étamines
pétale
sépale
ovule
nectar
pistil
pédoncule

Fossile

Les fossiles sont les restes ou les <u>empreintes</u> d'êtres vivants (animaux ou végétaux), morts depuis longtemps, retrouvés dans une roche.

Moule interne de cérithe (50 MA).

Cérithe (50 MA).

Fruit

Le fruit est la partie d'une plante qui contient des graines.

Le fruit provient de la transformation du pistil de la fleur après sa fécondation par le pollen. Il protège les graines et permet leur dissémination par le vent (pissenlit, érable) ou par les animaux (abricot, cerise).

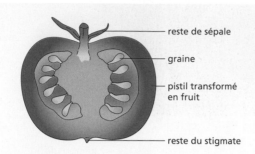

reste de sépale

graine

pistil transformé en fruit

reste du stigmate

Fruit de la tomate.

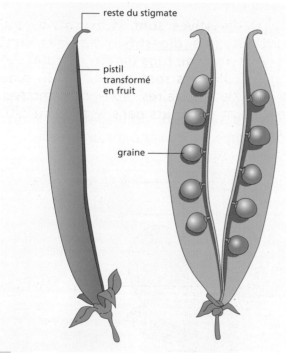

reste du stigmate

pistil transformé en fruit

graine

Fruit du pois.

Fuseau horaire

La Terre reçoit la lumière du Soleil. Une partie est éclairée (il y fait jour); une partie est dans l'ombre (il y fait nuit). Il n'est donc pas possible que l'heure soit la même partout sur Terre.

Pour que ce soit commode, les scientifiques ont décidé de **partager la Terre en 24 parties** presque identiques appelées « fuseaux ». **L'heure est la même dans chaque fuseau horaire.** Il y a un décalage de 1 heure entre deux fuseaux voisins (→ carte des fuseaux horaires au dos de la couverture).

Fusion

C'est le **passage de l'état solide à l'état liquide** qui s'effectue généralement sous l'action d'un réchauffement. La fusion est un changement d'état.

GLACE (état solide) — **fusion** → EAU (état liquide)

La température de la glace en train de fondre est toujours égale à 0 °C. Cette valeur ne dépend pas de la température du lieu où l'on fait l'expérience.

La masse se conserve au cours de la fusion d'un solide.

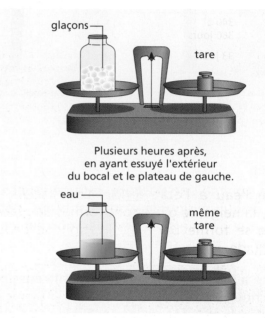

glaçons

tare

Plusieurs heures après, en ayant essuyé l'extérieur du bocal et le plateau de gauche.

eau

même tare

Attention : l'expérience peut échouer si tu ne fais pas attention à la condensation de l'eau contenue dans l'air sur la paroi extérieure du bocal.

Germination

La germination est une **étape** durant laquelle la graine donne peu à peu une **nouvelle plante**.

Une graine ne germe que dans certaines conditions : lorsque la **température** est assez élevée et que l'**humidité** du sol est suffisante, c'est-à-dire au **printemps**.

Gestation

C'est la période durant laquelle les embryons se développent dans l'appareil génital femelle. Elle s'achève avec l'« accouchement » (on dit mise bas pour les animaux).

La durée de la gestation varie avec l'espèce.

ESPÈCE	DURÉE DE GESTATION	NOMBRE DE PETITS	DÉVELOPPEMENT DES JEUNES
Chat	60 jours	2 à 6	
Cheval	11 mois	1	Peut procréer à son tour à partir de 3 ans
Bœuf	8 à 9 mois	1 à 2 (rarement)	Peut procréer à son tour à partir de 3 ans
Mouton	5 mois	1 à 2 (rarement)	Peut procréer à son tour à partir de 1 an
Porc	15 à 17 semaines	6 à 12	Peut procréer à son tour à partir de 1 an
Baleine blanche	340 à 360 jours	1	
Kangourou roux	33 jours	1	Reste dans la poche accroché à une mamelle pendant 235 jours

Un glacier en Patagonie.

Glace

C'est de l'eau à l'état solide. Les glaciers, les glaçons, la neige, le givre sont formés de glace. La glace se forme par solidification de l'eau à l'état liquide.

Des cristaux de neige.

Glande digestive

Les glandes digestives sont des organes qui produisent les sucs digestifs. Certaines sont situées dans la paroi du tube digestif : estomac et intestin grêle. D'autres sont en dehors du tube digestif : glandes salivaires, foie et pancréas. Toutes déversent leurs sucs dans le tube digestif par des canaux.

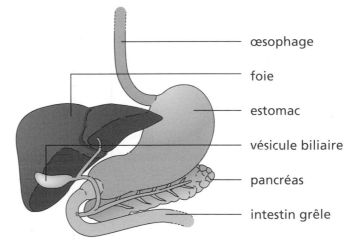

œsophage

foie

estomac

vésicule biliaire

pancréas

intestin grêle

Les aliments ne passent ni par les glandes salivaires, ni par le foie, ni par le pancréas.

Gnomon

Le gnomon est un bâton vertical placé au Soleil qui, dans l'Antiquité, servait à **connaître l'heure**. Comme le Soleil se déplace par rapport à l'horizon, l'ombre que le gnomon projette sur le sol se déplace également : sa direction donne donc une indication sur l'heure.

Malheureusement, on s'aperçoit en comparant les deux exemples ci-dessous que l'ombre n'a pas toujours la même direction à la même heure.

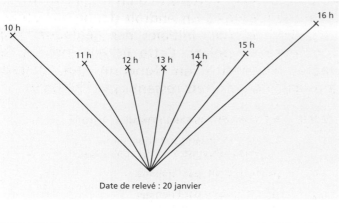

Date de relevé : 20 janvier

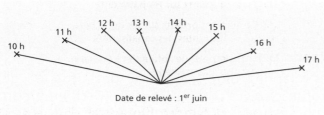

Date de relevé : 1ᵉʳ juin

La direction de l'ombre à 10 h et à 16 h n'est pas la même.

Le gnomon a donc été perfectionné, ce qui a conduit à différentes sortes de cadrans solaires qui, eux, peuvent donner l'heure de manière assez précise grâce au Soleil. On voit encore de nos jours des cadrans solaires sur les murs de certaines maisons anciennes.

Graine

La graine renferme un **germe** et des **réserves** sous forme déshydratée.

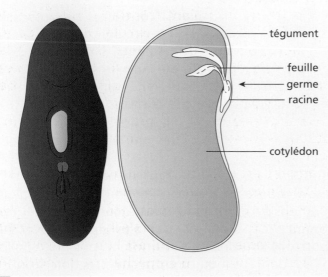

Graine de haricot.

Cela lui permet de résister au gel, de survivre pendant l'hiver et de donner une nouvelle plante au printemps.
Si la graine est transportée par le vent ou les insectes, la plante colonisera de nouveaux territoires.

Hominidé

Les hominidés regroupent les **hommes actuels**, mais aussi **tous leurs ancêtres et leurs proches cousins** comme l'australopithèque Lucy, les hommes de Neandertal et les hommes de Cro-Magnon. Les ancêtres communs des hommes et des grands singes actuels (gorilles, chimpanzés…) n'en font pas partie.
→ Primate

Homme de Neandertal

Ce terme désigne un groupe d'hommes qui vécurent de – 200 000 à – 35 000 ans.
Les hommes de Neandertal étaient très proches

de ce que nous sommes. Non seulement leur crâne avait un volume voisin du nôtre, mais ils avaient une culture déjà développée (pierres taillées, enterrement des morts…). En revanche, ils se différencient de nous par un front plus court et la forme un peu plus trapue de leur corps.
On a trouvé des traces de leur existence en Europe et au Moyen-Orient.
→ Préhistoire

Homo erectus

Ce terme désigne un groupe d'hommes qui vécurent de – 1,5 million d'années à – 200 000 ans. Ils se distinguent des australopithèques (qui vivaient avant eux) par leur crâne plus développé et par leur dentition très proche de la nôtre. Ce sont eux qui ont fait les premiers feux, probablement vers – 500 000 ans.
On a trouvé des traces de leur existence en Europe, en Asie et en Afrique.
→ Préhistoire

Homo sapiens

Les *Homo sapiens* sont des hommes modernes, c'est-à-dire comme nous sur le plan du physique et des capacités mentales. Ils sont apparus depuis 100 000 ans environ.

Ils se caractérisent par le développement important de leur crâne et par une culture plus développée que celle des hommes de Neandertal. On a en effet retrouvé des outils nombreux et divers, des traces d'enterrements, des peintures et des sculptures datant de 35 000 ans.

Ce sont également les *Homo sapiens* qui ont « inventé » l'agriculture (les traces les plus anciennes ont 10 000 ans) et l'écriture (depuis 6 000 ans).

Horizontal (horizontale)

À l'air libre, la surface d'un liquide immobile est horizontale.

Le niveau à bulle est un outil qui permet de contrôler l'horizontalité d'un sol, d'une étagère, d'une lunette de visée…

I

Imperméable

→ Perméable

Infiltration

Lorsque **l'eau passe à travers des matières**, on dit qu'elle s'infiltre.

Une partie de l'eau de pluie s'infiltre dans le sol s'il est perméable (c'est le cas du sable par exemple). En revanche, l'eau ne s'infiltre pas à travers les matières imperméables (comme le verre).

→ Cycle de l'eau

Infusoire

Les infusoires sont des **animaux microscopiques** : ils mesurent moins de 0,1 mm (ce qui correspond à l'épaisseur d'un cheveu). Ils apparaissent lorsqu'on laisse infuser (tremper) de l'herbe dans de l'eau pendant quelques semaines.

Inspiration

→ Mouvements respiratoires

Intensité d'un tremblement de terre

Elle correspond à l'**ampleur des dégâts visibles à la surface de la Terre**.

Pour déterminer l'intensité d'un tremblement de terre (ou séisme) à un endroit donné, on utilise l'**échelle MSK** (des initiales des géologues qui l'ont mise au point). Cette échelle indique le degré d'intensité en fonction des dégâts constatés et des effets ressentis par l'homme.

DEGRÉS	EFFETS RESSENTIS PAR L'HOMME ET DÉGÂTS
1	Séisme non ressenti par l'homme, seulement enregistré par les sismographes
2 à 4	Séisme ressenti par l'homme
5 à 6	Séisme ressenti par l'homme Dégâts sur les bâtiments
7 à 8	Dégâts importants sur les bâtiments
9 à 10	Dégâts très importants sur les bâtiments, les ponts, les routes, les canalisations…
11 à 12	Destruction presque totale des bâtiments, modification du paysage

Il ne faut pas confondre l'intensité d'un séisme avec sa magnitude, qui correspond à l'énergie libérée lors d'un séisme. En effet, l'intensité des dégâts dépend aussi de la localisation de l'épicentre, de la nature des constructions et de l'organisation des secours.

Isolant (isoler, isolation)

Isoler signifie empêcher ou gêner un déplacement. Par exemple, en sciences, c'est **empêcher ou gêner le passage de l'électricité ou de la chaleur**.

En électricité, un isolant (contraire : conducteur) empêche l'électricité de circuler. Le verre, le plastique, l'air sont des isolants. C'est grâce à la gaine en plastique qui entoure les fils électriques qu'on peut les toucher, sans risque de s'électrocuter, même s'ils sont branchés.

La laine, la fourrure, la graisse, l'air sont des substances isolantes. Elles empêchent la chaleur de se déplacer.

Un isolant est efficace pour conserver aussi bien le chaud que le froid (→ schéma p. 200).

Cependant, un isolant n'est jamais parfait. La chaleur finit toujours par s'échapper, plus ou moins lentement. L'air, qui est l'un des meilleurs isolants électriques, n'empêche pas l'électricité des éclairs (la foudre) de se propager.

Grâce à l'isolant, la chaleur a du mal à s'échapper. La boisson est chaude plus longtemps.

Grâce à l'isolant, la chaleur a du mal à pénétrer. La boisson reste fraîche plus longtemps.

J

Jour, journée

Le **jour** est la durée de **24 heures qui s'écoule entre minuit** d'une certaine date **et minuit** du lendemain. C'est une unité utilisée en astronomie : 1 j = 24 h.

On ne doit pas confondre jour et journée. La journée est la **période pendant laquelle le Soleil est au-dessus de l'horizon.**

Dans le langage courant, on mélange ces deux mots lorsqu'on dit « il fait jour ».

L

Larve

La larve désigne un **jeune qui ne ressemble pas du tout à l'adulte** par son aspect physique ou par son mode de vie. C'est le cas de la chenille, qui est différente du papillon, et du têtard qui ne ressemble pas à la grenouille.

La chenille se transforme en un papillon au cours de la métamorphose.

Lave

→ Magma

Levier

Le levier est sans doute la plus ancienne des machines. Pourtant, elle est encore utilisée couramment de nos jours.

Il s'agit d'un simple bâton posé sur un point d'appui (une branche ou une pierre par exemple) qui permet de **soulever un objet lourd.** Pour cela, il faut :

– placer l'objet le plus près possible du point d'appui (le **pivot**) ;

– appuyer sur le bâton le plus loin possible du pivot.

Avec un bâton d'une très grande longueur, on peut soulever des charges énormes. Le seul problème est la solidité du bâton !

Ligament

→ Accident corporel et articulation

Liquide

L'eau, l'huile, le lait sont des exemples de liquides.

Les liquides coulent. Ils peuvent passer à travers des fissures ou des trous, même très petits : c'est l'infiltration.

Les liquides **s'infiltrent** à travers des matières comme le sable ou certains tissus. Ces matières sont perméables.

Ils **glissent** à la surface d'autres matières comme la pâte à modeler ou le verre. Ces matières sont imperméables.

Lumière

Le Soleil, les étoiles, les flammes, les ampoules envoient de la lumière : ce sont des **sources de lumière**.

La Lune, les planètes ne produisent pas leur propre lumière : elles renvoient celle du Soleil. C'est la raison pour laquelle on peut les voir.

Les objets éclairés (un livre, un arbre, une maison, une montagne) renvoient eux aussi la lumière qu'ils reçoivent. Pour voir ces objets, il faut que la lumière qu'ils renvoient arrive dans notre œil.

La lumière se propage en ligne droite. Donc, **pour voir un objet, il faut pouvoir tracer une ligne droite** entre cet objet et l'œil, sans rencontrer d'objets opaques (opaque est le contraire de transparent).

Cette enfant peut voir le stylo, le livre, mais pas la montre.

Lune

La Lune est le seul satellite naturel de la Terre. La distance qui la sépare de la Terre est approximativement égale à 380 000 km. Elle tourne autour de notre planète en 1 mois environ. La Lune n'émet pas sa propre lumière (ce n'est pas une étoile) : elle ne fait que renvoyer la lumière du Soleil.

Depuis la Terre, nous voyons la partie éclairée de la Lune. Celle-ci change de forme régulièrement : ce sont les phases de la Lune.

La Lune est magnifique à observer avec une simple paire de jumelles. On peut distinguer les mers sombres (les premiers astronomes ont cru que c'étaient des vraies mers et le nom est resté), les continents (plus clairs) et les cratères créés par les météorites qui s'y sont écrasées.

Voyager sur la Lune a longtemps été un rêve pour les hommes. En 1959, une sonde soviétique inhabitée (Luna-3) a « atterri » en douceur sur la Lune (on dit même aluni !). C'est Neil Armstrong, un Américain, qui a posé le premier le pied sur la Lune le 16 juillet 1969 (Apollo-11).

Les missions réalisées sur la Lune ont permis d'établir des cartes précises, de ramener de nombreux échantillons de son sol et de mieux connaître son passé.

La vie n'a pas pu se développer sur la Lune, car il n'y a ni atmosphère, ni eau.

La Terre vue depuis la Lune.

M

Magma

Le magma est un **mélange** de roches en **fusion** et **de gaz** qui se forme dans les profondeurs de la Terre (en général vers 100 km de profondeur). Il remonte à la surface à travers des fissures.

Le magma peut être plus ou moins fluide :
– lorsqu'il est **fluide**, il remonte sans difficulté et l'éruption volcanique se manifeste par des projections peu violentes de gaz et par la sortie d'une lave (une roche à l'état liquide, en fusion, qui provient du magma) qui s'écoule facilement le long des pentes du volcan. C'est une **éruption effusive** ;
– en revanche, quand le magma est **visqueux**, il remonte avec difficulté et l'éruption volcanique se traduit par de violentes explosions projetant une colonne de cendres à haute altitude et par l'émission d'une lave visqueuse.

Lorsqu'elle refroidit, la lave redevient solide et se transforme en roche.

Magnitude d'un séisme

La magnitude indique la **quantité d'énergie** libérée lors d'un tremblement de terre (ou séisme). Elle est évaluée à partir des enregistrements des ondes sismiques qui apparaissent et qui se propagent lors d'un séisme. Ces enregistrements sont obtenus à l'aide des sismographes (→ schéma ci-dessous).

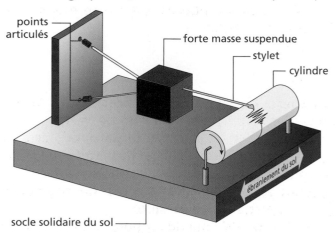

points articulés
forte masse suspendue
stylet
cylindre
ébranlement du sol
socle solidaire du sol

La magnitude est déterminée par l'**échelle de Richter**, qui est graduée de 1 à 9.

Il ne faut pas confondre la magnitude avec l'intensité, qui décrit les dégâts dus au tremblement de terre. Deux séismes ayant la même magnitude peuvent entraîner des dégâts très différents. Ainsi, le séisme de San Francisco (États-Unis) en 1989 et celui de Spitak (Arménie) en 1988 avaient tous deux une magnitude de 7 environ. Mais il y eu 63 morts aux États-Unis et 25 000 victimes en Arménie.

Malnutrition

La malnutrition est due à une **alimentation qui n'est pas équilibrée**, même si elle est parfois suffisante en quantité. Il ne faut pas confondre avec la **sous-nutrition** qui est liée à une alimentation insuffisante en quantité.

Mélange

C'est un ensemble de matières mêlées les unes aux autres.

Lorsqu'elles ne sont pas dissoutes les unes dans les autres (comme de la terre dans de l'eau), il est possible de les séparer par décantation ou par filtration.

Lorsqu'une matière se dissout dans une autre (comme le sel dans l'eau), il est difficile de les séparer.

On peut toutefois retrouver la matière dissoute par évaporation.

→ Dissolution

Métamorphose

C'est l'ensemble des **transformations** qui permettent de passer de la larve à l'adulte.

Les changements de forme et de mode de vie peuvent être importants : ainsi, le têtard végétarien et aquatique donne une grenouille insectivore et semi-terrestre.

Microbe

Tous les **êtres vivants** trop petits pour être vus à l'œil ou à la loupe sont des microbes. Il faut un microscope (grossissant plus de 30 fois) pour les voir.

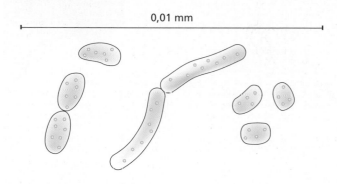

0,01 mm

Trois bactéries différentes.

Certains microbes (bacilles, streptocoques, virus) causent des maladies, mais beaucoup sont utiles : ils peuvent participer au recyclage des organismes morts et au nettoyage de la nature. Ce sont aussi des microbes qui transforment le lait en fromage, le jus de raisin en vin ou qui font « lever » la pâte à pain.

→ Antiseptique

Mouvement respiratoire

Les mouvements respiratoires sont de deux types :
– l'**inspiration** est le mouvement qui fait entrer l'air dans les poumons. Le diaphragme (un muscle qui sépare le thorax de l'abdomen) se contracte et s'abaisse. Dans le même temps, les côtes se soulèvent. Ceci provoque l'augmentation du volume de la cage thoracique et donc de celui des poumons : l'air entre alors dans les poumons ;
– l'**expiration** est le mouvement qui fait sortir une partie de l'air contenu dans les poumons. Le

diaphragme se relâche et remonte. Les côtes s'abaissent. Ceci entraîne une diminution du volume de la cage thoracique et donc de celui des poumons : l'air sort alors des poumons.

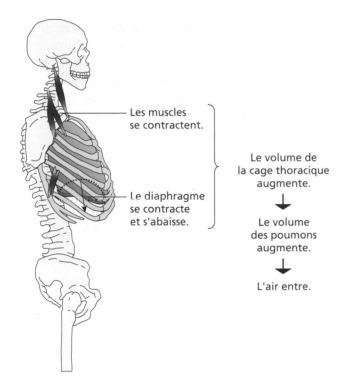

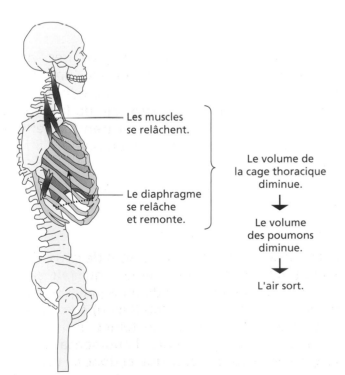

Mue

La mue est un changement de « peau ». Elle se produit notamment pendant la croissance des larves d'insectes, par exemple chez la chenille.
En effet, la larve est recouverte d'une enveloppe rigide qui ne peut pas grandir. Au moment de la mue, la larve qui sort de son enveloppe présente une nouvelle « peau ». Celle-ci est extensible pendant quelques heures : c'est à ce moment-là que la larve grandit.

Muscle

L'ensemble de nos muscles constitue 40 % du poids du corps. Il y a trois sortes de muscles :
– ceux qui sont situés **dans la paroi de certains organes** comme le tube digestif ou les bronches ;
– le **muscle cardiaque** (ou myocarde) ;
– les muscles accrochés aux os du squelette, appelés **muscles squelettiques**.
Il y a plus de 600 muscles squelettiques qui sont rattachés aux os par les **tendons**, de part et d'autre des articulations (→ schéma p. 184).
Lorsqu'un muscle squelettique se contracte, il diminue de longueur et tire sur l'os auquel il est attaché. Pour fléchir la jambe par exemple, un muscle appelé **fléchisseur** se contracte et un autre, l'**extenseur**, se relâche. Pour étendre la jambe, l'extenseur se contracte et le fléchisseur se relâche.

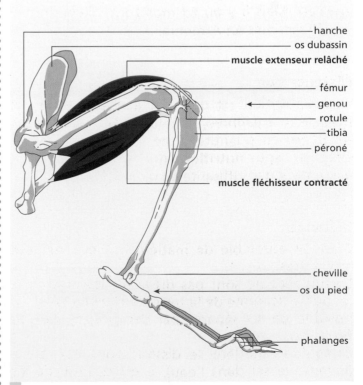

Patte postérieure de lapin, en flexion.

N

Nappe souterraine

Si le sol est perméable, une partie de l'eau de pluie s'infiltre. Si elle rencontre une roche impérméable, il se forme une **réserve d'eau** appelée nappe souterraine. Cette réserve d'eau ne constitue pas un lac souterrain : elle est mélangée aux graviers ou à la roche du sous-sol.

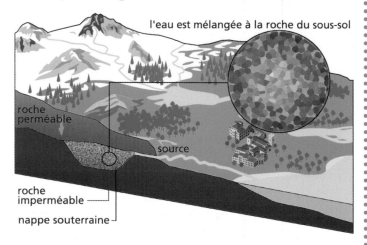

Les hommes pompent parfois l'eau des nappes souterraines.
→ Infiltration et cycle de l'eau

Niveau à bulle

C'est un outil qui permet de savoir si une surface (une table, une étagère...) est horizontale.

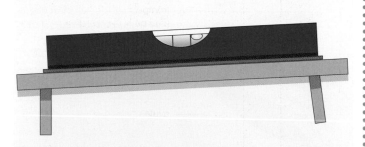

Si la bulle n'est pas entre les deux repères, alors la surface n'est pas horizontale.

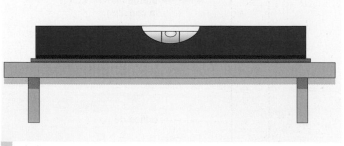

Si la bulle est entre les deux repères, alors la surface est horizontale.

Nutrition végétale

Comme les animaux, les végétaux ont besoin de se nourrir pour se développer. Pour cela, le végétal prélève de l'**eau** et des sels minéraux (engrais) dans le sol, du **gaz carbonique** dans l'air. Il capte aussi de la lumière grâce à ses feuilles. Ce sont elles qui fabriquent la matière végétale.

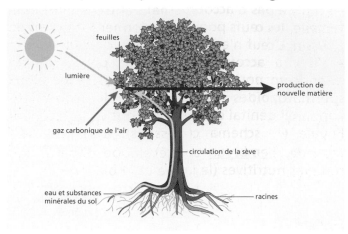

Nymphe

Au cours de la métamorphose de certains insectes (les papillons, les abeilles, les coccinelles...), la larve se transforme en nymphe avant de devenir adulte. Cette nymphe reste immobile et ne se nourrit pas. Chez les papillons, on l'appelle la **chrysalide**.

O

Obésité

L'obésité concerne plus de 25 % de la population des États-Unis et elle augmente peu à peu dans tous les « pays riches ». C'est un problème car elle peut provoquer de graves maladies (cardio-vasculaires notamment).

L'obésité est due, entre autres, à une **consommation excessive de graisses et de sucres**. Pour diminuer les risques, il faut donc éviter de grignoter des aliments sucrés et de passer trop de temps immobile devant la télévision ou les jeux vidéo.

En revanche, il faut faire de vrais repas et manger équilibré, diminuer la consommation de viande et de graisses, éviter les boissons sucrées, manger des fruits et des légumes. Il est aussi conseillé de faire des activités physiques.

Œuf

En sciences, le mot « œuf » n'a pas le même sens que dans le langage quotidien.

L'œuf est ce qui va donner un nouvel individu : c'est le résultat de la <u>fécondation</u> d'un <u>ovule</u> par un <u>spermatozoïde</u>.

Prenons le cas des oiseaux, la poule par exemple :
– s'il n'y a **pas d'accouplement** entre le mâle et la femelle, les œufs pondus ne donneront jamais de poussin. L'œuf n'est pas fécondé, c'est un ovule ;
– s'il y a **accouplement**, l'œuf pondu pourra donner un poussin. En effet, un des nombreux spermatozoïdes déposés par le coq dans l'appareil génital de la poule peut venir féconder l'ovule (➜ schéma ci-dessous). Dans cet œuf fécondé, l'<u>embryon</u> se développe à partir des réserves nutritives (le jaune et le blanc).

Ombre

Lorsqu'un objet opaque est placé devant une source de <u>lumière</u>, il se forme une ombre derrière lui : c'est la zone qui ne reçoit pas la lumière de cette source. On peut observer l'ombre sur l'objet lui-même (**ombre propre**) ou sur une surface placée derrière lui comme le sol, un mur ou un écran (**ombre portée**).

La forme de l'ombre dépend :
– de la disposition de la source de lumière par rapport à l'objet éclairé ;
– de la disposition de l'écran ;
– de la position de l'observateur.

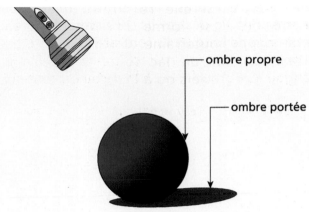

Os

Les os représentent environ 20 % de la masse du corps. Nous en avons 206 qui constituent notre squelette (➜ schéma p. 206). Celui-ci assure deux fonctions essentielles :
– la **protection d'organes vitaux** : les os du crâne forment la boîte crânienne qui protège le cerveau. Les vertèbres constituent la colonne

Appareil reproducteur de la poule.

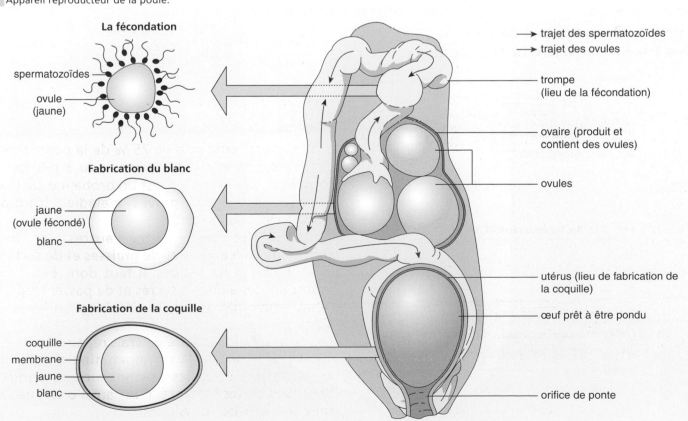

La fécondation
spermatozoïdes
ovule (jaune)

Fabrication du blanc
jaune (ovule fécondé)
blanc

Fabrication de la coquille
coquille
membrane
jaune
blanc

→ trajet des spermatozoïdes
→ trajet des ovules
trompe (lieu de la fécondation)
ovaire (produit et contient des ovules)
ovules
utérus (lieu de fabrication de la coquille)
œuf prêt à être pondu
orifice de ponte

vertébrale qui protège la moelle épinière. La cage thoracique (faite des côtes, des vertèbres et du sternum) protège le cœur et les poumons ;
– les **mouvements** : nos membres inférieurs et supérieurs sont composés de segments (cuisse, jambe, pied ou bras, avant-bras, main). Ces segments sont rigides car ils contiennent au moins un os long et ils sont articulés.

Ovipare

Chez les animaux ovipares, le jeune sort d'un <u>œuf</u> lors de l'éclosion.

➜ <u>Vivipare</u>

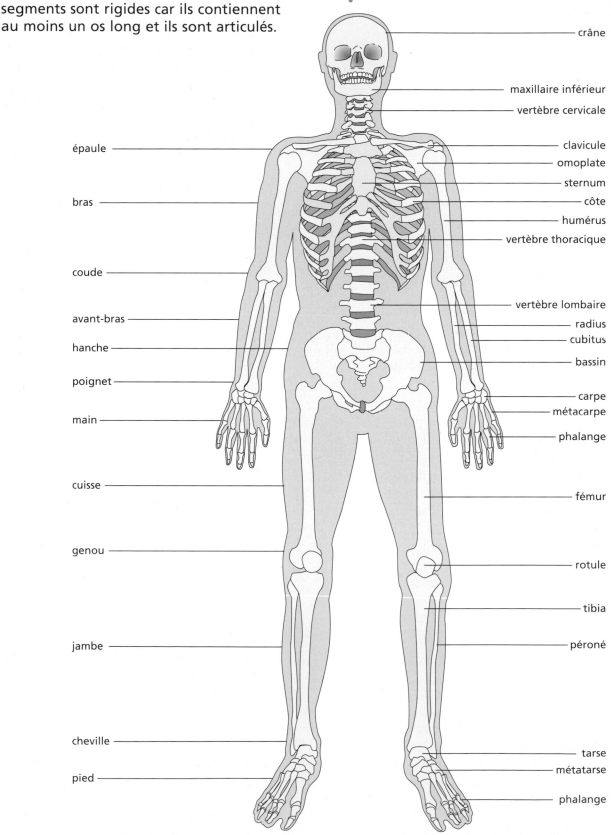

épaule
bras
coude
avant-bras
hanche
poignet
main
cuisse
genou
jambe
cheville
pied

crâne
maxillaire inférieur
vertèbre cervicale
clavicule
omoplate
sternum
côte
humérus
vertèbre thoracique
vertèbre lombaire
radius
cubitus
bassin
carpe
métacarpe
phalange
fémur
rotule
tibia
péroné
tarse
métatarse
phalange

Ovule

Les ovules sont des **cellules produites dans les ovaires** des femelles. Ils sont arrondis, beaucoup plus grands et moins nombreux que les spermatozoïdes.

Si un ovule est fécondé par un spermatozoïde, il se transforme en œuf, qui donnera naissance à un nouvel individu.

→ Reproduction sexuée

P

Paléontologue

Un paléontologue est un **scientifique** qui s'intéresse aux fossiles. Grâce à eux, il tente de retrouver à quoi ressemblaient des êtres vivants disparus depuis des millions d'années. Il essaie aussi de reconstituer le milieu dans lequel ils vivaient.

Comme dans une enquête policière, le plus petit indice est analysé : des grains de pollen fossiles peuvent, par exemple, nous renseigner sur la végétation, et donc sur le climat d'une époque.

Perméable

Une matière qui **laisse passer l'eau** est perméable à l'eau. Le calcaire, le sable, le gravier forment des sols perméables : ils laissent l'eau s'infiltrer.

Au contraire, une matière qui ne laisse pas passer l'eau est imperméable. L'argile est une roche imperméable : elle retient l'eau. Lorsqu'il pleut beaucoup sur des sols imperméables, il y a un risque d'inondation qui est encore augmenté par le goudronnage de plus en plus fréquent des terrains.

→ Infiltration et nappe souterraine

Pesticide

C'est un produit insecticide ou herbicide utilisé par les jardiniers et les agriculteurs.

Les **insecticides** empêchent certains insectes de ravager les jardins ou les récoltes.

Les **herbicides** empêchent les mauvaises herbes de pousser.

Toutefois, il ne faut pas les utiliser en trop grande quantité. En effet, les herbicides peuvent détruire des plantes comestibles lorsqu'ils se répandent à l'extérieur du champ. De même, les insecticides peuvent tuer des insectes utiles comme les coccinelles, qui mangent des insectes nuisibles comme les pucerons.

Phase

Les astres du système solaire reçoivent tous la lumière du Soleil. Une moitié de leur surface est éclairée, une autre moitié est dans l'ombre. La partie éclairée prend **différentes formes** selon la position depuis laquelle on l'observe : ce sont ces formes qu'on appelle les phases.

Les phases se manifestent surtout pour la Lune, mais deux autres planètes en présentent aussi : Mercure et Vénus. Celles de Vénus sont visibles avec une petite lunette. Elles ont été observées pour la première fois par Galilée (1564-1642).

Une phase de Vénus.

Pistil

C'est la **partie femelle** de la fleur contenant des ovules. Le pistil se transforme en fruit après la fécondation des ovules par du pollen.

Placenta

Le placenta est l'**organe** qui permet à l'embryon de se développer dans l'appareil génital de la mère.

Situé dans la paroi de l'utérus, il contient des vaisseaux sanguins de la mère et de l'embryon.

L'oxygène et les nutriments passent ainsi du sang maternel dans le sang de l'embryon (mais les deux sangs ne se mélangent pas). L'embryon est relié au placenta par le **cordon ombilical** (→ schéma p. 123).

Plan incliné

Un plan incliné permet d'élever plus facilement un objet lourd en le faisant glisser sur des rouleaux le long d'une pente. La méthode est connue depuis très longtemps. C'est par cette technique que les obélisques (des blocs de granit de plus de 10 m de haut) ont été élevés plus de 1 000 ans avant Jésus-Christ. C'est peut-être aussi le cas des pyramides ou des statues de l'île de Pâques.

Planète

Les planètes sont des **astres qui tournent autour d'une étoile**. La Terre est une planète qui tourne autour de son étoile : le Soleil. Contrairement aux étoiles qui émettent de la lumière, les planètes ne font que renvoyer la lumière de leur étoile.

Le système solaire comporte huit planètes : **Mercure, Vénus, la Terre, Mars, Jupiter, Saturne, Uranus** et **Neptune**. Il comporte aussi d'autres corps célestes, comme les planètes naines dont fait partie Pluton.

Les planètes ne sont jamais visibles au même endroit (à la différence des étoiles). Pour cette raison, les astronomes de l'Antiquité les appelaient « astres promeneurs ». Pour savoir dans quelle partie du ciel elles se situent à une date donnée, il faut consulter une revue ou un site d'astronomie. Depuis la Terre, on peut voir certaines planètes à l'œil nu : c'est le cas de Vénus, Mars, Jupiter et Saturne qui brillent plus que les étoiles. En les observant avec une petite lunette, on peut voir plus de détails : les phases de Vénus, les quatre satellites de Jupiter et la trace des anneaux de Saturne.

Saturne et ses anneaux.

Lorsqu'elle est visible, Vénus est l'astre le plus brillant du ciel. On la voit parfois à l'Est avant le lever du soleil, parfois à l'Ouest après son coucher. Vénus est parfois appelée à tort « étoile du berger » car la légende prétend qu'elle leur indiquait leur chemin. Mais attention : Vénus n'est pas une étoile !

Depuis quelques années, les scientifiques ont montré que dans l'Univers, il y avait d'autres planètes tournant autour de leur étoile.

En revanche, personne n'est encore en mesure de dire si la vie s'est développée sur l'une d'entre elles, car il n'est pas possible, pour le moment, de voyager aussi loin (→ étoile pour mieux te rendre compte des distances à parcourir). Cependant, de nombreux scientifiques pensent que la vie extraterrestre est probable.

Plaque lithosphérique

Les plaques lithosphériques constituent **la partie supérieure du globe terrestre**.

Elles ont une épaisseur inférieure à 100 km et glissent sur l'asthénosphère (→ structure de la Terre). Leurs déplacements provoquent les **éruptions volcaniques** et les **séismes**.

Le nombre de plaques varie selon les spécialistes, mais on peut considérer qu'il y a douze grandes plaques lithosphériques (→ schéma ci-contre).

Points cardinaux

Sur Terre, on se repère grâce aux points cardinaux : **Nord, Sud, Est** et **Ouest**. On utilise aussi les directions intermédiaires indiquées par une rose des vents (Nord-Est, Nord-Ouest, Sud-Est, Sud-Ouest).

Les points cardinaux sont faciles à trouver à l'aide d'une boussole, de la course du Soleil ou de l'étoile Polaire.

Pollen

Les grains de pollen sont **produits par les étamines** des fleurs et transportés par le vent ou les insectes.

Le pollen contient l'équivalent de spermatozoïdes nécessaires pour féconder les ovules des pistils (→ schéma ci-contre).

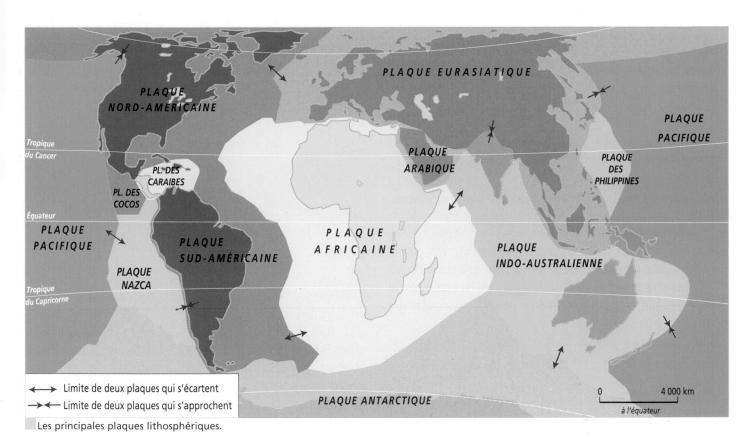

Les principales plaques lithosphériques.

← → Limite de deux plaques qui s'écartent
→ ← Limite de deux plaques qui s'approchent

0   4 000 km
à l'équateur

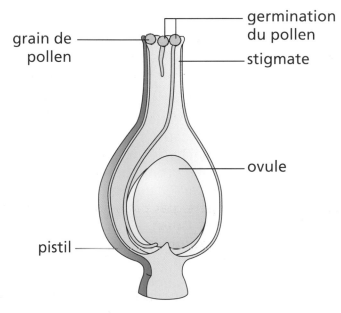

grain de
pollen

germination
du pollen

stigmate

ovule

pistil

Pollution

Les pollutions les plus visibles sont les déchets jetés n'importe où. Mais certaines pollutions sont invisibles; elles peuvent être dues par exemple aux engrais ou aux pesticides… En effet, lorsqu'ils sont utilisés en trop grande quantité, les pluies ou le vent les répandent loin du lieu traité. Les sources d'eau, les rivières, les mers et l'atmosphère peuvent alors être polluées, ainsi que les êtres vivants qu'ils abritent.

Pouls

Le pouls est la pulsation qu'on sent lorsqu'on pose son doigt sur une artère (au niveau du poignet par exemple). Cette pulsation correspond au sang qui est expulsé dans les artères lorsque les ventricules du cœur se contractent.

Lorsqu'on prend son pouls pendant 1 minute, on évalue le nombre de battements du cœur par minute : c'est le **rythme cardiaque**.

Préhistoire

C'est l'histoire de ce qui s'est passé avant les premières traces écrites des hommes, c'est-à-dire avant l'Histoire (avec un H majuscule). La préhistoire remonte à quelques millions d'années.

→ Échelle de temps

Préservatif

C'est une sorte de membrane en latex (caoutchouc souple) qui est déroulée sur le pénis en érection et qui empêche le sperme de se déverser dans l'appareil génital de la femme.

Il protège les deux partenaires des risques de grossesses non désirées et de **maladies sexuellement transmissibles (MST),** comme le virus du Sida ou celui de l'hépatite.
→ Contraception

Prévention des risques sismiques

Les zones où des tremblements de terre importants peuvent se produire sont connues, mais on ne sait pas prévoir le moment où ils vont se produire. Pour réduire les conséquences désastreuses des séismes, on met donc en place des mesures de prévention. Il s'agit surtout de :
– construire des bâtiments qui résistent mieux aux tremblements de terre (des **constructions parasismiques**) ;
– **éduquer les populations** et faire régulièrement des exercices de sauvegarde.

Primate

Les primates sont des mammifères qui se distinguent des autres **mammifères** par des **caractéristiques physiques** : des pouces qui forment des pinces avec les autres doigts, des yeux rapprochés qui permettent une vision en relief. Ils ont aussi une **vie sociale souvent développée.** Ce groupe comprend les hommes, les singes, les lémuriens et les tarsiers.

Un lémurien.

Puberté

Avant de devenir adulte et de pouvoir procréer, le jeune humain découvre la puberté, cette période située entre 11 et 16 ans environ où les **transformations physiques et psychologiques** sont profondes (→ document 3, p. 120).

Attention ! Même si un jeune en puberté est capable de faire un enfant, il n'est pas assez solide mentalement pour l'élever. De plus, il est mineur et sous la responsabilité de ses parents.

R

Race

Ce mot ne devrait être employé que pour des groupes d'individus de la même espèce qui possèdent des caractères héréditaires particuliers et bien définis. Seul l'élevage d'animaux domestiques a pu faire apparaître des races : par le choix rigoureux des croisements entre chiens, chats ou chevaux identiques, l'homme a sélectionné en des centaines d'années des races dites « pures ».

Radioactivité

Dans la matière, les atomes radioactifs ont la propriété de se désintégrer, c'est-à-dire de se transformer en d'autres atomes souvent non radioactifs. De l'**énergie** s'échappe lors de cette transformation : c'est la radioactivité, détectée et mesurée par des compteurs spéciaux (compteurs Geiger). La radioactivité peut être utile (recherche, médecine, production d'électricité), mais elle peut aussi causer de graves maladies si des précautions ne sont pas prises.

Recyclage

Recycler, c'est réutiliser quelque chose qui a déjà servi. Et même les déchets peuvent resservir ! Les objets en métal sont fondus pour en former de nouveaux, les bouteilles en plastique sont, par exemple, transformées en pulls, les matières organiques donnent de l'engrais pour les jardiniers…
→ Décomposeurs et biodégradable

Règles

Les règles (ou menstruations) surviennent chez les femmes, depuis la puberté (entre 11 et 17 ans) jusqu'à la ménopause (environ 50 ans).

Chaque mois, un ovule est fabriqué par les ovaires. S'il est fécondé par un spermatozoïde, l'œuf se fixera sur la paroi de l'utérus et deviendra un embryon. L'utérus se prépare donc chaque mois à recevoir cet éventuel embryon : il se tapisse d'un tissu riche en vaisseaux sanguins qui servira à le nourrir. S'il n'y a pas de fécondation, le tissu est évacué avec du sang. Ce sont les règles, qui durent en moyenne 5 jours. Lorsqu'elles se terminent, l'utérus reconstitue de nouveau son tissu, car il fonctionne selon un cycle.

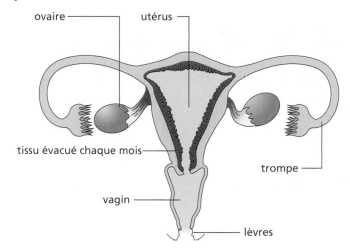

Reproduction asexuée

Imagine qu'un petit morceau de ton doigt puisse donner naissance à ton jumeau… C'est ce qui se passe pour de nombreux végétaux et quelques animaux primitifs dont la reproduction est asexuée. Une petite partie de ces êtres est capable de donner de nouveaux individus qui leur sont identiques. Ce sont des clones.

Chez les végétaux, la reproduction asexuée se fait souvent à partir d'un bourgeon ou d'un morceau de tige (c'est le principe du bouturage).

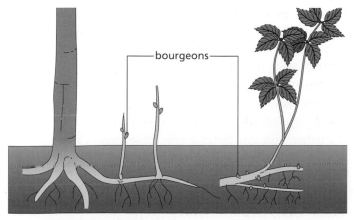

racine de peuplier ou de lilas   rhyzome de lamier

Reproduction sexuée

La reproduction sexuée est le moyen d'obtenir des descendants grâce à une étape essentielle : la fécondation, c'est-à-dire l'union d'un ovule et d'un spermatozoïde qui donne un œuf.

Les individus obtenus par reproduction sexuée sont tous différents les uns des autres et de leurs parents. Voilà pourquoi les scientifiques préfèrent utiliser le terme **procréation**.

Chez les mammifères, la fécondation se fait dans l'appareil génital de la femelle. Elle nécessite donc un accouplement au cours duquel le mâle dépose ses spermatozoïdes dans le vagin de la femelle.

Chez la femme, chaque mois, un des deux ovaires libère un ovule dans les trompes ; la paroi de l'utérus devient épaisse et riche en vaisseaux sanguins.

S'il y a un rapport sexuel au moment de la libération de l'ovule dans les trompes et si un spermatozoïde réussit à s'unir avec l'ovule, alors un œuf se forme. Cet œuf donnera un embryon.

Respiration

Lors de la respiration, l'air entre par le nez et la bouche, emprunte la trachée artère et les bronches et circule dans les alvéoles pulmonaires. Il ressort en effectuant le trajet inverse.

L'air ne passe pas dans le sang. C'est l'**oxygène de l'air qui passe dans le sang au niveau des alvéoles pulmonaires**.

Le sang distribue alors l'oxygène à tous les organes. Dans les organes, des réactions entre le glucose (sucre) et l'oxygène produisent l'énergie nécessaire pour vivre. Ces réactions donnent du gaz carbonique, qui est évacué par le sang vers les poumons. **Le gaz carbonique du sang passe dans l'air au niveau des alvéoles pulmonaires.**

L'air expiré est donc plus riche en gaz carbonique et plus pauvre en oxygène que l'air inspiré.

Ressource de la planète

Les ressources de notre planète ne sont pas toutes inépuisables. Il est donc important de prendre des mesures pour répondre à tous les besoins de la population actuelle en énergie ou en eau par exemple, tout en préservant les ressources pour les générations futures. C'est le principe du **développement durable**.

Pour favoriser le développement durable, il existe des moyens très simples :
– **économiser l'énergie** et utiliser des sources d'<u>énergie renouvelables</u> ;
– **éviter de polluer** l'air, l'eau, les sols, les forêts, etc. ;
– **ne pas gaspiller l'eau potable** : des centaines de millions de personnes dans le monde en manquent encore aujourd'hui.

Rhizome

Le rhizome est un organe végétal souterrain qui présente des bourgeons. C'est donc une **tige souterraine**. Au printemps, les bourgeons donnent des tiges aériennes.
Le rhizome grandit d'année en année et permet à la plante d'étendre son territoire.
→ <u>Reproduction asexuée</u>

S

Saison

Dans les régions tempérées, on distingue quatre saisons : **printemps** (de fin mars à fin juin), **été** (de fin juin à fin septembre), **automne** (de fin septembre à fin décembre) et **hiver** (de fin décembre à fin mars).
Le début de chaque saison est lié à la manière dont varient la durée d'une journée et la <u>course du Soleil</u> (→ <u>solstice</u> et <u>équinoxe</u>).
Les saisons présentent d'autres caractéristiques :
– les températures, les précipitations, l'ensoleillement sont en général comparables ;
– la vie des animaux et des végétaux suit souvent le cycle des saisons.

Satellite

On appelle satellite un **astre** ou un **objet** construit par l'homme **qui tourne autour d'une planète**. Un satellite peut donc être naturel ou artificiel.
La Terre, par exemple, possède un **satellite naturel** : la <u>Lune</u>. Mais elle a aussi de nombreux satellites artificiels qui ont été envoyés par les hommes pour différentes missions scientifiques ou militaires (météorologie, télécommunication, surveillance). Le premier satellite artificiel (Spoutnik) a été envoyé en 1957 par les Soviétiques.

La Terre n'est pas la seule planète à posséder un satellite naturel. En fait, c'est le cas de toutes les autres planètes du <u>système solaire</u>, hormis Mercure et Vénus. Jupiter en possède plus de dix. Quatre d'entre eux sont suffisamment brillants pour être vus à l'aide d'une petite lunette astronomique : Io, Europe, Ganymède et Callisto. Ils ont été découverts par Galilée (1564-1642) et sont nommés depuis « satellites galiléens de Jupiter ».

Jupiter et l'un de ses satellites, Io.

Sels minéraux

Le sel de cuisine et les <u>engrais</u> sont des exemples de sels minéraux. Ils peuvent souvent se dissoudre dans l'eau. C'est sous cette forme invisible que les sels minéraux pénètrent dans les racines des végétaux. Ils sont alors transportés jusqu'aux feuilles par la sève.
→ <u>Nutrition végétale</u>

Serre

Les serres sont des **abris** qui permettent d'améliorer la production des plantes : <u>fruits</u>, <u>fleurs</u>, légumes.
À l'intérieur, on peut y contrôler leurs conditions de vie : humidité, lumière et surtout température. En effet, les serres laissent entrer la lumière du soleil qui échauffe les objets, en particulier ceux de couleur sombre comme la terre (→ schéma ci-contre).

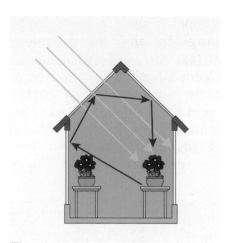

La serre laisse passer les rayons du soleil. La chaleur est piégée dans la serre.

Soleil

Le Soleil est une étoile : *notre étoile*. Elle est petite. Son rayon (700 000 km) est pourtant 109 fois plus grand que celui de la Terre. À la surface du Soleil, la température est de 6 000 °C. Le Soleil est à la distance idéale de la Terre (150 000 000 km) : suffisamment proche pour nous éclairer et nous chauffer, mais suffisamment éloigné pour ne pas tout brûler. Si cette distance avait été différente, la vie n'aurait pas pu apparaître et se développer.

Le Soleil est en effet **indispensable à la croissance des végétaux**. Il est donc à l'origine de toutes les sources alimentaires de tous les animaux.

Le Soleil est aussi une **source d'énergie renouvelable**. On peut l'utiliser pour chauffer des maisons ou pour avoir de l'eau chaude.

Le four solaire d'Odeillo, dans les Pyrénées-Orientales. Les rayons du Soleil sont réfléchis par cet immense miroir courbe et tous renvoyés au même endroit, où la température atteint plus de 3 000 °C.

Solide

Le fer, le plastique, la glace sont des exemples de solides. Ils sont rigides, ne se déforment pas facilement et on peut les tenir dans la main. Bien qu'on ne puisse pas les saisir aussi facilement et qu'ils coulent parfois entre les doigts, le sable le sucre et le sel sont aussi des solides. Ils sont constitués de petits grains solides (les grains de sable, les grains de sucre, les grains de sel) qui forment une poudre.

Il ne faut pas confondre le nom « solide » avec l'adjectif qui signifie « difficile à casser ». Ainsi, le verre est un solide et pourtant il est fragile.

Solidification

La solidification est un changement d'état : c'est le passage de l'état liquide à l'état solide. Il s'effectue généralement sous l'action d'un refroidissement.

La solidification de l'eau pure se produit toujours à 0 °C.

EAU (état liquide) — **solidification** → GLACE (état solide)

Solstice

C'est la date qui marque le **début de l'été** (solstice d'été) ou le **début de l'hiver** (solstice d'hiver). Dans l'hémisphère Nord, le solstice d'été se situe aux environs du 21, 22 ou 23 juin, le solstice d'hiver aux alentours du 21, 22 ou 23 décembre. La date change légèrement d'une année sur l'autre.

À la date du solstice d'été, la durée de la journée est la plus longue de l'année et la course du Soleil la plus grande. C'est l'inverse à la date du solstice d'hiver.

Solution

Lorsqu'on mélange une matière soluble dans l'eau, on obtient une solution. L'eau salée est une solution de sel dans l'eau.
→ Dissolution

Source d'énergie

L'utilisation d'une source d'énergie (comme le **pétrole**, l'**uranium** ou le **Soleil**) est nécessaire pour chauffer, éclairer et mettre en mouvement.

Certaines sources d'énergie mettent **des millions d'années pour se renouveler.** C'est le cas du **pétrole,** du **charbon** ou du **gaz.** L'homme les utilise beaucoup depuis le XIXe siècle et les réserves sont en train de s'épuiser.

D'énormes quantités de pétrole sont extraites chaque jour du sous-sol.

Les locomotives à vapeur utilisaient du charbon. Elles ont fonctionné jusqu'en 1970 environ.

D'autres sont inépuisables à l'échelle de l'humanité (par exemple l'énergie solaire) ou se renouvellent suffisamment rapidement pour qu'elles ne s'épuisent pas (par exemple l'eau des barrages). On les appelle les <u>énergies renouvelables</u>. L'utilisation des énergies renouvelables contribue à préserver les <u>ressources de la planète</u>.

À Targasonne (Pyrénées-Orientales), une centrale solaire a été construite et exploitée de 1983 à 1986. Elle a été jugée non rentable et a donc été arrêtée. Pourtant, elle utilisait une énergie renouvelable.

Spermatozoïde

Les spermatozoïdes sont des **cellules produites par les testicules** des mâles et contenues dans le sperme. Ils sont bien plus petits que les <u>ovules</u> (moins de 0,1 mm), très nombreux (100 à 180 millions/mL), mais aussi très mobiles. L'union entre un ovule et un spermatozoïde s'appelle la <u>fécondation</u>; elle donne un <u>œuf</u>.

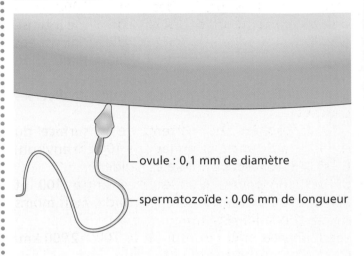

ovule : 0,1 mm de diamètre

spermatozoïde : 0,06 mm de longueur

C'est au XIXe siècle, avec l'invention du microscope, que les scientifiques ont pu voir pour la première fois des spermatozoïdes.
→ <u>Reproduction sexuée</u>

Station d'épuration

Une station d'épuration sert à **traiter les eaux usées** provenant d'une ville ou d'un village. Après filtration des gros objets, on enlève ce qui coule et ce qui flotte, puis on laisse reposer l'eau dans des grandes cuves à l'air. Les cuves contiennent des <u>microbes</u> qui digèrent une partie des substances qui polluaient l'eau. À la sortie, l'eau est épurée, non potable, mais suffisamment propre pour rejoindre la rivière sans la polluer.

Stigmate
→ <u>Fleur</u>

Structure de la terre

À la **surface de la Terre**, on trouve des continents et des océans.
Les **continents** présentent des **plaines**, des **plateaux** et des **chaînes de montagne.**

Les **océans** renferment des zones bien distinctes :
– les **plaines abyssales**, qui sont de vastes zones dont la profondeur est d'environ – 4 000 m ;
– les **dorsales océaniques**, qui constituent un énorme relief de 60 000 km de long et qui sont le siège d'une intense activité volcanique et sismique ;
– les **fosses océaniques**, qui sont des zones étroites et très profondes (de – 5 000 m à – 11 000 m) et qui sont aussi le siège d'une intense activité volcanique et sismique. Elles sont situées en bordure de continents ou au milieu d'un océan.

En **profondeur**, la Terre est constituée de diverses couches :
– la **lithosphère**, qui s'étend de la surface du globe jusqu'à une profondeur de 100 km environ. C'est une enveloppe solide et rigide ;
– l'**asthénosphère**, qui se situe entre 100 et 700 km de profondeur. Elle est solide, mais moins rigide que la lithosphère ;
– le **manteau inférieur**, qui va de 700 à 2 900 km. C'est une couche solide et rigide.
Sous le manteau se trouve le **noyau**, jusqu'au centre de la Terre, à 6 380 km.

Suc digestif

Les sucs digestifs sont des substances produites par les glandes digestives qui transforment les aliments en de petits éléments solubles.

Surveillance des volcans

Tous les volcans français actifs sont situés dans les DOM-TOM, comme le Piton de la Fournaise dans l'île de la Réunion ou la Soufrière en Guadeloupe. Ils sont tous sous surveillance. Cela signifie que des scientifiques, installés dans des observatoires construits auprès des volcans, enregistrent notamment :
– les petits tremblements de terre dus à la remontée du magma ;
– l'inclinaison des pentes du cône. En effet l'accumulation de magma dans la chambre magmatique peut se traduire par une modification de l'inclinaison des pentes du volcan.
S'il existe un danger d'éruption volcanique, les scientifiques informent les autorités civiles qui peuvent alors faire évacuer les habitants de la zone à risque.

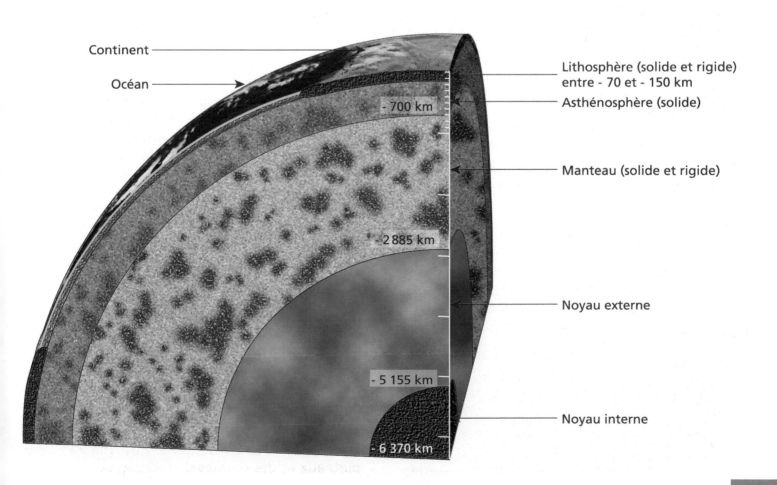

Continent

Océan

Lithosphère (solide et rigide) entre - 70 et - 150 km

Asthénosphère (solide)

- 700 km

Manteau (solide et rigide)

- 2 885 km

Noyau externe

- 5 155 km

Noyau interne

- 6 370 km

Carte du fond des océans

OCÉAN ARCTIC

Groenland

Dorsale

– 1 380 m

EUROPE

4 808 m

5 642 m

Mer
Caspienne

OCÉAN

– 5 500 m

▲ 4 165 m

– 9 218 m

AFRIQUE

OCÉ

▲ 5 895 m

AMÉRIQUE
DU
SUD

ATLANTIQUE

– 6 050 m

INDI

– 8 064 m

Fosse
Pérou-
Chili

▲ 6 959 m

– 8 264 m

ANTARC

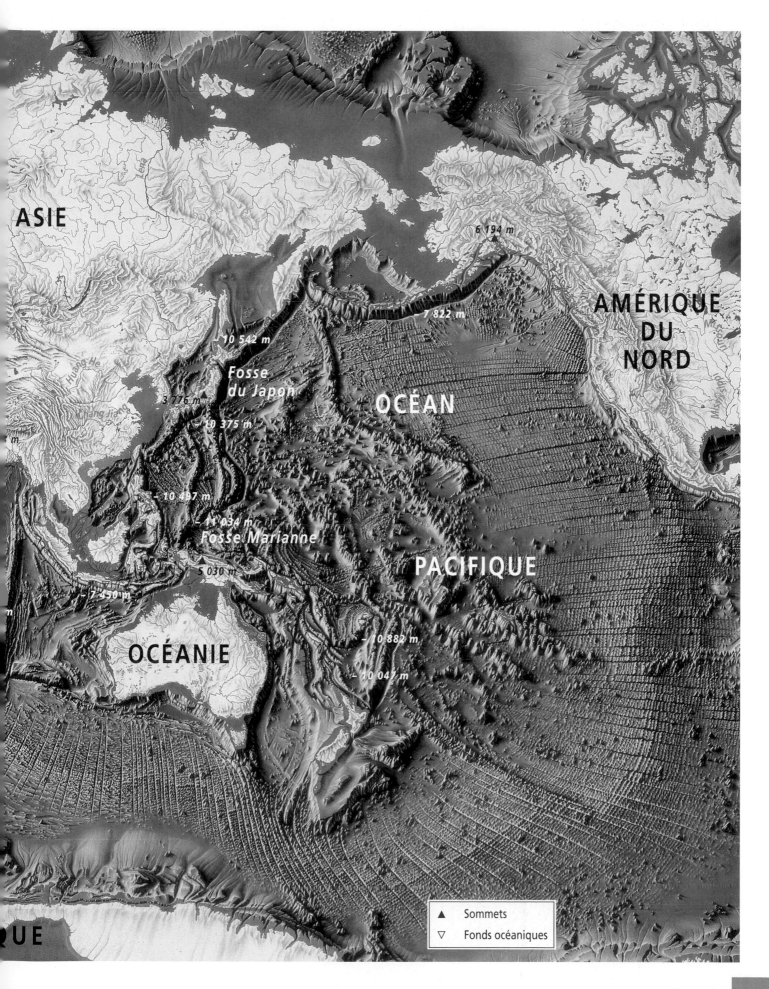

ASIE

AMÉRIQUE
DU
NORD

6 194 m

7 822 m

– 10 542 m

Fosse
du Japon

3 776 m

– 10 375 m

OCÉAN

– 10 497 m

– 11 034 m

Fosse Marianne

PACIFIQUE

5 030 m

– 7 450 m

OCÉANIE

– 10 882 m

– 10 047 m

Huang He

Chang Jiang

Lena

Missouri

Mississippi

▲ Sommets
▽ Fonds océaniques

Système solaire

Depuis Copernic et ses successeurs que furent Galilée et Kepler, on sait que la Terre n'est pas le centre de l'Univers. Le <u>Soleil</u> n'est qu'une petite <u>étoile</u> dans l'immensité de l'Univers. Pourtant, il est le centre du système solaire qui **comporte huit planètes**. Pluton, trop petite, est maintenant considérée comme une planète naine, comme d'autres corps célestes récemment découverts. Ces planètes tournent autour du Soleil en formant approximativement des cercles.

PLANÈTE	RAYON DE LA PLANÈTE (EN KM)	RAYON DE LA TRAJECTOIRE (EN MILLIONS DE KM)
MERCURE	2 440	58
VÉNUS	6 050	108
TERRE	6 380	150
MARS	3 400	228
JUPITER	71 400	778
SATURNE	60 000	1 430
URANUS	26 100	2 870
NEPTUNE	24 300	4 500

Tectonique des plaques

La tectonique des plaques est une **théorie** mise au point par des chercheurs américains dans les années 1970, à partir de découvertes antérieures. Cette théorie énonce que la partie supérieure du globe terrestre est formée de différentes <u>plaques lithosphériques</u> qui glissent sur l'asthénosphère (→ <u>structure de la Terre</u>).

Il existe trois types de limites ou frontières entre ces plaques.

Les dorsales océaniques: deux plaques s'écartent l'une de l'autre. Cela provoque l'apparition de fissures par où remonte le <u>magma</u> qui refroidit et se solidifie. Ainsi, le fond de l'océan s'agrandit. C'est le cas de l'océan Atlantique qui s'agrandit de 4 cm par an environ.

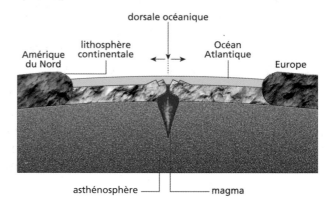

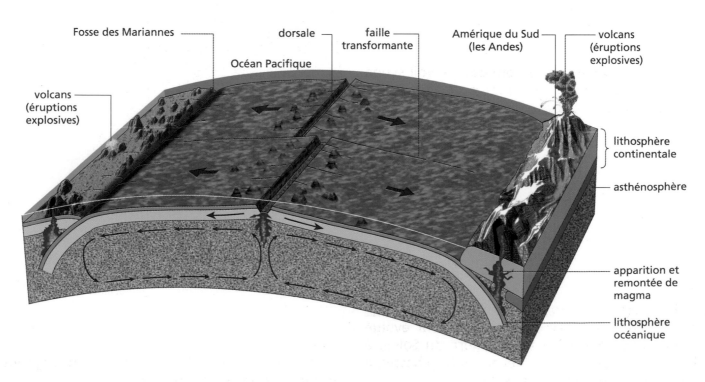

Les fosses océaniques: deux plaques se rapprochent l'une de l'autre. La plus lourde s'enfonce sous la plus légère. Cela provoque des tremblements de terre et des éruptions volcaniques explosives.

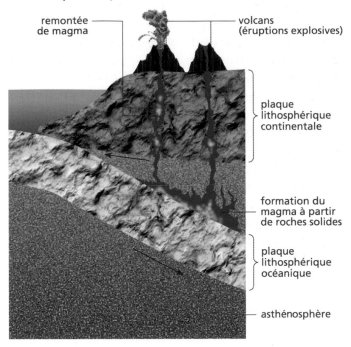

remontée de magma

volcans (éruptions explosives)

plaque lithosphérique continentale

formation du magma à partir de roches solides

plaque lithosphérique océanique

asthénosphère

Les frontières transformantes: deux plaques glissent l'une face à l'autre, sans déplacement dans le sens vertical. L'exemple le plus célèbre est la faille de San Andreas aux États-Unis (photo p. 153).

Température

C'est un nombre qui nous permet de savoir si une matière est plus ou moins chaude. La température se mesure avec un <u>thermomètre</u>. En France, son unité est le **degré Celsius** (°C).

Tendons

→ <u>Muscle</u>

Terre

La Terre est l'une des neuf planètes du <u>système solaire</u>. La vie s'y est développée et a évolué jusqu'à l'homme grâce à la <u>lumière</u> du <u>Soleil</u>, à des <u>températures</u> ni trop élevées ni trop basses, à la présence d'eau et d'<u>atmosphère</u>.

Nous ne sentons pas les mouvements de la Terre parce que nous sommes entraînés par elle. C'est une des raisons qui expliquent pourquoi les hommes et les scientifiques ont longtemps cru qu'elle était immobile, au centre de l'Univers.

Il est maintenant prouvé que **la Terre tourne sur elle-même** (on appelle ce phénomène la rotation) **et autour du Soleil** (c'est la révolution).

La durée de la rotation de la Terre sur elle-même est une unité de temps:
le <u>jour</u> (1 jour = 24 heures).

La durée de la révolution autour du Soleil est une autre unité de temps:
l'année (1 an = 365,25 jours).

Thermomètre

C'est un appareil qui mesure des <u>températures</u>.
La graduation 0 °C correspond à la température de la <u>glace</u> en train de fondre.
La graduation 100 °C correspond à la température de l'eau pure en train de bouillir au niveau de la mer.
Il existe de nombreux modèles de thermomètres qui dépendent de l'usage qu'on en fait.

→ <u>Fusion</u> et <u>ébullition</u>

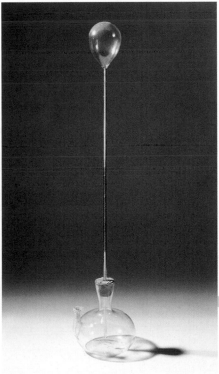

Le thermoscope (xvᵉ siècle) est l'ancêtre du thermomètre. Il ne porte aucune graduation car, à l'époque, on ne savait pas comment faire pour les déterminer.

Tige

C'est la partie d'un végétal qui a des bourgeons et qui peut porter des feuilles.

Transpiration

Les hommes et les végétaux transpirent : **ils rejettent de la vapeur d'eau dans l'air**. Les hommes transpirent par la peau et par la respiration. Chez les plantes, c'est essentiellement par la face intérieure des feuilles.

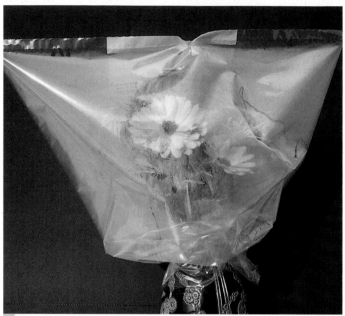

En une demi-heure, de la buée apparaît à l'intérieur du sac. Cette expérience prouve que les plantes transpirent.

La transpiration des hommes s'accompagne parfois de sueur. Elle apparaît sur la peau avant de s'évaporer.

→ Évaporation

Tube digestif

Chez l'homme, c'est un long tube de plus de 8 m, ouvert aux deux bouts. Il est composé de plusieurs organes :
– la **bouche** ;
– l'**œsophage** (un tube de 25 cm) ;
– l'**estomac** (une poche de 20 cm contenant 2,5 L) ;
– l'**intestin grêle** (un tube long d'environ 7 m) ;
– le **gros intestin** (un tube long de 1,5 m), qui s'achève par l'**anus**.
Les aliments progressent dans le tube digestif grâce à la contraction des muscles situés dans la paroi des différents organes.

Tubercule

Un tubercule est une partie de tige (la pomme de terre) ou de racine souterraine (le manioc) contenant des réserves et pouvant redonner une plante.

Cette reproduction est dite asexuée : elle n'est pas issue d'une fleur et la nouvelle plante est identique à la première.

→ Reproduction asexuée

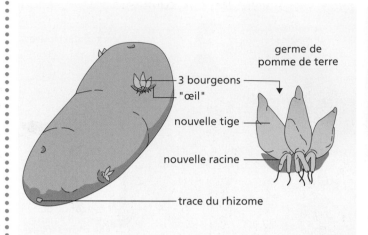

Un tubercule : la pomme de terre.

Vaisseaux sanguins

Les vaisseaux sanguins constituent un immense réseau de tuyaux (plus de 150 000 km chez l'homme) dans lesquels circule le sang.
Il existe trois types de vaisseaux :
– les **artères**, qui ont un diamètre important. Leur paroi est épaisse et élastique. Elles transportent le sang rapidement **du cœur vers les organes** ;
– les **capillaires sanguins**, qui sont situés dans les organes. Ils sont très fins et très nombreux. C'est au niveau des capillaires sanguins que des échanges se font entre le sang et les organes ;
– les **veines**, qui ont un diamètre important. Elles ramènent rapidement le sang **des organes vers le cœur**.

Vapeur d'eau

Lorsque l'eau s'évapore, elle se transforme en vapeur d'eau.
La vapeur d'eau est **incolore** et **inodore**. Il y en a toujours dans l'air, mais elle ne se voit pas.
Lorsque de la vapeur d'eau redevient liquide, on dit qu'elle se condense.

→ Condensation et changement d'état

Vertical

Un fil immobile auquel est suspendu un objet est vertical. C'est le principe du fil à plomb.

En un même lieu, les directions verticale et horizontale sont perpendiculaires.

Lorsque deux droites verticales ne sont pas trop éloignées l'une de l'autre, elles sont quasiment parallèles.

Toutes les verticales passent par le centre de la Terre.

Vibreur

C'est un composant électrique qui vibre en produisant un son lorsqu'il est parcouru par un courant.

→ Circuit électrique

Viser (visée)

Viser signifie **aligner son œil** avec **un objet proche et un objet lointain**.

Les géomètres font des visées. Ils peuvent ainsi savoir si un terrain est horizontal ou en pente.

Vivipare

Chez les animaux vivipares, le jeune sort de l'appareil génital de la femelle lors de la mise bas.

→ Gestation

Volcan

C'est un endroit d'où sort de la lave.

Les volcans ne sont pas des montagnes, mais beaucoup forment un relief : le **cône volcanique** formé par l'accumulation des produits émis par le volcan (laves, cendres…).

Le **cratère** est une zone en creux située au sommet du volcan. Il est dû aux explosions survenant lors de certaines éruptions.

Lors d'éruptions violentes comme celle du mont Saint-Helens (États-Unis), la lave visqueuse, épaisse, remonte avec difficulté et forme dans le conduit un bouchon qui a la forme d'une aiguille ou d'un **dôme** avant d'exploser.

Au cours de sa remontée, le magma peut s'accumuler dans la **chambre magmatique** située, le plus souvent, à quelques kilomètres de profondeur.

Éruption du mont Saint-Helens.

Voltage

C'est le nombre de volts (unité : V) qu'on peut lire, par exemple, sur les piles. Le voltage renseigne sur l'effet qu'on peut obtenir.

4,5 V

Avec une pile de 4,5 V, le voltage est faible. On peut faire briller une petite ampoule de lampe de poche.

230 V

Avec une installation de 230 V, le voltage est plus élevé. On peut faire briller une ampoule capable d'éclairer toute une pièce.

L'électricité est transportée sur de grandes distances par des lignes électriques de 400 000 V. Attention : il y a danger d'**électrocution** dès que le voltage dépasse 24 V.

Des lignes très haute tension.

Photographies d'agences

p. 10: Ken Redding/CORBIS; **p. 14:** (h) Chris Cole/ALLSPORT; **p. 18:** (h) Kaz Mori/GETTY-IMAGES, (b) Seitre/BIOS; **p. 22:** (h) Chandelle/ JERRICAN, (b) Mikuni/GAMMA Tokyo; **p. 24:** (h) Georg Gerster/RAPHO, (b) Guittot/PHOTONONSTOP; **p. 26:** (g) Harris/JERRICAN, (d) J.-M. Leligny/ PHOTONONSTOP; **p. 31:** Germain Rey/GAMMA; **p. 35:** Georg Gerster/RAPHO; **p. 36:** (h) D. Cox/OSF/BIOS, (b) Patrice Lecomte/BIOS; **p. 38:** (h) M. Brigaud/PHOTOTHÈQUE EDF; **p. 40:** (g) Guy Monnot/COSMOS, (d) NASA/SPL; **p. 42:** Gordons/JERRICAN; **p. 45:** (g) Nikolaï Ignatiev/ NETWORK RAPHO; (d) Hervé Donnezan/RAPHO; **p. 49:** (h) Claude Jardel/PHONE; **p. 50:** (centrale) Laurent Conchon/BIOS, (détail 2) Eric Crichton/ CORBIS; **p. 52:** (d) Yann Monel/MAP, (m-g) Berenquier/JERRICAN, (m-d) Chauvet/JERRICAN, (b) Denis Bringard/BIOS; **p. 54:** (h) Bramaz/JERRICAN, (b) Denis Bringard/BIOS; **p. 58:** (h) Le Rak/HOAQUI, (m-g) Rouxaime/JACANA, (m-d) Alain Guerrier/JACANA, (b-g) ADN/BIOS, (b-d) B. Laurier/BIOS; **p. 59:** Labat/Lanceau/PHONE; **p. 60:** JACANA; **p. 61:** BIOS; **p. 62:** (h) C. et M. Moiton/JACANA, Patrice Olivier/ PHONE, (m-g) A et J.-C. Malausa/BIOS, (m) Michel Greff/BIOS, (m-d) BIOS, (b-g) Jean-Claude Revy/ PHONE, (b-d) B. Vilette/JACANA; **p. 63:** Thomas Marent/ EURELIOS; **p. 64:** (h) Science Pictures Limited/ CORBIS, (b) C. A. Henlay/PHONE; **p. 65:** (h) BIOS, (b) COSMOS; **p. 68:** Sylvain Cordier/JACANA; **p. 71:** (g) Denis Bringard/BIOS, (d) T. Stoeckle/BIOS; **p. 72:** ARTEPHOT/BIBLIOTHÈQUE NATIONALE DE FRANCE; **p. 74:** CORBIS; **p. 79:** (b) JERRICAN; **p. 84:** (h-g) Christophe Courteau/PHONE, (h-m) Henry Ausloos/BIOS, (h-d) François Gohier/PHONE; **p. 85:** (g) Nicolas Petit/BIOS, (d) Christophe Vechot/BIOS; **p. 88:** (g) Julien Frebet/BIOS, (d) Mura/JERRICAN; **p. 90:** JDD/GAMMA; **p. 92:** (h) Chandelle/JERRICAN; **p. 93:** (b) Anna Clopet/CORBIS; **p. 98:** BSIP; **p. 100:** (d) CNRI; **p. 101:** Labat/Lanceau/PHONE; **p. 102:** B. Turbin; **p. 104:** (h) London SC. Film/OSF BIOS, (b) CNRI; **p. 106:** Bruno Sade/VANDYSTADT; **p. 110:** Andrew Syred/SPL; **p. 111:** (g) GJLP/CNRI, (d) Andrew Syred/SPL/COSMOS; **p. 112:** (h) Tim de Waele/ ISOSPORT/CORBIS/TEMPSPORT; **p. 114:** (h) Erich Lessing/AKG PARIS, (b) Dr F. Laude; **p. 115:** (h) CNRI, (b-g) Pr Bezes/CNRI, (b-d) CNRI; **p. 116:** (h) Benn/COSMOS; **p. 120:** (g) Gable/JERRICAN, (d) R. Lewine/CORBIS; **p. 122:** ARFIV/CNRI; **p. 123:** (h-g) Dr G. Moscoso/SPL/COSMOS, (h-d) PF/NESTLE/SPL/ COSMOS, (b-g) Dopamine/CNRI, (b-d) Boucharlat/ BSIP; **p. 124:** Wolfgang Kaehler/CORBIS, Lawrence Manning/CORBIS, Charles et Josette Lenars/CORBIS,

Paul A. Souders/CORBIS, Owen Franken/CORBIS, Walter Hodges/CORBIS, Danny Lehman/CORBIS; **p. 130:** Candlera/NASA/CIEL ET ESPACE; **p. 132:** (h) Groupe DIAF SDP/PHOTONONSTOP; **p. 134:** A. Husmo/FOTOGRAM STONE IMAGE; **p. 140:** (h) BNF, (b) AKG PARIS; **p. 144:** (h) A. Fujii/CIEL & ESPACE, (b-g) P. Parviaien/SPL/COSMOS, (b-d) K. Guldbrandsen/SPL/COSMOS; **p. 146:** (h) R. SOUMMER, (m) S. Brunier/CIEL & ESPACE, (b) A. Fujii/CIEL & ESPACE; **p. 148:** (g) G. DAGLI ORTI, (m) SUNSET, (d) M.-J. JARRY/J.-F. TRIPELON; **p. 151:** (g) R. SOUMMER, (d) S. Brunier/CIEL & ESPACE; **p. 152:** El diario de hoy/SIPA; **p. 153:** US Geological Survey/SPL; **p. 154:** CORBIS; **p. 155:** (h) GAMMA NEWS, (b) HOAQUI; **p. 168:** (h) PROMOTELEC; **p. 172:** (h, g-d) HOAQUI; **p. 174:** (h) Robert/Bergerot/COSMOS; **p. 182:** (b-d) NASA/CIEL & ESPACE; **p. 186:** (g) STONE; **p. 192:** Hervé Donnezan/RAPHO; **p. 193:** (g) Berenguier/JERRICAN, (d) S. Brunier/CIEL & ESPACE; **p. 197:** (g) © GETTY-IMAGES, (d): Fuste Raga/ JERRICAN; **p. 201:** NASA/SPL/COSMOS; **p. 207:** NASA/ SPL/COSMOS; **p. 208:** T. Legault/EURELIOS; **p. 212:** COSMOS; **p. 213:** Hervé Donnezan/RAPHO; **p. 214:** (g-h) Nikolaï Ignatiev/NETWORK RAPHO, (g-m) © ROGER-VIOLLET, (g-b) Gérard Sioen/RAPHO; **p. 216:** © Tanguy de Rémur/HACHETTE; **p. 219:** Museo della Scienza, Firenze/SCALA; **p. 221:** Krafft/ HOAQUI; **p. 222:** Marc Tulane/RAPHO.

Photographies d'auteurs

Jean-Michel Rolando: p. 7 (h); p. 11; p. 14 (b); p. 15; p. 16; p. 19; p. 23; p. 25; p. 29; p. 38 (b); p. 39; p. 41; p. 86; p. 132; p. 133; p. 141; p. 162 (b); p. 164; p. 166; p. 167; p. 168 (b); p. 169; p. 171; p. 172 (b); p. 173 (Lego DR); p. 174 (b, Lego DR); p. 175; p. 177 (Lego DR); p. 179 (Lego DR); p. 182 (b-g); p. 186 (d); p. 187 (g); p. 189; p. 191; p. 194; p. 220.

Guy Simonin: p. 7 (m); p. 48; p. 49 (b); p. 50 (détails 1, 3, 4 + bas); p. 51; p. 54 (m); p. 70; p. 71 (m); p. 78; p. 79 (h); p. 80 (b); p. 82; p. 84 (b); p. 87; p. 92 (b); p. 93: (h); p. 100 (b-g, b-m); p. 103; p. 105; p. 111 (m, b); p. 115 (m); p. 116 (b); p. 117; p. 124 (b-d); p. 162 (h); p. 195; p. 110.

Sylvain Combaluzier: p. 70 (nautile).

Avec l'aimable autorisation d'Opitec pour les photographies des pages 164 à 171.

Les droits du livre de Françoise Dolto, *Paroles pour adolescents ou Le Complexe du homard*, sont détenus par les éditions Gallimard Jeunesse.

Conception de couverture: François Gorin/Blanc de Zinc
Maquette intérieure: Mattika
Illustrations: Laurent Rullier
Dessins d'animation: Nathalie Hélou
Réalisation: Al'Solo
Iconographie: Maryvonne Bouraoui et Virginie Dauvet
Cartographie: Marie-Christine Liennard et Nathalie Cottrel
Photogravure: AGN
Édition: Fabienne Hélou

Les éditions Magnard remercient chaleureusement:
– Odile Marion, avec qui tout a commencé;
– Sophie Cazenave et Julie Kowarski pour leur aide précieuse.

Aux termes du Code de la propriété intellectuelle, toute reproduction ou représentation intégrale ou partielle de la présente publication, faite par quelque procédé que ce soit (reprographie, microfilmage, scannérisation, numérisation…) sans le consentement de l'auteur ou de ses ayants droit ou ayants cause est illicite et constitue une contrefaçon

DANGER LE PHOTOCOPILLAGE TUE LE LIVRE

sanctionnée par les articles L. 335-2 et suivants du Code de la propriété intellectuelle. L'autorisation d'effectuer des reproductions par reprographie doit être obtenue auprès du Centre Français d'exploitation du droit de la Copie (CFC) – 20, rue des Grands-Augustins – 75006 PARIS – Tél. : 01 44 07 47 70 – Fax : 01 46 34 67 19

Dépôt légal : avril 2003 - N° Éditeur : 2009/096

Achevé d'imprimer : en février 2009 par Europrinting (Italie)

Carte simplifiée des fuseaux horaires

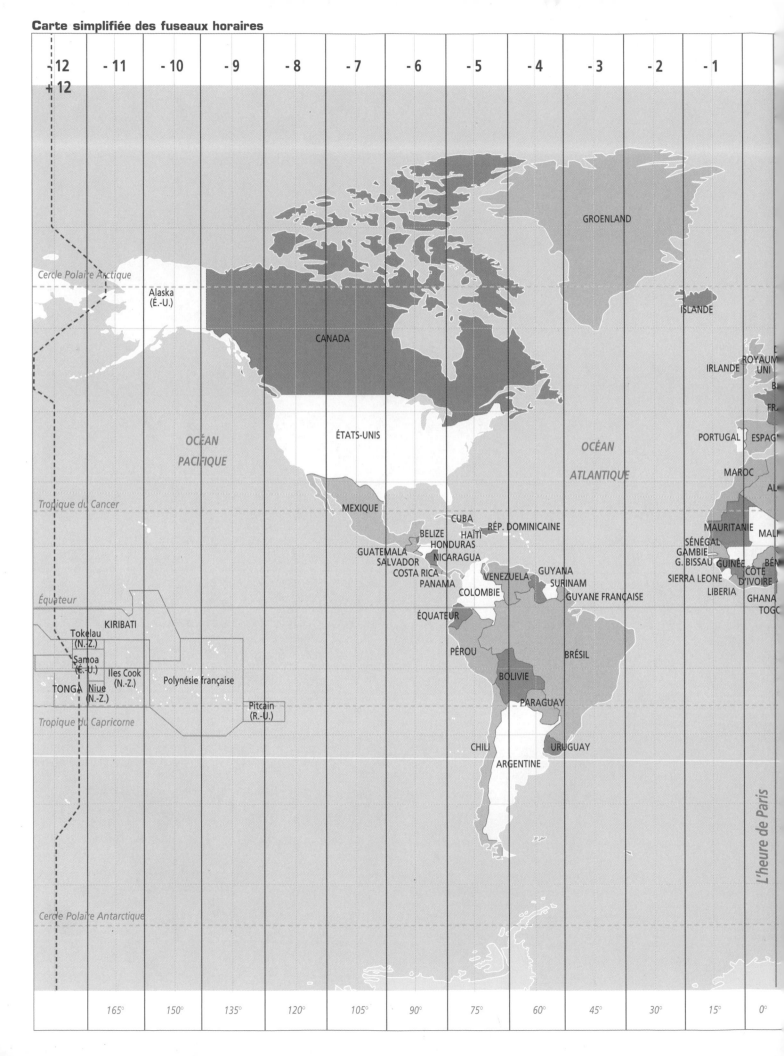

-12 +12	-11	-10	-9	-8	-7	-6	-5	-4	-3	-2	-1

Cercle Polaire Arctique

GROENLAND

Alaska (É.-U.)

ISLANDE

CANADA

IRLANDE ROYAUME-UNI

OCÉAN PACIFIQUE

ÉTATS-UNIS

PORTUGAL ESPAGNE

OCÉAN ATLANTIQUE

MAROC

Tropique du Cancer

MEXIQUE

CUBA
RÉP. DOMINICAINE
BELIZE HAÏTI
HONDURAS
GUATEMALA NICARAGUA
SALVADOR
COSTA RICA
PANAMA

MAURITANIE MALI
SÉNÉGAL
GAMBIE
G. BISSAU GUINÉE BÉNIN
SIERRA LEONE CÔTE D'IVOIRE
LIBERIA GHANA
TOGO

VENEZUELA GUYANA
SURINAM
COLOMBIE GUYANE FRANÇAISE

ÉQUATEUR

Équateur

KIRIBATI

Tokelau (N.-Z.)
Samoa (É.-U.) Iles Cook (N.-Z.)
TONGA Niue (N.-Z.)
Polynésie française

PÉROU

BRÉSIL

BOLIVIE

Pitcain (R.-U.)

PARAGUAY

Tropique du Capricorne

CHILI URUGUAY
ARGENTINE

Cercle Polaire Antarctique

L'heure de Paris

165°	150°	135°	120°	105°	90°	75°	60°	45°	30°	15°	0°